FFLAMAU JAMAICA

Fflamau Jamaica

Elwyn Efans

Argraffiad cyntaf: 2005

Ⓗ *Elwyn Efans*

Rhif Llyfr Safonol Rhyngwladol:
0-86381-960-5

Clawr: lluniau'r awdur; cynllun Sian Parri

Argraffwyd a chyhoeddwyd gan Wasg Carreg Gwalch,
12 Iard yr Orsaf, Llanrwst, Dyffryn Conwy, LL26 0EH.
☎ *01492 642031*
🖷 *01492 641502*
✉ *llyfrau@carreg-gwalch.co.uk*
Lle ar y we: www.carreg-gwalch.co.uk

I bobl Jamaica – gartref a dramor

Y Diwrnod Cyntaf

'Jamaica – the land of wood and water
Now become the land of motor vehicle an' manslaughter . . .
Dillinger – 'Nah Chuck It'

Doedd Kingston ddim yn lle i hyd yn oed frodor du o Jamaica ymweld ag o, heb sôn am dramorwr gwyn, yn ôl brodorion cyfeillgar ardal Treasure Beach, plwyf Saint Elizabeth. Bob tro y datgelwn fy nghynlluniau i dreulio'r pythefnos dilynol yno yn ystod sgwrs ag un o'r pentrefwyr, derbyniwn gyngor taer i beidio â mynd yn agos i'r *dyamn* lle.

Fy mwriad gwreiddiol oedd hedfan. Ond erbyn dydd Sadwrn, diwrnod diwethaf ond un Ann, fy ngwraig, a minnau yn ein gwesty moethus ym mhentref pysgota bach distaw Treasure Beach ar arfordir deheuol y wlad, roeddwn wedi newid fy meddwl ac wedi penderfynu croesi'r ynys mewn tacsi. Ar ôl brecwast bore Sadwrn, soniais am hyn wrth Sean, prif-farman pen-eilliedig y gwesty. Hanner awr wedyn, roedd popeth wedi'i drefnu. Byddai ffrind iddo o'r enw Danny, o dref gyfagos Black River, yn ein cyfarfod ym maes parcio'r *Treasure Beach Hotel* hanner dydd y Llun canlynol.

Dyn tân barfog yn ei dridegau diweddar oedd Danny. Stwcyn bychan, coesau bachog, pâr o lygaid mawr dwys ac awgrym o fol cwrw. Fel dwsinau o'r bobol gyffredin a gwrddais yno, roedd ganddo ddwy swydd. Y munud y gorffennai'i sifft yng ngorsaf dân Black River, neidiai i mewn i'w *Doyota Corolla* gwyn a phatrolio'r hen dref farchnad hanesyddol yn towtio am gwsmeriaid tan yr oriau mân. Fel pob un o yrwyr tacsi plwyf Saint Elizabeth, gyrrai Danny fel petai ar amffetaminiau. Roedd hi'n goblyn o job cadw i fyny ag o yn ein car llog bach, llai pwerus, ni. Wedi dwy awr a hanner o ddreifio caled a sawl bloedd o *'Cool down whiteman!'* cyrhaeddom farchnadfa fechan ar gyrion Montego Bay, ble dychwelais y *Toyota Starlet* yn ôl i'w berchennog ffyslyd, a archwiliodd y modur â chrib fân cyn gildio'r blaendal. Wedi i mi ffarwelio ag Ann ddagreuol yng nghyntedd y maes awyr, cychwynnodd Danny a minnau hi ar hyd yr A1, y briffordd i Kingston.

Tua phymtheg milltir i'r de o Ocho Rios, hanner ffordd rhwng Moneague ac Ewarton, mae'r A1 yn plymio'n ddirybudd i bant dwfn wedi'i naddu o greigiau llwyd, haearn-Sbaenaidd yr olwg. Ar ochr chwith y briffordd, reit ar waelod y glyn, saif *Faith's Pen Vending Centre,* rhesaid hir o tua hanner cant o lefydd bwyta bach pren yn swatio'n dynn yn erbyn y creigiau. Tua phump o'r gloch stopiom yno am ginio. Cariodd Danny a minnau'n porc jyrc, reis a phys a *Heineken* i lecyn gwyrdd, ym mhell o fwg y tanau coginio a mygdarth y lôn fawr. Lle, rhwng cegeidiau o fwyd a swigiau o gwrw, fe'm diddanwyd â straeon erchyll am feiddgarwch saethwyr aneirif dinas Kingston a hanesion am gieidd-dra ei byddinoedd o ladron arfog.

Mae'r siwrnai bymtheng milltir o Ewarton i gyrion Spanish Town yn aruthrol o hardd, drwy hen dref Linstead – a ddathlwyd yn y gân werin: '*Carry me ackee go a Linstead Market, not a quattie* (tair ceiniog) *could sell . . .*' – â Bog Walk Gorge ac afon y Rio Cobre yn gwmpeini cyson. Ar bwys pont di-fur Flat Bridge – sy'n hawlio sawl einioes bob blwyddyn yn ystod y tymor gwlyb – mae hafn hir, pum milltir o hyd, Bog Walk yn diweddu yn y modd mwya annisgwyl. Yma, stopiodd Danny'r car i ddangos toriad dwfn imi, dros ddeg troedfedd o uchder hyd wyneb y graig. Fe'i naddwyd ar y 15fed o Awst, 1933, fe'm hysbysodd, i goffáu'r ffaith bod y Rio Cobre wedi codi'n anghredadwy o uchel yr haf annaturiol o lawog hwnnw.

Trigolion cynharaf Jamaica, y Tainos, neu Indiaid Arawac, gloddiodd sylfeini Santo Jago de la Vega – enw gwreiddiol Spanish Town – a seiliwyd yn 1523 ar orchymyn Diego, mab hynaf Christopher Columbus. Diolch i gymysgedd angheuol o heintiau a barbareiddiwch yr Ewropeaid, o fewn hanner can mlynedd i'r Sbaenwyr gyrraedd roedd 60,000 o Arawaciaid amcangyfrifedig yr ynys wedi diflannu. Gweddillion dynol, arteffactau, paentiadau ogofâu ac ambell air o'u tafodiaith ddiflanedig – *hurricane, tobacco, hammock, buccaneer, barbecue* a *canoe* – yw'r unig olion o'u bodolaeth bellach. Erbyn heddiw, does 'na'r un arlliw o feddiannu, dros gant ac ugain o flynyddoedd o hyd, y Sbaenwyr i'w weld yn unman yn Spanish Town chwaith. Yn dilyn ymlid llu arfog Sbaen gan fyddin Lloegr yn 1655, dymchwelwyd rhannau helaeth o'r dref yn llwyr. Mae amser, daeargrynfeydd a chorwyntoedd aml Môr y Caribi wedi gofalu am y gweddill. Wrth ruthro drwyddi ar hyd yr A1, yr oll mae rhywun yn ei weld o drydedd ddinas Jamaica (o ran nifer ei phobl), yw milltiroedd ar filltiroedd o dreflannau truenus wedi'u hamgylchynu gan furiau sinc a addurnwyd â sloganau gwleidyddol. A phalmentydd llydan yn berwi â geifr, mulod, cŵn ac ambell fuwch goch yn tyrchu'n hamddenol drwy bentyrrau o sbwriel. Yn ystod y daith naw milltir o Spanish Town i Kingston gwelais ddau gi bach brown golau a gafr ifanc yn cael eu malu'n ddarnau gan gerbydau rhuthrwyllt. Diolch i Dduw nad oedd Ann hefo ni, dwedais wrth Danny, ac yntau'n nodio'i ben yn ddifrifol.

Erbyn i ni gyrraedd fy llety, sef y *Mayfair*, yn New, neu *uptown* Kingston, roedd yn dywyll bitsh. Chefais i ddim cyfle i ymestyn fy nghoesau a chael smôc cyn cofrestru. Oherwydd, o fewn amrantiad i'r car sefyll, roedd Danny'n ei brasgamu hi ffwl pelt am y dderbynfa, fy siwtces yn ei law a'm bag cynfas dros ei ysgwydd. Roedd y creadur bach ar bigau'r drain, yn ysu i'w chychwyn hi am adref cyn i *shottas* (saethwyr) nosol *downtown* ddechrau ymlusgo o'u cuddfannau. Serch bod ofn bron â chael y gorau ar Danny druan roedd ei libido'n gwbl ddifraw. Oherwydd, trwy gydol yr amser fu'r ferch ar ddyletswydd yn ceisio cael trefn ar bethau, wnaeth o ddim ymatal am eiliad rhag pledu'r greadures fach â llifeiriant o linellau *chat-up* ystrydebol.

Y peth cyntaf a ddaliodd fy sylw pan gerddais i mewn i'm hystafell oedd y rhwyll haearn cryf wedi'i folltio'n sownd i'r ffrâm drws.

'Iesu Mawr! Be 'di pwrpas hwn?' gofynnais i Danny.

'Fore yuh go a sleep at night, close it like so. Then pull the bolt across an' secure it wid dis', dwedodd, gan afael yn y clo clap cadarn yn gorwedd ar y bwrdd gwisgo. 'Let me gi' yuh few word a advice 'fore me head home', meddai wedyn, gan fwrw golwg nerfus ar ei watsh, 'Yuh never, ever, fe leave the hotel grounds unaccompanied. Yah 'ear me now? An' you nah fe invite any local woman inna you room either. When yuh wake up in the mornin' yuh gonna find yuh wallet gone.'

'Iawn. Diolch am y cynghorion,' mwmiais, cyn ei gyflwyno â'r cant a hanner o ddoleri Americanaidd yn ddyledus iddo. Eiliadau wedyn roedd ei *Doyota Corolla* yn mynd fel bom i lawr West King's House Drive.

Wedi i mi fwrw golwg siomedig o amgylch fy ystafell, dyma gynnau'r teledu a daeth cyfres o linellau pennawd papur newydd ar y sgrîn: *'Farmer Slashed to Death', '18 Year Old Youth of Unsound Mind Stabbed to Death in Mandeville', 'Lawyer Found with Throat Cut', 'Two Children Die in Drive-by Shooting'* a *'Hannah Town Community Rocked by Gang Slayings'*. Yna llun trawiadol o resaid hir o eirch yn gorwedd o flaen allor eglwys. *'YOU COULD BE NEXT! REPORT ALL CRIME!'* meddai llais gwrywaidd rhybuddiol, eiliadau cyn i Beenie Man, brenin cerddorol Jamaica, saethu i'r golwg o ganol dryswch o stereos, setiau teledu a rhewgelloedd i ganu clodydd siopau cwmni *Court's*. Wrth imi godi dechreuodd ail ran newyddion wyth *TVJ*.

'Early last night, an angry mob of local residents beseiged the Spanish Town police station where Cliffroy Hughes, a suspected child molester from St Catherine, was being held, and managed to break into the building and make an attempt on the prisoner's life.' meddai'r ddynes newyddion. *'Some of you may find the following footage disturbing,'* ychwanegodd, cyn i luniau o ŵr canol oed yn cael ei guro'n ddidostur gan dorf gynddeiriog ymddangos ar y sgrîn.

Dwn i'm faint o'r cerrig mawr, maint dwrn, a darodd y nod. Na faint o weithiau y pwywyd y treisiwr honedig yn ei gorun â phastynau a bariau haearn. Oherwydd, pan holltwyd ei ben edrychais i ffwrdd mewn ffieidd-dod. *'Following the attack on him, Hughes received extensive medical treatment at the Kingston Public Hospital.'* cyhoeddodd y newyddiadurwraig, *'And by late last night he'd recovered sufficiently to be transferred to the General Penitentiary. But sometime during the early hours he was set upon by his three cell-mates and died of his injuries shortly before dawn.'*

Pan oeddwn wrthi'n dechrau dadbacio, clywais gnoc ysgafn ar y drws, yna'r dwrn yn troi â sŵn crensian. Doeddan nhw erioed wedi dod o hyd i mi yn barod! O fewn llai na hanner awr o gyrraedd!

'What the first thing me did a tell you, man? Never leave the pussy-claat door unlocked!' clywais lais adnabyddus yn fy ngheryddu.

'Danny!' ebychais mewn syndod, *'I thought you'd gone. What the hell are you doing back here?'*

'I've come back to give you this', atebodd, gan roi tamaid bach o bapur â phedwar rhif ffôn gwahanol wedi'u sgriblo arno yn fy llaw.

'Say now you start thinkin' you mek a big mistake comin' a town,' meddai, â golwg ofidus ar ei wyneb, *'Ring any one of these numbers – day or night, it don't matter. I can be here in a little over t'ree hour. An' I'll take you somewhere nicer. . . back down to Treasure Beach maybe, or up to Port Antonio, Mo'Bay or Ocho Rios, where it's safe.'*

Edrychais arno mewn mudandod. *'Member now, if you start findin' that Kingston gettin' too much for you, don't hesitate to call me.'* ychwanegodd. *'Me woulda never forgive myself if you get kill.'* meddai, cyn cyffwrdd dyrnau â mi, troi ar ei sawdl a diflannu i'r tywyllwch. Yn ddryslyd ac anesmwyth, es am gawod. Wrth seboni fy hun dan chwistrelliad o ddŵr siomedig o lugoer, daeth llu o amheuon a gofidiau i aflonyddu arna'i.

Yr Ail Ddiwrnod

'You're in tune to boss station no.1 in the land
Where the temperature eighty five degrees farenheit in the shade
Kinda warm in Kingston today, baby . . .'
  Big Youth – *'Dread Locks Dread'*

Yng nghanol mis Rhagfyr, gadawsom ein cartref ym Mhentre Poeth, Pwllheli, a mynd i lawr i Lundain i weld King Shango, y 'Dyn Tân'. Y Proffwyd Capleton, bardd cerddorol mwya fflamboeth Jamaica ar y pryd, yn perfformio mewn clwb nos o'r enw *The Temple* yn Tottenham. Yn Llundain, manteisiais ar y cyfle i alw heibio siop arbenigol *Dub Vendor* yn Lavender Hill, Clapham Junction, er mwyn cwblhau trefniadau fy ymweliad â Kingston.

Gwyddwn mai ffolineb o'r mwyaf oedd hi i dramorwr fentro i Kingston heb ddolen gyswllt leol, gyfan gwbl ddibynadwy. Felly, ffoniais fy hen fêt Noel Hawks, rheolwr *Dub Vendor*, i'w holi. Yn hwyr noson wedyn, ffoniodd yn ôl i'm hysbysu bod Captain Sinbad – y cyn-DdJ, cynhyrchydd a pherchennog label, wedi 'morol am gwmnïwr dibynadwy i mi.

'You'll be pleased to hear that this bloke's in the same line of business as Sinbad. He's a freelance record distributor, which means you'll be in and out of recording studios all day,' meddai Noel.

'Sôn am fiwsig i fy nghlustiau!' sylwebais yn llawen ac addas. Wrth yfed paned yng nghefn siop *Dub Vendor* y pnawn Gwener glawog o Ragfyr hwnnw ym 1999, ysgrifennais fanylion fy ymweliad â Kingston ar ddalen o bapur. Ychydig o funudau wedyn, roeddent yn chwydu allan o beiriant ffacs stiwdio *Sonic Sounds*.

'That's it now, you can relax, Elwyn. Zack will call for you at your hotel on the 11th of January.' dywedodd Noel wrthyf yn ffyddiog, cyn i mi ffarwelio ag o a mynd i'r dafarn drws nesa i ddathlu â pheint o *Fuller's London Pride*.

Ond lle coblyn oedd y Zack yma? A pham na fasa fo wedi

ffonio'r gwesty y noson gynt, i weld a oeddwn i wedi cyrraedd? Oedd o'n cofio amdana i, dybed? Yng nghanol y pwl o godi bwganod yma canodd y ffôn. Cefais andros o sioc pan ddaeth llais adnabyddus Noel y pen arall i'r lein yn yngan y geiriau; *'Elwyn? . . . Elwyn? . . . Is that you?'*

'Oedd Capten Sinbad wedi bod mewn cysylltiad â mi bellach?' holodd fy nghyfaill.

'Nac oedd,' atebais. Felly rhoddodd bedwar rhif ffôn gwahanol i mi a'm siarsio i'w galw heb oedi.

Ches i ddim lwc â'r un o'r tri rhif cyntaf i mi'u deialu. Ond y pedwerydd tro llwyddais i daro'r nod.

'Good mornin,' Sonic Sounds speakin,' clywais lais cryg yn fy nghyfarch. *'Good morning. Is Captain Sinbad about please?'* holais ei berchennog.

'Sinbad! Me 'ave some guy from Dub Vendor on the phone!' bloeddiodd y llais. Clywais waedd rywle yn y pellter. A thoc, sŵn traed yn cynyddu. Ymhen eiliadau, daeth llais adnabyddus yr hen DdJ i'm hysbysu y byddai Zack yn fy nghyfarfod yn nerbynfa'r gwesty ymhen awr a hanner. Sôn am ryddhad! Gan forio canu cytgan sengl *'Kingston Hot'* Coco Tea nerth esgyrn fy mhen, neidiais i'r gawod iachusol oer.

Mae Gwesty'r Mayfair ar stryd fach dawel o'r enw West King's House Drive. Drws nesa i Jamaica House a'i barcdir anferthol, lle mae dau fastard o blismon mawr yn dangos y giât i mi bob un tro dwi'n trïo sleifio i mewn yno i wylio adar. Yng nghanol y parc saif hen dŷ mawr crand, lle mae cynrychiolydd ein hannwyl gariadus Gwîn, y Llywodraethwr Cyffredinol, yn byw, a lle saif swyddfa'r Prif Weinidog, P J Patterson. Dewisais y Mayfair am fod y *Rough Guide To Jamaica* yn ei ganmol i'r entrychion. Ei *locals* a'i *lively bar* a'i gwerthodd. Yn dilyn brecwast – platiaid mawr o *ackee* a *saltfish*, dysglaid genedlaethol Jamaica – es i nofio yn y pwll ym mhen draw'r ardd. Wrth sychu fy hun yn fy ystafell, dyma'r ffôn yn canu.

'Mr Evans, sir, we have a gentleman by the name of Zack waiting for you in reception,' meddai llais benywaidd dymunol.

Y peth cyntaf y sylwais arno oedd ei ddillad *criss*. Ei drowsus claerwyn â'u plygiadau min rasel, a'r crys silc gwyrdd tywyll fel petai newydd ddŵad o Londri Afonwen. Yna'r sandalau lledr wedi'u polisio nes oeddech chi'n gallu gweld eich wyneb ynddynt. A'r map cerfiedig o Mama Affrica'n hongian rownd ei wddf. Cyn cychwyn busnes ei hun, yn gwneud yr un math o waith â Sinbad, treuliodd Zack-I-We, Rastaffariad Nyahbinghi 47 mlwydd oed o dref fechan Bog Walk, ger Spanish Town, dros ddeuddeng mlynedd fel llaw dde'r Capten. Cyn hynny, bu'n gweithio fel mecanig mewn modurdy cyfaill iddo yn nhref Old Harbour. Yna, gadawodd ei wraig o'n ddirybudd a mudo hefo'u tri phlentyn i Ynysoedd y Caiman, lle mae Jamaicaid yn cael eu trin fel baw isa'r domen. A dydy'r creadur ddim wedi'u gweld nhw ers hynny. Ar ddechrau'r 90au, dowciodd Zack fysedd ei draed yn nyfroedd cystadleuol y byd recordio. Yr hyn mae'n dal i'w wneud o bryd i'w gilydd.

'We jus' 'ave fe check Fed-Ex up a Half Way Tree. After we dunn we a go dung a Sonic Sound,' meddai fy nhywysydd wrthyf, wedi i ni'n dau gyffwrdd dyrnau a neidio i mewn i'w hen racsyn o Doyota blêr.

Credwch neu beidio, pan fo'r miloedd o eifr sy'n crwydro deugain milltir sgwâr Kingston eisio croesi'r lôn, maen nhw'n defnyddio croesfannau cerddwyr. Pan o'n i'n eistedd yng nghar Zack y tu allan i gangen Half Way Tree *Federal-Express*, ymddangosodd bwch a'i harîm o geg South Odeon Avenue. Wedi oedi am funud, ymffurfiodd yr anifeiliaid yn llinell fach drefnus ar y pafin a chychwyn cerdded draw tuag un o groesffyrdd prysura'r ddinas. Ar gyrraedd y groesfan, stopiont yn stond, troi'u pennau i'r dde a syllu ar y goleuadau traffig. O fewn chwinciad i'r gwyrdd droi'n goch, dyma nhw'n cerdded ar draws y ffordd a diflannu i lawr Hope Road.

Roedd 'na gardotyn hanner-noeth yn casglu hen ddillad o sgip sbwriel tu allan i swyddfa bost Half Way Tree. Un arall yn tyrchu am fwyd ym miniau bwyty *Juicy Patties*, a dau fachgen stryd yn eu harddegau cynnar yn cysgu'n sownd ar wely mawr

14

o basbord ar y cylchdro concrid ger yr orsaf fysys a pharc blêr Nelson Mandela. Wrth i mi edrych ar hen wreigan fach gloff yn ei hercian hi i lawr y palmant i gyfeiriad Hagley Park Road, tarodd Rastaffariad carpiog ei ben drwy ffenestr y car a gofyn imi am bres brecwast. Yn union fel o'n i'n rhoi papur hanner can doler (tua wythdeg ceiniog) iddo, ymddangosodd Zack trwy ddrws ffrynt adeilad Fed-Ex.

'*Why you a give dat beggarman deh money jus' now?,'* brathodd yn llym drwy ffenestr y car.

'Am ei fod o'n llwgu,' atebais.

'*You nah fe do it again,'* dwrdiodd, '*It nah you who a response fe 'im poverty. It nah you who a sen' 'im out 'pon street fe beg. Look 'pon 'im! Dat man deh 'im fit an' healt'y. Nothin' a matter wid 'im. 'Im jus a bandulu*(twyllwr). *Listen, let me gi' you lickle advice. Never pull out a whole 'eap a money in front a poor people. Dem gwaan t'ief it off you. An' keep all a yuh paper money inna diff'ren' pocket from yuh coin. Den if someone aks you fe money, gi' dem lickle change. You gonna 'ave fe learn fe be stern, Elwyn. Seem to me you kinda sof'. Dis yah town it full a vampire, y'know.'*

Saif *Sonic Sounds* tuag ugain llath o ffordd fawr Retirement Road, yn ddiogel o fewn muriau uchel, rheiliau amddiffynnol tal a giât haearn gadarn sydd dan glo rownd y bedlan. I'r chwith o'r prif adeilad mae ali hir yn arwain at stiwdio brysur perchnogion y busnes, teulu'r hen gerddor, Byron Lee, arweinydd y Dragonnaires o'r 60au. Y bore Mawrth hwnnw, roedd 'na griw o offerynwyr swnllyd yn cael pum munud ar risiau'r stiwdio. A draw wrth y fynedfa'r offis, hanner dwsin o gantorion a cherddorion canol oed, unwaith yn enwau cyfarwydd i holl drigolion Jamaica, yn eistedd ar y tarmac poeth yn smocio perlysiau a disgwyl am *blie* (tro lwcus), neu wyrth efallai. Byw ar eu dannedd mae'r mwyafrif llethol o hen stejars Reggae ers dros dau ddegawd bellach. Pan aeth miwsig Jamaica drwy weddnewidiad yn y 70au diweddar gyda dyfodiad *dancehall*, aeth miwsig *roots* allan o ffasiwn yn gyfan gwbl a thaflwyd cannoedd o gerddorion talentog ar y domen.

Heblaw am deithio Affrica, Ewrop, yr Unol Daleithiau a Siapan bob nawr ac yn y man, a recordio ambell albwm i labeli Americanaidd yn eiddo i hen wynion hipïaidd, mi fasa'r trueiniaid bach yn llwgu. Yn gwbwl annhebyg i ddilynwyr roc syrffedus Ewrop a'r Unol Daleithiau, does gan trigolion Jamaica ddim diddordeb mewn cerddoriaeth hen deidiau.

Wrth i Zack fy nghyflwyno i Beres, porthor *Sonic Sounds*, ymlithrodd salŵn *BMW* mawr marŵn i'r iard.

'*Come, Elwyn. Me 'ave someone over deh me waan you fe meet,*' dwedodd fy nhywysydd, gan afael yn fy mraich a'm harwain at le'r oedd y modur gwagedd ac oferedd mawr moethus newydd stopio. Pan gamodd y *Cool Ruler*, Gregory Isaacs, ohono, bu bron i mi â chael trawiad.

Heblaw pan fydda i'n llunio tapiau casét hen fiwsig *roots* i gyfeillion, fydda i byth yn cyffwrdd yn y tomennydd o recordiau Gregory Isaacs dwi'n berchen arnynt. Ers diwygiad Rastaffaraidd mawr canol y 1990au mae fy niddordeb mewn miwsig *Reggae* diflanedig wedi pylu'n arw. Cerddoriaeth *dancehall* yw popeth gen i bellach. Ei olynydd garw, fflamllyd, dadleuol a digyfaddawd sy'n gwneud ei ragflaenydd swnio'n ferfaidd. Er bod y wedd ddiweddaraf o DdJs a chantorion rhyfeddol o dalentog Jamaica wedi taflu sylfaenwyr y gerddoriaeth i'r cysgodion, roedd hi'n dal i fod yn uffern o wefr cael y fraint o gwrdd ag un ohonyn nhw.

Wedi i'r dymunol Mr Isaacs a minnau ysgwyd llaw a chael rhyw sgwrs fach ynglŷn â chyfnod ei oruchafiaeth fawreddog dros y byd *Reggae*, fe'm gwahoddwyd i balfalu drwy lond gwlad o focseidiau o senglau'i imprint *African Museum* personol ar sedd gefn y cerbyd.

'*All a dem a thirty dollar each. Wholesale price!*' datganodd y *Cool Ruler*, cyn ymesgusodi'i hun a swagro i ffwrdd i fyny'r ali . . .

'*I never dream . . .*' dechreuais adrodd yn isel, yn fy llais Captain Barkey gorau, wrth ei wylio fo'n mynd.

Talais Gregory Isaacs am hanner dwsin o senglau, a phrynu carton o sudd oren ffres gan ddyn hancart clên ar y stryd y tu allan. Erbyn i mi ddychwelyd, roedd Zack yn aros amdanaf yn ei gar â golwg gas, braidd, ar ei wyneb.

'If you waan juice again, Elwyn, when you inna Sonic Sounds, you nah fe go out 'pon street deh,' dywedodd yn rhybuddiol, *'Yuh fe call 'pon han'cart man from car park, an' im a serve you t'rough railing.'*

'Iawn,' ochneidiais yn ufudd.

Does gen i ddim clem beth yw enw iawn Frenchie, un o gynbeirianwyr sain stiwdio *A-Class Dub Vendor*, er i mi gwrdd ag o ddwsinau o weithiau dros y blynyddoedd. Syndod aruthrol i mi oedd gweld y Ffrancwr hoffus yn lledorwedd fel lord un pen i soffa ledr fawr foethus Swyddfa Byron Murray fore Mawrth, hefo Goofy, cyn-aelod o'r fintai Main Street Crew o DdJs ifanc, yn gwenu fel giât y pen arall iddi. 'Iesu Grist! Yr hen *Frenchie,'* llefais mewn sioc.

'Elwyn! Noel told me you were coming to town,' ebychodd fy hen gyfaill, yn ei lobsgows o acen od, croesiad unigryw o gocni, Ffrangeg a *patois.*

'How long you been in Jamaica?' holodd Goofy, gan droi i'm hwynebu.

'Naw diwrnod,' atebais, 'Ond hwn yw fy niwrnod cyntaf i yn Kingston. Yn Treasure Beach, St Elizabeth, oeddwn i cynt. Hefo fy ngwraig, a ddychwelodd yn ôl i Gymru pnawn ddoe.'

Ar glywed enw pentref Treasure Beach, dechreuodd Goofy a Frenchie drafod digwyddiad erchyll ar lannau'r Black River ryw bythefnos ynghynt, pan lusgodd aligator (fel y gelwir crocodeils yn Jamaica) mwya'r ardal un o bysgotwyr y dref gyfagos i'w wâl a chnoi'r greadures fach i farwolaeth.

Ar ein ffordd allan o bencadlys *In the Streetz Records,* dyma daro ar y DJ wynepgrwn, Alozade, y fengaf o stabl enfawr o artistiaid *dancehall* Byron Murray, sydd, ar adeg ysgrifennu hyn, yng ngharchar Spanish Town â'i wedd yn ddigon trist. Yn haf 2001, yn dilyn trais difrifol yn y neuaddau dawns, ac yn y gobaith o roi taw ar y tafodau mwya diflewyn-ar-dafod ymhlith brawdoliaeth gerddorol y wlad, atgyfododd y Llywodraeth hen ddeddf hynafol o ddyddiau ffiaidd gwladychiaeth, sef Deddf

Tref a Chymunedau 1843, sy'n datgan:

'Persons should conduct themselves in a cordial manner at all times, by not using publicly any profane and indecent language, or by singing indecent or obscene ballads in public . . .'

Ym Medi, 2001, rhoddodd yr awdurdodau eu grym ar waith. Anthony B, Bounty Killer a'r DJ fenywaidd reglyd, Lady Saw, oedd yr artistiaid cyntaf i dderbyn gwysion. Ymddangosodd y tri yn llys barn Montego Bay ar y 14fed o'r mis; y Killer a Lady Saw ar gyhuddiadau o ddefnyddio iaith ddifriol ar lwyfan sioe *Champions in Action* ym mhlwyf St James. Cafwyd y ddau'n euog ac fe'u gorchymynnwyd i dreulio 240 awr yn gwasanaethu'r gymuned. Methodd yr achos chwerthinllyd – o 'ddatgan yn gyhoeddus; fod y Prif Weinidog a'r Llywodraethwr Cyffredinol yn mynd ar eu pennau i'r purdan wedi iddynt ymadael â'r fuchedd hon' – a ddygwyd yn erbyn Anthony B, wedi i'r rheithgor fethu â dod i benderfyniad. Ar y 27ain o Fedi, ailgychwynnodd yr helfa ddidrugaredd, pan lusgwyd Alozade, Kiprich a Hawkeye (ac yn ddiweddarach yn y flwyddyn, Merciless, Elephant Man, Sizzla, Beenie Man, Ninjaman a Ghost) o flaen eu gwell. Wedi i'r barnwr ganfod y tri'n euog a rhoi amod arnynt i gadw'r heddwch am gyfnod o chwe mis, collodd Alozade arno'i hun yn lân. Pan geisiodd dau blismon ei lonyddu, ymosododd arnynt a rhoi crasfa go sownd i'r pâr. O ganlyniad i'w hwrdd o wallgofrwydd, fe'i dedfrydwyd i naw mis o garchar.

Bwydo reis a phys i'w ferch fach oedd Junior Reid, pan gerddodd Zack a minnau heibio'r gŵr ifanc garw'r olwg a warchodai giât haearn ei siop recordiau fechan yn Lindsay Crescent, ardal Camperdown.

'*Yes, Junior Reid! Hail the I,*' cyfarchodd Zack y canwr *roots* rhadlon yn llon.

'*Blesséd,*' atebodd y cyn-aelod golygus o'r triawd Black Uhuru yn ôl, cyn stwffio llwyaid arall o fwyd i geg agored ei ferch fach dlws. Gadewais lonydd iddo fo a Zack i drafod busnes a mynd i chwarae mig hefo'i fab ieuenga. Wrth i mi sleifio yn fy nghwman gyda'r rheseli recordiau, trawais ar ddyn bychan, gwael yr olwg, yn stelcian yn y cysgodion ger drws cefn y siop. Roedd ei wyneb crychog yn ofnadwy o gyfarwydd. Ond er mawr gywilydd i mi, a minnau'n berchen ar gymaint o'i hen senglau, allwn i'n fy myw â rhoi enw iddo.

Cyn i ni adael ei siop, darllenodd Junior Reid fy meddwl.

'Deh nah need fe be 'fraid a aksin' fe take photo a Jamaica musician, y'know,' cyhoeddodd â gwên fawr lydan, gan sboncio i ben y cownter, unioni'r tsieiniau arian trwm yn hongian rownd ei wddf a sodro'i law dde dros ei galon, *'We nah mind at all. We all use fe it, man.'* Wedi i mi dynnu'i lun, pwyntiodd Junior fys i gyfeiriad yr hen stelciwr bach dirgel yn y cysgodion. *'Yuh like one a Blacka as well?'* holodd, gan amneidio ar y ffigwr i ddŵad ymlaen. Y munud ddywedodd Junior yr enw Blacka cofiais yn syth.

'Blacka' Wellington oedd y gŵr anghyffredin o fychan, siŵr Dduw! Un rhan o dri, a'r unig aelod byw ar y pryd, o'r triawd *roots* chwedlonol o'r 70au, y Morwells.

'Hey, Blacka! Step forward nuh man!' gwaeddodd Junior yn siriol, *'Dis breddah from 'Inglan' waan tek a photo a you.'*

Y munud nesaf, daeth bloedd uchel o *'Me nah waan fe tek nah blood claat picture!'* o gefn y siop, a ganlynwyd gan Blacka dig yn rhuthro allan i'r iard yn rhegi a rhwygo fel meinar.

'Sorry fe dat!' gwenodd Junior, dan godi'i ysgwyddau a thynnu wyneb hurt, *'Im sick.'Im not been feelin' well fe some time,'* ymddiheurodd. Gwta ddeufis yn ddiweddarach ymunodd Maurice Wellington druan â'r ddau aelod arall o'r Morwells, 'Bingy Bunny' Lamont a 'Flabba' Holt, yn y byd tu draw i'r llen.

Duwcs, mi o'n i eisio bwyd.

'Pryd 'dan ni'n stopio am ginio, Zack?' gofynnais wedi i ni orffen llwytho cist y car yn iard stiwdio *Brickwall*. Roedd hi'n tynnu at ddau o'r gloch erbyn hyn.

'Yuh like fish?' holodd y Bingiman.

'Wrth fy modd hefo nhw!' atebais yn frwd, yn union fel 'sach chi'n ei ddisgwyl i ddyn wedi'i fagu ar benwaig, mecryll, lledod, gwyniaid môr, morleisiad, llymrïaid a chrancod Bae Porthdinllaen ei ddweud.

'After we finish loadin' up me a go tek you a Tattie's restaurant, dung a Greenwich Farm.' cyhoeddodd, *'Tattie 'im mek the bes' steam fish inna the whole a Kingston.'*

Wrth i Zack fodfeddu'i hen Doyota drwy draffig trwm gwaelodion Waltham Park Road, galwodd dioddefwr canol oed oedd wrthi'n torri coed tân ar y palmant ar Zack a gofyn iddo,

'Hey, dread! Wha' yuh mean bringin' dat redneck dung yah so!' Edrychais yn hurt ar y dyn am eiliad neu ddau.

'Wnes i glywed yn iawn?' holais fy ffrind yn ddryslyd.

'Yeah man! 'Im a t'ink you a redneck Yankee!' chwarddodd fel peth gwirion. Roedd *redneck* ddigon drwg, ond Ianci ar ben hynny! Wedi myllio'n lân, sticiais fy mhen allan drwy'r ffenestr a hysbysu'r gŵr, yn blwmp ac yn blaen, nad Americanaidd mohonof.

Wheh you a hail from den?' bloeddiodd y dyn yn ôl, mewn tôn lai ymosodol y tro hwn.

'Wales!' gwaeddais.

'Wheh dat?' llefodd wedyn.

'Next door to England!' bloeddiais. Ar glywed hyn, newidiodd agwedd fy athrodwr yn llwyr. Lledodd gwên fawr dros ei wyneb, ac wedi iddo fynegi'i edifeirwch, neidiodd ar ei draed a chodi'i law arnaf yn gyfeillgar.

Saif 'Tattie's' yng nghalon geto Greenwich Farm, tomen garw'r hen gantorion roots, Phillip Fraser, Prince Alla, Earl Zero a Sammy Dread, a'r hen gynhyrchydd boliog, yr anfarwol Bunny 'Striker' Lee. Hanner ffordd ar hyd stryd gul yn berwi o eifr tenau ac o gŵn creithiog, mewn iard gefn byngalo bach twt wedi'i beintio'n lasfaen ac oren llachar. Mae'n debyg mai hen garej, neu weithdy peirianyddiaeth, oedd y bwyty'n wreiddiol, gan fod y lloriau'n dew hefo slwj olew blynyddoedd maith, a'r muriau wedi'u gorchuddio â llwch du bitsh. Reit yng nghongl bella'r ystafell fwyta, saif cist oer dolciog yn llawn dop o hen boteli rym yn cynnwys pwnsh cnau mwnci nefolaidd a dwsinau o wahanol fathau o suddion cartre. Heblaw am y llieiniau plastig gorliwgar ar hanner dwsin o fyrddau simsan, yr unig addurniadau'n sirioli'r caffi tywyll yw ugeiniau o bosteri yn hysbysebu ymweliadau, wedi hen, hen fynd heibio, rhai o systemau sain mwya enwog Kingston a'r gymdogaeth. A hanner dwsin o hen galendrau llipa wedi'u plastro â lluniau o ferched ifanc hudolus, tri-chwarter noeth. Bob diwrnod gwaith, rhwng hanner dydd a thri'r prynhawn, mae bwyty Tattie dan ei sang. Yn gymysgedd o weithwyr swnllyd o stadau diwydiannol Marcus Garvey Drive, docwyr cyhyrog Port Bustamante, a hen Rastaffariaid, *youthmen* talog ac ambell weithiwr coler a thei o swyddfeydd tymeredig *uptown*. Er bod bwyty'r hen Tattie braidd yn llwm a di-raen a'i heidiau o bryfed chwythu penderfynol yn ddigon i yrru dyn i'r seilam, mae'r bwyd yn ddiguro a'r awyrgylch yn hwyliog. Os am bryd blasus, maethlon a rhad, credwch chi fi, does 'na'r unlle yn Kingston gyfan i guro bwyty Tattie.

Cawr o ddyn yw Tattie – gŵr tua deg a thrigain, camarweiniol o gas yr olwg, â chwaeth fisâr mewn dillad. Pan ymrithiodd y perchennog, llwy bren anferthol yn ei law, o ganol mwg trwchus tanllwyth mawr o dân yr ystafell fwyta, syllais arno fel llo. Wedi'i wisgo mewn crys sgarlad a melyn blodeuog, ffedog ffriliog, lliw leilac, sandalau plastig a throwsus siarcol yn staens a strempia i gyd, roedd o'n ymgorffordiad o drychineb deilwrol. Arhosodd Tattie am funud ar ei ffordd i'r gegin, i grafu'i stumog anferthol a chyfri ei gwsmeriaid. Yna, yn fodlon, diflannodd i'r cefn, gan sychu'r ffrydiau mawr o chwys ar ei wep â'i hen gap brethyn seimllyd.

Bwydlen fer iawn – *red snapper* neu *parrotfish*, un ai wedi'u rhostio, stiwio, neu ffrïo – a gynigir ym mwyty'r Goliath yma o blith cogyddion. Os na 'dach chi'n hoffi pysgod mae hi wedi canu arnoch. Pan ddaeth weitar ifanc at Zack a minnau, gofynnais iddo am blatiaid o *brown stew fish*; roedd Ann wedi'i drio'r wythnos cynt, i lawr yn St. Elizabeth, ac wedi'i wynfydu am ddyddiau wedyn.

Roedd y talp enfawr o bysgodyn croen arian yn nofio yn y pwll o sôs brown tywyll ar fy mhlât yn blasu'n union fel draenog y môr. Yn well, hyd yn oed.

'Ti'n gwybod be' Zack? Mae'r pysgodyn yma'n ogoneddus!' sylwebais, cyn sieflo cymysgedd o iam, reis, pys *gungo*, pwmpen ac ocra i'm ceg. 'Sut fath o bysgodyn ydy o? Ac o ble mae o'n dŵad, o'r afon ynteu'r môr?' holais.

'*Me not sure. Me t'ink it some kinda river fish . . . me done forget wha' it call right now,*' atebodd, wedi iddo boeri llond ceg o flew pysgodyn i'r bowlen dal esgyrn fawr blastig o'i flaen.

'*Yow, bredren! What kinda fish dat?*' galwodd ar y gŵr canol oed dros y ffordd i mi, yr hwn oedd wrthi'n brysur yn llwyo *fish tea* i lawr ei gorn gwddf fel 'tai'r byd ar ben.

'*Mmmm . . .*' ystyriodd y brawd am funud, cyn cydio yn fy mhowlen, sodro'i lwy yng nghanol fy mwyd a mynd ati i roi archwiliad post-mortem manwl i fy mhysgodyn. '*It a grunt,*' meddai'n awdurdodaidd, wedi iddo orffen hacio'r pysgodyn yn fil o ddarnau mân, '*A very dutty fish. It hang aroun' sewage pipe an' t'ing. Lord, me a tell yuh man, me woulda nevah touch it myself.*' Neis iawn wir!

Wedi i mi roi clec i lond hen botel rym fawr o sudd *june plum* ffres a ffarwelio â'r arbenigwr pysgod, talais Tattie am y ddau bryd a cherdded allan i'r haul berwedig. Ers i Zack grybwyll mai cartref label *Startrail* y cynhyrchydd Richard Bobo Bell fyddai ein hymweliad cyntaf ar ôl cinio, roeddwn yn ysu fel coblyn i symud ymlaen. Roedd un o fy arwyr cerddorol mwyaf, sef y penboethyn o DdJ ifanc, Anthony B, ymysg artistiaid y label. Efallai cawn y fraint o gwrdd ag o, meddyliais yn gynhyrfus, wrth wylio aderyn ffrigad yn ceisio amddifadu pelican o'i ddalfa yn nociau cyfagos Port Bustamante.

Mae cartref imprint miwsig roots modern *Startrail* ar ail lawr rhesaid o siopau ar Spanish Town Road Gorllewin Kingston. Fel pob stiwdio arall ym mhrifddinas Jamaica, diogelir mynedfa'r adeilad gan rwyll gadarn o haearn bwrw addurniadol. Ymddangosodd llanc ifanc gwengar o rywle'n y cysgodion ac agor y clo i ni. Ar ein ffordd drwy'r lobi, stopiais i ffeirio cyfarchion a chyffwrdd dyrnau caeëdig â'r *Startrail Crew*, dwsin o DdJs ifanc Richard Bell.

Hanner ffordd i lawr y coridor tywyll ymddangosodd Richard 'Bobo' Bell, cynhyrchydd miwsig *roots* cyfoes gorau'r ynys yn ei ddydd, drwy un o'r drysau. Nodiodd ei ben yn swta wrth wasgu heibio ni.

'*Im mus' a busy recordin*',' esboniodd Zack yn ymddiheurol, gan agor drws y swyddfa led y pen ac amlygu'r delw-ddrylliwr ifanc o blwyf Trelawney yn eistedd ar soffa ledr fawr esmwyth.

'*I'll never bow down low*
Nor live my life like dog nor John Crow . . .'
     Anthony B – '*Never Bow Down Low*'

'*Show me yuh company an' me tell you who you are*,' ddywed yr hen ymadrodd Jamaicaidd. Chewch chi byth Anthony B(lair) yn neidio a champio â *skettel* (dynes lac ei moesau) dlws ar bob braich yng nghlybiau nos ffasiynol New Kingston, yn gyrru o amgylch y dre hefo gosgorddlu o gynffonwyr mewn cerbyd gyriant pedair olwyn coegwych, neu'n hobnobio â *heathen* a *sheathen* (pechaduriaid benywaidd) ariangar *uptown* mewn bwytai pum seren. Dyn o'r werin ydy o. *Yout'man* â chlamp o ymwybod moesol sy'n treulio'i holl amser i lawr yn y geto ymhlith y tlodion gorthrymedig. A milwr Bobo Dread *upful* (cyfiawn) sy'n meddu ar galon bur a llygaid wedi'u dyrchafu'n barhaol tuag at Fynydd Seion. 'Wrth eu ffrwythau yr adnabyddwch hwynt,' medd Mathew 7:16. Nid yn unig y mae Anthony B yn fardd gwerth chweil, yn geidwad hawliau dynol diflino ac yn un o sylwebwyr cymdeithasol mwya craff Jamaica, mae o'n credu'n gryf mewn rhoi'i arian ar ei air hefyd. Oherwydd, yn ogystal ag ariannu ystafell gyfrifiaduron yn ei hen ysgol yn Braeton, Portmore, mae'r siantiwr ifanc yn noddi'n hael ddau o glybiau ieuenctid y dref ac yn rhoi cymorth ariannol i lu o rieni tlawd na allant fforddio addysgu'u plant. Yn wahanol iawn i Tony Blair Prydain Fach, mae Anthony Blair

Jamaica yn byw ei broffes ac yn dilyn ei bregeth ei hun – i'r llythyren.

Roedd 'na gymaint o gwestiynau pwysig yr oeddwn eisio gofyn iddo. Ond prin gefais i'r cyfle i agor fy ngheg. Oherwydd, o fewn dim i mi sodro fy hun wrth ei ymyl, daeth Richard Bell i dywys y DJ i'r stiwdio.

'Anthony!' gwaeddais ar ei ôl, 'Yr holl ddynion pwerus yna wyt ti wedi eu tynnu'n gareiau ar dy recordiau dros y blynyddoedd diweddar hyn, dwyt ti ddim yn ofni'r canlyniadau dŵad?'

'Ha! Yuh see me now, me breddah? Me nah fear no man! No weapon dat rise up against I shall prosper!' atebodd yn herfeiddiol, cyn diflannu, ag andros o wên fawr, i'r coridor tywyll.

Mae Half Way Tree, a enwyd ar ôl coeden *kapok* fawr hynafol a gysgodai tafarn pentref St Andrew hyd at y 1870au diweddar, yn gorwedd yn nhir neb *mid-town*, hanner ffordd union rhwng tlodi dybryd *downtown* a golud a moethusrwydd *uptown*. Wedi'u gwasgaru o amgylch y groesffordd, lle mae priffyrdd prysur Hagley Park, Constant Spring, Half Way Tree a Hope Road yn cwrdd, saif hanner dwsin o adeiladau gwladychol wedi eu hadfer, yn cynnwys eglwys y plwyf hyfryd St Andrew's a'i mynwent lle gorwedd gweddillion ugeiniau o genhadon, milwyr a gweision sifil Prydeinig mewn pechod ac aflonyddwch tragwyddol. Does gen i ddim byd o gwbl i'w ddweud wrth y marchnadfeydd mawr digymeriad, yn y dull Americanaidd, sy'n anharddu holl strydoedd mawrion y cylch. Heblaw am siop lyfrau *Sangster's* yn Ward Plaza, fydda'i byth yn tywyllu drysau'r ffieiddbethau. Mae'n well o lawer gen i wneud fy siopa yn y farchnad fawr ffrystiog, neu ar balmentydd yr ardal, sy'n dryfrith o *vendors* anghyfreithlon: yn cynnwys gwerthwyr sgidiau, *juice-men, cassette-men*, merched cnau mwnci, dynion cansenni siwgr, hwrjwyr ffonau canser rhad, gwerthwyr ffrwythau a llysiau, a phedleriaid dillad a watshis *name-brand* ffug.

Roedd o'n deimlad od ar y naw. Ymwelydd oeddwn i fod.

Dieithryn ar ei ymweliad cyntaf â dinas estron hanner ffordd ar draws y byd. Ond doeddwn i ddim yn teimlo fel ymwelydd o gwbwl. Roeddwn yn teimlo'n berffaith gartrefol. Plantation Heights, Tower Hill, Red Gal Ring, Cassava Piece, Barbican, Liguanea, Meadowland, Pembroke Hall a Patrick City . . . roedd yr enwau ar yr arwyddion ffyrdd i gyd yn hysbys imi. Ward Theatre, Devon House, Up Park Camp, y Gun Court, Parade, y National Arena . . . ac arwyddnodau'r dref i gyd yn gwbwl adnabyddus. Roedd y mwyafrif helaeth o'r wynebau a welwn ar y teledu – yn wleidyddion, actorion, beirdd, awduron, digrifwyr, pêl-droedwyr, ac ati – yn gyfarwydd imi hefyd. A bwydydd, diwylliant, hanes, llên gwerin, moesau a defodau'r wlad. Ffasiynau'i thrigolion, eu hiaith a'u diarhebion, a'u myrdd o grefyddau gwahanol.

'Tyrd 'mlaen rŵan! Does bosib na theimlais di'r mymryn lleiaf o ysgytwad diwylliannol?' gofynnodd cyfaill imi y diwrnod wedi imi ddychwelyd adref.

'Naddo. Dim owns. Wir Dduw iti rŵan,' atebais. Theimlais i'r un iod ohono trwy gydol fy arhosiad.

Es am dro fach o amgylch gerddi'r gwesty. Pan o'n i'n cerdded heibio'r caets weiars anferth lle mae sbwriel y *Mayfair* yn cael ei storio'n ddiogel rhag cael ei andwyo gan fongwsiaid, ymddangosodd glöyn byw du bitsh, lled ei adenydd o leiaf chwe modfedd, o ganol twmpath o *bougainvillea* pinc. Dilynais o, wedi fy mesmereiddio, yr holl ffordd i lawr y lôn yn arwain o'r bar i'r dderbynfa, nes iddo ddiflannu trwy ddrws agored y byngalo gwyngalchog gyferbyn â'r ystafell fwyta.

'*Bat!*,' gweiddodd stwcyn bach brown, mwstasiog, wedi'i wisgo mewn dillad caci, o ardd y byngalo drws nesaf.

'Mae'n ddrwg gen i?' bloeddiais yn ôl.

'*Dat t'ing you bin followin' – it a bat!*,' llefodd y gŵr canol oed, rhadlon yr olwg.

'Os ydy hwna'n ystlum, tsiapyn, dwi'n wyth stôn,' dwedais wrthyf fy hun.

Cododd y *brownman* boliog ar ei draed a chynnig ei law i mi.

'Neville Campbell from Portmore. Security guard,' datganodd, gan bwmpio fy mraich yn egniol.

'Elwyn Efans, o Gymru,' atebais innau'n ôl. ''Dach chi'n gwybod, Mr Campbell, mi faswn i'n taeru mai glöyn byw welais i rŵan hyn,' honnais, wrth wneud fy hun yn gyffyrddus ar sedd sgryfflyd rhyw hen fodur wedi'i sgrapio.

'No, Edwin man! It a bat,' chwarddodd y gwarchodwr bychan o waelodion ei fol, gan dynnu'i sbectol haul a slapio'i gluniau mewn difyrrwch. 'Ond 'dydy ystlumod ddim yn mentro allan tan mae hi wedi dechrau tywyllu,' dadleuais, 'Ac mae ganddyn nhw glustiau mawr, ffwr, a chrafangau . . .'

'Dem lickle animal you a talkin' 'bout Edwin, we call dem rat-bat,' torrodd Mr Campbell ar fy nhraws, 'An' the insec' you jus' seen, the one that come inna yuh house a night an' fly 'roun' the light bulb dem, dem a jus' bat.'

'Gwyfyn!' ebychais, gan wenu, 'Ystlum i chi yw gwyfyn i mi' 'You got it, Edwin!' chwarddodd y gwarchodwr.

Dwi'n meddwl y byd yn grwn o Mr Campbell. Ac o Michael, ei ddirprwy golygus, merchetwr brwd ac un o bregethwyr *Zion Revivalist* mwya poblogaidd plwyf St Catherine. Er na thywyllodd o erioed ddrysau'r un ysgol uwchradd, mae Mr Campbell yn ŵr hynod o eang ei wybodaeth, yn enwedig pan ddaw hi at faterion y dydd, garddio, a ffawna a fflora Jamaica. Dwi 'di dysgu peth wmbredd ganddo am fywyd gwyllt a choed a phlanhigion yr ynys yn ystod yr holl oriau 'dan ni'n dau wedi'u treulio yng nghwmpeini'n gilydd dros y pedair blynedd ddiwethaf. Un bore, dangosodd Mr Campbell goeden *kapok* anferthol i mi, lle treuliai *pattoo* (tylluan) fawr wen ei horiau segur. Hanner awr wedi un, un bore bythgofiadwy, deuthum wyneb yn wyneb â'r gwdihŵ aruthrol fawr yma, wrth stagro'r hanner can llath o'r bar i'm hystafell. Dyna lle'r oedd hi, yn cymryd hoe fach ar bostyn concrid, lai na dwy lath i ffwrdd. Trodd y llygotwraig hawddgar ei phen hyfryd a rhythu'n dyner arna'i. Syllais innau'n garuaidd arni hithau. Ymhen hir a hwyr, toc wedi iddi roi hwtiad bach rhamantus o ffarwel imi, hedodd i ffwrdd i barcdir Old King's House y Llywodraeth.

Yng nghyfnod Christopher Columbus (neu Combusus [*Com(e)/bus(t)/us*], fel fydd Rastaffariaid Jamaica wastad yn cyfeirio ato), cyn i ddyn fynd ati i'w lladd, roedd aberoedd ac arfordir Jamaica yn berwi â morfuchod, neu manatïaid. Heddiw, cwta gant o'r creaduriaid mawr addfwyn yma sydd ar ôl. Trist nodi: mae'r morfuwch Jamaicaidd yn prysur fynd i ddifodiant, fel yr *hutia* (tebyg iawn i fochyn gini), yr igwana, y deryn du brodorol, y folomen gynffondorch, a phum rhywogaeth o neidr.

'Mae wardeiniaid Gwarchodfa Natur Alligator Hole wedi rhoi'r gorau i fynd â thwristiaid i lawr yr afon ar deithiau gwylio manatïod, yn ôl y daflen ar fywyd gwyllt ffeindiais i yn y dderbynfa bore 'ma,' meddai Ann, un bore yn y gorffennol, wrth i mi chwilio am le i barcio ym mhentref pysgota di-ffrwt Alligator Pond.

'O blydi hel! Pam, dŵad?' gofynnais yn siomedig.

'Am fod yr yswiriant yn rhy ddrud, meddan nhw. Ond bob prynhawn, rywbryd rhwng tri a phedwar, mae'r morfuchod yn nofio i fyny'r afon i wledda ar y tunelli o forwellt mae gweithwyr y warchodfa'n darparu iddyn' nhw.'

Oherwydd eu bod nhw'n byw mewn lle mor ddiarffordd ac unig ym mhen draw pant dwfn rhwng sodlau mynyddoedd Santa Cruz a Don Figuerero – ymhell o gyrraedd gwareiddiad – mae bydol-ddoethion Kingston a Spanish Town yn edrych ar drigolion Alligator Pond fel twpsod. Ar ôl llymaid o gwrw mewn rym siop fach ddistaw ger swyddfa bost y pentref, cerddodd Ann a minnau i lawr i'r traeth a gwylio dros ugain o gychod pysgota lliwgar yn dadlwytho'u helfeydd. Bu nofio ymysg haid o *old Joes* (pelicanod) sgryfflyd yn foddion i'n hadfywio a chawsom dro o amgylch y farchnad bysgod, lle bu bron iawn i Ann gael ffit farwol pan wthiodd hen fachgen direidus ben baracwda enfawr dan ei thrwyn . . . I gyfeiliant clecian uchel dominos yn taro byrddau a rhochian moch y pentref yn cwffio dros bennau a choluddion pysgod ar y traeth gerllaw, gwleddasom ar gawl pwmpen bendigedig a chimychiaid wedi'u ffrïo mewn menyn garlleg ym mwyty adnabyddus *Little Ochi*. Wedi i ni roi clec i weddillion ein potelaid o win gwyn lleol, blas toddwr farnis ewinedd, cychwynnom hi am Alligator Hole.

Hanner ffordd ar hyd y lôn gul dyllog, droellog sy'n cysylltu pentref Alligator Pond a'r Milk River, daeth lori gwrw anferthol rownd y gornel ar yr ochr anghywir i'r ffordd. Bu'r nesa peth i ddim iddi wasgu Ann a minnau a *Toyota Starlet* bach arian Mr Dhana yn un sglwtsh. Mae'r heol berig bywyd, ddeunaw milltir o hyd, yma sy'n rhedeg trwy wlad anial/anghyfannedd y Long Bay Morass yn dryfrith o wahanol fathau o adar môr ac adar dŵr: yn grehyrod o bob lliw a llun, jasanod a chors-ieir amrywiol, gwyachod lliwgar, hwyaid selog a mulfrain anfad. Ar gyrion corstir mangrof Gut River, gwelsom *kitty-kitty* ar yr adain ac andros o *chicken hawk* mawr (sy'n debyg iawn i'n barcud ni) yn eistedd ar ben craig yn gwylio mongŵs ifanc yn croesi'r ffordd.

Roedd yr haul yn dechrau llithro'n araf ar draws y ffurfafen erbyn i weithwyr gwarchodfa Alligator Hole orffen gwisgo amdanynt ar ôl ymolchi'n noethlymun yn yr afon.

'Oes 'na grocodeils yn yr afon yma o hyd?' gofynnais i Ewart, gŵr ifanc golygus o dref fwya plwyf Clarendon, May Pen, wrth iddo wthio'r canŵ alwminiwm simsan i'r dŵr.

'Not 'sactly in the river.' dwedodd, 'Dem ten' fe 'ang 'bout the swamp mos'ly.'

Gan llath i lawr yr afon pasiom *crab-catcher* (crëyr enfawr, â choron felen drawiadol ar ei ben) yn aros yn amyneddgar i'w swper nofio heibio. Ac ychydig ymhellach ymlaen, grëyr cochlyd (*reddish egret*) digynnwrf yn pigo'n ddiamynedd yn y llaid browngoch ar ymyl y dŵr. Hanner ffordd drwy'n taith, awr o hyd, i geg yr afon, ymddangosodd tair o wyachod bach swil yn gwisgo capiau pom-pom piws allan o'r llenni trwchus o gyrs uchel oedd yn amgáu'r afon yr holl ffordd o Alligator Hole i draeth Long Bay. Roedd Ann yn ffrynt y canŵ yn craffu'r afon am forfuchod, minnau yn y canol, pibell yn fy ngheg, yn boddio fy llygaid ar lond gwlad o breswylwyr pluog ac Ewart y tu ôl i mi yn rhwyfo'n gadarn. Llithrom i lawr yr afon heb air o'n pennau, i gyfeiliant crawcian adar a sŵn esmwythaol y rhwyf yn trawo'r dŵr.

Pan floeddiodd Ewart *'See't deh!'* dros y lle, dychrynom am ein bywydau, *'Two manatee – cow an' calf – a come, 'bout ten yard down-river a we. Swimmin' pon the right. Dem jus' near dat ol' tree trunk over deh!'*

Pwysais i'r dde ac ymestyn fy ngwddf. Gwnaeth Ann yr un fath.

'Mi gwela i nhw!' gwaeddodd ein gwylwraig yn gynhyrfus.

'Yn ble? Yn ble?' sgrechiais innau.

'Sbia draw fan 'cw, i gyfeiriad y bryncyn bach 'na ar lan yr afon, ychydig i'r chwith o'r hen foncyff yna, ac mi weli di ddau siâp mawr llwyd yn nofio ffordd hyn yn araf!' llefodd dros ei hysgwydd.

'Don't lean over so! Try fe keep the boat balance!' crochlefodd Ewart rhuslyd yr un pryd, wrth arafu'r canŵ a'i lywio tua'r manatïod mewn un symudiad chwim. *'Look down in the water now. Now! Dem a go pass by any secon',*' gorchmynnodd ein badfeistr. Tynnais fy sbectol haul a chraffu i wyth troedfedd o ddŵr clir yr afon, mewn pryd i weld morfuwch, tua phedair llathen o hyd, a'i chyw llawer llai yn nofio heibio'n ddioglyd yn groes i'r llif.

'It a Joan an' 'er baby. See dem wrinkle-up face? See 'ow the lickle manatee kutch up wid 'im mother?'

'Yes,' atebodd Ann a minnau ag un llais wedi gwirioni'n lân.

'Dis yah cow manatee, it small compare a the other two female dem. Some a the big one grow up a fifteen feet long an' weigh over 2,000lb. You se 'ow dem nah 'fraid a we, an' 'ow slow dem a swim? Dat why it easy fe the poacher fe kill dem. Jus' mek me turn the canoe 'roun'. . . Look up-river now! Dem a go lif' dem head outta water in a minute, fe catch dem breath.'

Cyn gynted ag y gorffennodd Ewart siarad, daeth dau ben

enfawr i'r golwg. Wedi i'r ddau fanati gymryd saib bach, anadlu allan yn swnllyd a llyncu llond 'sgyfaint o awyr iach, suddon nhw'n ôl dan y dŵr ac ailgychwyn ymdonni'n hamddenol i gyfeiriad y wledd yn eu haros dan hen bont gerrig Alligator Hole.

Rio Caobana – Afon Mahogani – oedd enw'r Sbaenwyr ar y Black River, afon hiraf Jamaica. Oblegid yr holl dannin sy'n llifo iddi o ddeiliach a llystyfiant pydredig y Great Morass – y warchodfa gan milltir a hanner sgwâr o dir corsiog sy'n ymestyn yr holl ffordd o Parrottee yn y de i Two Mile Wood yn y gogledd, ac o bentref Speculation yn y gorllewin draw i fynyddoedd Figuerero yn y dwyrain – mae'i dyfroedd hi bron iawn cyn dd ued ag inc. Yn ogystal â bod yn gartref i dri chant o grocodeiliaid dŵr hallt, dwsinau o blanhigion prin a thros gant o wahanol rywogaethau o adar, mae'r Great Morass yn berwi o bysgod, gan gynnwys y *God-a-me*, pysgodyn bach cochlyd, rhyfedd, sydd â hoffter o ymlithro drwy'r isdyfiant a thorheulo ar ddail lilïau a hiasinthau'r dŵr.

Cychwynnom ar ein taith i ddyfroedd ucha'r afon. Hanner can llath o swyddfa docynnau *Ride de River Tours*, llywiodd Alan ei gwch ochr yn ochr â hen fachgen mewn *pirogue* yn archwilio'i gewyll berdys.

'*Mornin' sah!*' cyfarchodd ei gyd-bysgotwr yn siriol, '*Jus' mek yuh lif' up one a yuh trap lickle time so me frien' dem can see 'ow yuh ketch shrimp.*'

Dechreuodd yr hen foi dynnu ar gortyn oren ynghlwm wrth foncyff coeden fangrof fawr. Wedi i'r cawell fambŵ ddod i'r wyneb, tywalltodd ddwy ferdysen fawr dew i gledr ei law.

Ger dolen lydan, dan awyr ddigwmwl, plymiodd hebog pysgod mawr eryraidd o'r entrychion a phlycio 'slywen anferth o'r afon, dwy lath dair i ffwrdd o'r cwch. Yn methu'n glir â chodi dan bwysau trwm ei ginio llysnafeddog, aeth y deryn druan i ffwdan llwyr. Chwifiodd ei adenydd enfawr gymaint nes oedd wyneb yr afon o'i amgylch yn byrlymu ac ewynnu. Syllodd y pedwar ohonom arno'n straffaglu, fodfeddi uwchben y dŵr, y 'slywen hir wedi ymdorchi'i hun am ei goesau. Cipiais fy mag cynfas a phalfalu am fy nghamera. Ond erbyn i mi ei dynnu o'i gâs, roedd yr hebog a'i ddalfa wedi hen fynd.

Tua milltir a hanner i fyny'r afon, daethom ar draws crocodeil. Gwryw, yn ôl Alan, deuddeg troedfedd o hyd yn torheulo ar gefnen fwdlyd. Llaciodd ein badwr y throtl a llywio'r cwch drwy dwnnel trwchus o wreiddiau. Pan ddechreuodd y cêl grafu'r gwaelod, diffoddodd yr injan, cipio'r rhwyf a gwthio'r cwch wysg ei ochr nes oedd o'n gorwedd sgiw-wiff, ochr yn ochr â'r bwystfil digynnwrf.

'Alan! Be' ddiawl wyt ti'n feddwl wyt ti'n wneud!' sgrechiodd Ann yr un pryd.

Y fi oedd yr agosaf at ben hir y crocodeil. Wrth i mi ymestyn fy ngwddf i gael golwg fanylach arno, llenwyd fy ffroenau ag anadl ffiaidd.

'Yuh can touch 'im if yuh waan 'Im nah go feel no way,' chwarddodd Alan o'r starn. Yn gwybod yn iawn am gyflymder atblygiadau'r creaduriaid, anwybyddais yr awgrym a bodloni fy hun ar syllu i lygaid bach oren, gleiniog y bwystfil.

Ar ôl i ni gael cwrw mewn bar to gwellt ar lan yr afon, aeth Alan â ni i weld gwâl y crocodeil a gnôdd pysgotwraig ganol oed o dref Black River i farwolaeth wythnos gwta ynghynt. Yn sgil ymgais ofer yr heddlu i achub y greadures fach, roedd y tyfiant o boptu'r fynedfa i'r ddaear i gyd wedi'i ffagio a'r dorlan wedi'i stompio'n drybola. Aeth ias i lawr fy nghefn wrth i mi syllu i mewn i wâl y diweddar grocodeil (daeth yr heddlu o hyd iddo ychydig oriau wedi'r digwyddiad, a'i saethu'n farw). Oedd y ddynes yn fyw pan y'i llusgwyd i berfeddion y ddaear? Oedd hi'n ymwybodol? Cyn i mi gael cyfle i hel chwaneg o feddyliau cythryblus, taniodd Alan yr injan. Wrth i ni wibio i ffwrdd o leoliad y digwyddiad alaethus, ymddangosodd dwy gwtiar troedgoch o ganol yr hesg a rhedeg fel diawliaid ar draws sarn simsan o ddail lili, cyn diflannu'n sydyn i ganol corslwyn drwchus.

Pan gyrhaeddom lecyn agored llydan, wyth milltir i fyny'r

afon, reit ym mherfeddion anghyfannedd y Great Morass, neidiodd Clifton i'r dŵr a chlymu'r bad yn sownd i lanfa bren ansad.

'Dis yah place it call Vine Town. Unno better put yuh shoes on, we gwaan walk t'rough the bush fe 'bout 'alf a mile. A breddah a mine 'ave a rum bar, way over deh in the middle a the bush,' meddai Alan wrthym, wrth rwymo'r injan Honda fawr yn sownd i'r cwch â tsiaen drom a chlo clap anferth. *'Yuh fe stay close to me, unno no fe pry, an' mek sure yuh nah get los','* fe'n rhybuddiwyd gan ein badwr dwys cyn i'r pedwar ohonom gychwyn ar ein hynt, *'Dis yah place it a one big ganja plantation. 'An' if a herbalis' buck upon yuh wanderin' 'bout yah,'* aeth ymlaen, *'dem nah go feel no way. Dem jus' gwaan shoot yuh dead.'*

Yn siomedig, welais i ddim golwg o *herbalist* yn cario AK47 ar ein taith drwy'r anial i dafarn mêt Alan, na'r un aderyn egsotig chwaith. Yr unig arwydd oedd yna i weld ein bod ni yng nghanol un o ardaloedd tyfu perlysiau mwya cynhyrchiol yr ynys, oedd ambell blanhigyn mariwana yn tyfu'n wyllt ar ochr y llwybr cul. Ar ôl ugain munud o gerdded, cyrhaeddom lecyn clir yng nghanol y prysglwyn. Reit yn ei ganol o roedd bar to gwellt bach crwn, a gŵr ifanc yn hofran tu ôl i'w gownter yn barod i weini arnom. Peidiwch â gofyn pam, ond fe gefais ryw deimlad rhyfedd ei fod o'n ein disgwyl ni.

Yn un ac un, dechreuodd rhai o lanciau ifanc yr ardal ymddangos o'r diffeithwch. Ymhen llai na hanner awr roedd y bar bychan dan ei sang. Pan grybwyllodd Ann 'mod i newydd gael fy mhen-blwydd yn bedwar deg chwech oed, aeth pobol ati i wthio diodydd arnaf ffwl sbîd. Gwydrau mawrion o rym gwyn, angheuol o gryf, yn bennaf. Dwi'm yn cofio'n union am ba hyd y buon ni'n eistedd yn y bar bach difyr hwnnw yng nghanol 'nunlle, yn dadlau am wleidyddiaeth a thrafod miwsig wrth yfed a smocio fel 'tai'r byd ar ben. Dwi'm yn cofio fawr ddim am yr heic yn ôl i'r cwch chwaith, nac am y siwrne wib wallgo o Vine Town i rym bar yr hen Auntie Bess – gwneuthurwr *crab-backs* (cig cranc yn y gragen, wedi'i drochi â sôs pupur eiriasboeth) gorau plwyf St Elizabeth – tua milltir a hanner i fyny'r afon o dref Black River. Yr unig atgofion sydd gen i o'r daith gartref i Treasure Beach yw o Alan yn balansio ar y starn, un droed ar y llyw, yn bloeddio canu *'It's Me Again Jah'* Luciano wrth biso fel dafad dros ochr y cwch. Ac o gyrraedd Calabash Bay mewn tywyllwch dudew, yn wlyb dat fy nghroen wedi i'n llywiwr meddw gaib agor y throtl i'r pen a gwneud i'r cwch oleddfu o ochr i ochr nes oedd y môr yn pistyllio dros y gynals.

Y Trydydd Diwrnod

'Mr Mass Media, spread your propaganda
Wid your tell-lie-vision, your radio an' paper
Mr Mass Media spread your propaganda
Inna yuh magazine you a brainwash . . .'
   Capleton – 'Mr Mass Media'

Prin wnes i gyffwrdd ym mywgraffiad Martin Duberman o Paul Robeson. Ar y blydi teledu oedd y bai. Allwn i ddim maddau i'r diawl peth. Os nad oedd sioe sgwrsio ddiddorol ar *TVJ*, roedd 'na raglen ddogfen hanes ar *CVM*, neu gyfweliad â Bounty Killer neu Luciano ar sianel *Reggae Sun*. Mae gen i gywilydd dweud, ond roedd hyd yn oed yr hysbysebion a ddarlledai *TVJ* a *CVM* yn fy nghyfareddu. Bob chwarter awr ymddangosai Bounty Killer ar y sgrîn i hysbysebu diodydd ysgafn cwmni *Busta*, Admiral Bailey i glodfori graddau llog gwirion o isel *Scotiabank* a Freddie McGregor i ganu mawl i lefrith soia *Lasco*. Wedi diwrnod neu ddau yn fy annwyl Kingston, roeddwn i'n ei morio hi gyda'r hogia: *'World a "Busta"! Me seh dis drink yah jus'* *a blow me mind . . .'*

Roedd 'na eitem ddiddorol iawn ar ddechrau newyddion wyth *TVJ*. Yn hwyr y noson gynt, llosgwyd eglwys fedyddwyr fechan un o bentrefi plwyf St Catherine yn ulw. Roedd y pentrefwyr i'w gweld ar y teledu bore wedyn, yn wylofain a nadu'n uchel ymysg gweddillion eu haddoldy. Tremiodd y camera ac fe lenwyd y sgrîn gan wyneb dagreuol dynes ganol oed o'r pentref yn sgrechian gweiddi, *'Pure Capleton wickedness a bunn dung dis* *yah church! It a de Fire Man an' 'im fallarers who a response fe dis!'* drosodd a throsodd fel peth gwirion. A dyna bob owns o gydymdeimlad oedd gen i â hi yn diflannu'r munud hwnnw.

* * *

> *'Well dem coulda come from the sea wid dem sub*
> *Well dem coulda come from the air wid dem Scud –*
> > *we nah go budge!. . '*

Capleton – *'Know Wi'*

Ble bynnag yr awn yn Kingston roedd llais garw'r Proffwyd Capleton wastad yn gwmni i mi. Weithiau byddai'n cyfeirio eneidiau i Seion, ond y rhan fwyaf o'r amser melltithio rhagrithwyr, parasitiaid a'r annuwiol fydda fo, neu eu rhybuddio o'r Farn echrydus gerllaw. Rhuai allan o ffenestri bron bob car â ai heibio, a thrwy ddrysau agored holl fodurdai, caffis a siopau'r dref. Ble bynnag yr awn trawai'i ruad *rockstone* (garw) o fi fel gordd, reit yn fy afal breuant. Ganwyd Clifton George Bailey – enw bedydd y Proffwyd Capleton, sydd wedi'i wahardd o nifer o ynysoedd Môr y Caribî rhag ofn iddo beri gwrthryfel – yn Islington, pentref bychan ym mhlwyf St Mary, tua phedair ar bymtheg ar hugain o flynyddoedd yn ôl. Rywbryd yng nghanol y 70au symudodd i fyw hefo modryb iddo i dref gytiau bryniog August Town, Dwyrain Kingston, lle y trwythodd ei hun yn y ffydd Rastaffaraidd. Effeithiwyd y Dyn Tân – dramor ar daith ar y pryd – yn fawr gan lofruddiaethau ciaidd ei gyfeillion mynwesol, y ddau DdJ ifanc, Panhead a Dirtsman, a saethwyd mewn gwaed oer tu allan i'w cartrefi yng ngeto Waterhouse yn 1992. Pan ddychwelodd gartref torrodd *'Tour'*, sengl fflamboeth yn ceryddu llofruddion y ddau lanc. Yna, enciliodd i wersyll y Bobo Ashanti Dreads yn Nine Mile, a cheisio solas yn nysgeidiaeth y Tywysog Emmanuel Edward.

Mae yna fyrdd o wahanol is-grwpiau Rastaffaraidd. Dros ddeg ar hugain i gyd. Ond dim ond pedwar enwad sydd 'na. Hynny yw, y *Nyahbingi*, yr hynaf ohonyn nhw i gyd. Yr *Orthodox*, y mwya Ethiopiaidd ei naws. Deuddeg Llwyth Israel, sydd â'r aelodaeth fwya cefnog a rhyddfrydol o'r pedair sect. A'r Bobo *Ashanti Dreads*, cyrchfilwyr y gred.

Mae gwreiddiau'r gangen filwriaethus yma o'r gred Rastaffaraidd yn dyddio'n ôl i'r 1930au cynnar, pan wnaeth sefydlydd yr urdd, y diweddar Prince Emmanuel Edward, greu gwersyll sgwatwyr yn Ackee Walk, Gorllewin Kingston. Ar wahân i'r ffaith ei fod o wedi ymddangos ar y ddaear yn ddisymwth (fel y Proffwyd Melchizedek o'r Hen Destament, heb na mam na thad), ym mhlwyf St Elizabeth ym 1915, mae bywyd cynnar y Tywysog Emmanuel yn llawn dirgelwch.

Mae byd o wahaniaeth rhwng dysgeidiaeth a chrefydda'r Bobos ac athrawiaeth a choelion, eitha tebyg i'w gilydd yn y bôn, y tair cangen, mwy prif ffrwd, arall. Yn un peth, mae aelodau'r *Melchizedek Orthodox Church*, fel y gelwid y sect Bobo 'Shanti'n wreiddiol, yn rhoi mwy o bwys ar seremonïau defodol na'u brodyr yn y ffydd, ac mae'u ffordd o fyw yn fwy llym a diaddurn o beth wmbredd er mwyn paratoi trigolion y gwersyll ar gyfer Dydd y Dychwelyd i Affrica. A thra mai un duwdod yn unig sydd gan y *Bingimen*, yr *Orthodox* ac aelodau Deuddeg Llwyth Israel, mae gan y Bobo Ashantis dri. Addolant Drindod Sanctaidd yn gyfansawdd o Broffwyd (Marcus Mosiah Garvey, y cenedlaetholwr du mawr), Offeiriad (Prince Emmanuel, a bennwyd â natur ddwyfol gan y cyltyddion), a Brenin (yr ymerawdwr Haile Selassie y Cyntaf). Mae'r Bobos yn wrth-Americanwyr ffanatigaidd, yn gredwyr brwd yng ngoruchafiaeth yr hil ddu ac yn rhai sy'n casáu technoleg, materoliaeth a gwagedd ac oferedd o unrhyw fath. O chwarae rôl ymylol yn y byd *Reggae* hyd at ganol y 90au, diolch i esgyniad Capleton, Anthony B, Jah Mason, Sizzla, ac eraill o ynnau cerddorol mawr y ffydd, mae dylanwad yr Ashantis ar fiwsig a ieuenctid Jamaica wedi tyfu'n aruthrol yn ystod y deng mlynedd ddiwethaf.

Er bod y Bobos yn weithgar a graenus ac yn uchel eu parch gan bawb, erlidiodd heddlu Kingston y creaduriaid o bared i bost yn ystod y 60au. Pan ddymchwelwyd eu comiwn Ackee Walk yn 1968, symudodd y brodyr i Harris Street yng ngeto Rose Town. Ond ychydig fisoedd yn ddiweddarach fe'u gorfodwyd i ffoi am eu bywydau pan ymosododd cannoedd o blismyn ar y gwersyll. Yn 1970, ymadawodd y Bobos a'r *'bloody city'* ffiaidd a symud i lecyn gwastad ar lethrau'r Queensbury

Ridge, ger Bull Bay ym mhlwyf St Thomas. Erbyn heddiw mae Mynydd Temon wedi tyfu i fod yn bentref reit sylweddol.

Cyn marwolaeth eu patriarch uchel ei barch, Prince Emmanuel, mewn oedran mawr dros bymtheng mlynedd yn ôl, roedd y Bobo Dreads a chyhoedd Jamaica yn byw mewn cytgord perffaith. Tra oedd y *Bingimen* a'r Rastaffariaid eraill yn cael eu hystyried yn gnafon segur, pwdrod anwaraidd a chythreuliaid mewn croen, roedd pobol yr ynys i gyd yn edrych yn ffafriol ar yr Ashantis. Ond ers tranc eu duwdod, mae agwedd yr ynyswyr tuag at frodyr tyrbanog Bobo Hill wedi newid yn llwyr. Y rhesymau pennaf am hyn yw: y cynnydd dychrynllyd yn yr elfen filwriaethus ymysg aelodaeth yr urdd sydd wedi dod i'r amlwg yn ystod y degawd diwethaf, a ffaglu'r Beibl a'i Iesu Grist. Mewn gwlad mor dduwiolfrydig â Jamaica, lle mae Cristionogaeth yn treiddio bron i bob agwedd o fywyd pob dydd, mae fflamio Crist a'r Beibl yn cael ei ystyried yn bechod marwol.

* * *

Fel yr oedd Zack yn llenwi'r hen Doyota â thanwydd, piciais ar draws y ffordd i nôl pres o'r banc. Herciodd gŵr ifanc carpiog ata'i a gofyn am gardod. Digwyddodd fy llygaid daro ar goes chwith esgyrnog y llanc. Hanner ffordd rhwng ei ben-glin a'i ffêr roedd chwydd sfferaidd, bron iawn maint ffwtbol.

'Blydi hel!' ebychais, gan gau fy llygaid mewn ffieidd-dod, 'Be' goblyn ydy'r chwydd hyll 'na s'gen ti ar dy goes?'

'*Me nah know, boss. Me 'ave haccident when me was a lickle yout',*' atebodd y truan. 'Wyt ti wedi gweld y meddyg?' holais, wrth gymryd cip arall ar y belen fawr anghynnes. Cododd y gŵr ifanc ei war a syllu arna'i â golwg wag ar ei wyneb. 'Iesu Grist!' rhegais mewn rhwystredigaeth, 'Alli di ddim mynd trwy dy fywyd yn cario hwnna o gwmpas, 'sti. Sbïa arno fo! Mae'r diawl peth yn dy fwyta di'n fyw. Mae'n rhaid bod rhywun yn

37

rhywle'n gwybod be sydd wedi'i achosi o. 'Dwyt ti ddim wedi bod yn yr ysbyty?'

"Ow me can go a 'ospital boss, when me nah 'ave no money?' holodd y llanc yn pathetig.

'Dwi'm yn gwybod,' mwmiais yn ddiymadferth, cyn stwffio papur dau can doler o arian cydwybod yn ei law a'i gwadnu hi ar draws y ffordd.

Mae treflan ddrwgenwog Waterhouse, lle mae diweithdra, newyn, hunanladdiad, beichiogrwydd arddegol, camddefnydd o gyffuriau a thrais yn gwbl rhemp, yn gorwedd ar gyrion gogledd-orllewinol y ddinas, ar bwys y *gully bank*, y garthffos orlif agored anferth sy'n rhannu'r dref yn ddwy. Wrth i ni yrru ar hyd Antigua Road, ei phrif heol, heibio mur brics wedi'i addurno â'r slogan *'RUN WEH JLP DOGS. RUN WEH SEAGA. A PNP TIME DIS'*, dyma goblyn o glec fyddarol yn atseinio gerllaw.

'Arglwydd Mawr! Be' ddiawl . . . ?' ebychais.

"Ow yuh so jumpy, man!' chwarddodd Zack, *'It only a carton a pop! One a we wheel jus' bus' a juice carton!'*

Erbyn i mi ddad-gynhyrfu'n llwyr, roeddem tu allan i bencadlys King Jammy ar St Lucia Road.

Wel am siom melltigedig. Roeddwn i wedi gweld mwy o fywyd ym mynwent Deneio liw nos. Roedd King Jammy's, un o stiwdios enwocaf a mwya cynhyrchiol Kingston, cyn ddistawed â'r bedd. A minnau wedi edrych ymlaen gymaint.

'Lle goblyn mae pawb dŵad?' holais Zack, wrth i ni aros i rywun ymateb i nadau'r seiniwr yn y dderbynfa wag. Ond cyn iddo gael cyfle i ateb, agorodd y drws awtomatig ac fe ddiflannodd drwyddo gan fy ngadael ar ben fy hun. A dyna lle bûm i nes i syrffed fynd yn drech â mi. Agorais y drws cefn yn ddistaw bach, sleifio drwyddo a cherdded heibio cwt y *gateman* allan i'r stryd, ble rywle yn y cyffiniau agos y trigai 'Moscow', rheolwr y dreflan.

* * *

> *'Dem turnin' our community inna battlefield*
> *It nah safe fe little children to play in the streets any more*
> *Violence an' strife takin' over the city*
> *You nah see a pure blood a shed*
> *Everywhere is a different dead body*
> *Lord! Lucifer let loose again*
> *No one wanna be outside, everyone wanna stay in the light*
> *Who come from downtown no waan go uptown*
> *An' who come from uptown dem nah waan go downtown . . .'*
> Ayashanti – *'Community inna Battlefield'*

Er bod cytundeb heddwch *Bring Back the Peace* Awst 1998
mewn grym pan o'n i'n Kingston, roedd rhyfela'n dal i blagio
sawl un o ardaloedd tlawd y ddinas – Waterhouse yn eu plith.
Yng nghanol y gorllewin gwyllt, y cwilt clytiau o oren y PNP a
gwyrdd y JLP yn bymtheng o dreflannau mawrion cyfansawdd,
roedd y *Fatherless Crew, Ninja Crew* a'r *Federal Gardens Posse* yn
brwydro'i gilydd am reolaeth ar eu milltir sgwâr. Ac ychydig i'r
dwyrain, yng nghynllun tai mawr Rema, roedd y *Settlers* a'u
cynghreiriaid, mintai *Buckers* Federal Gardens, cad yng ngad â'u
cyd-Remäwyr, yr *Action Pack Crew* a giang *Lock the City*. Nid
dyna'r oll. Draw yn y dwyrain pell, roedd geto August Town, ac
yn yr un modd, Hermitage, yn profi lladd rhwng carfannau
arfog o gefnogwyr PNP a JLP. Felly eto ardal fryniog Mountain
View. Ac ar adegau, byddai treflannau Jones Town, Southside,
Allman Town, Olympic Gardens a Maxfield Avenue i gyd yn
atseinio gan sŵn bwledi.

> *'Dung inna the west, no coke no mix with no cess* (mariwana)
> *Dung inna the west, informer cyaan get no rest*
> *Petty t'ief fe dead! Western Kingston seh yes*
> *Never dis the programme nor the rules of the wild, wild,west . . .'*
> Vybz Cartel & Frisco Kid – *'Wild West'*

Mae pobol yn gwneud anghymwynas fawr â getos Kingston
trwy'u galw nhw'n lleoedd digyfraith. I'r gwrthwyneb yn llwyr,
maent ymhlith yr ardaloedd mwya deddfgadwol yn y wlad i

gyd, hyd yn oed os mai cyfraith llygad am lygad, dant am ddant yw honno. Os rhy ddyn o'r geto belten i ddynes ac mae hi'n mynd i gwyno wrth y *don* (arweinwyr y gangiau sy'n rheoli cymdogaethau dan warchae [*garrison communities*], Kingston a Spanish Town), mi fydd hi'n ddrwg iawn arno. Yn yr un modd, os caiff *rude boy* ei ddal yn ysbeilio hen wreigen o'i phwrs, neu'n torri i mewn i dŷ, neu fodur rhywun, ni fydd yn dda arno. Er nad yw'r cyfiawnder mae arglwyddi rhyfel a deiliaid 'jyngl ffens sinc' y brifddinas yn ei arfer yn deg a thrugarog, mae o'n gyflym, a bron iawn bob tro yn angheuol. Dynion sy'n camdrin plant, sinachod sy'n hysbysu'r heddlu, treiswyr, *cokeheads*, *junkheads*, llofruddwyr diniweitiaid a lladron sy'n ysbeilio'r hen a'r diamddiffyn – chaiff y rhain fawr o drugaredd gan y *don*.

Mae hi'n gymharol ddistaw, o ran gweithgarwch troseddol, yn y trefi cytiau yn ystod y dydd. Wedi iddi nosi maen nhw'n troi'n feysydd cad fel arfer. Toc wedi iddi dywyllu, o rywle yn y pellter, fe glywch ergydion. Yna – ychydig funudau'n ddiweddarach, sŵn seirenau'n sgrechian. Erbyn i'r heddlu gyrraedd man y tanio, bydd y saethwyr wedi hen ddiflannu. Nid bod hynny'n mennu dim ar y fintai o swyddogion cyfraith a threfn. Heb drethu dim ar eu cydwybod, fe ânt ati i saethu *ghetto youths* diniwed yn farw, ac yna, er mwyn gwarchod eu hunain rhag erlyniad, i blannu gynnau llawn bwledi ar eu cyrff. '*Shots were fired at us, so we were forced to return fire*,' dywed llefarydd ar ran yr heddlu gelwyddau noeth ar y newyddion bore drannoeth, gan ddal hen bistol tolciog o flaen y camerâu. Dyna ddau *bhuttu* (llysenw diraddiol trigolion *uptown* ar eu cyd-ddinasyddion pryd tywyllach) arall yn llai iddynt boeni'n eu cylch.

> '*See dem in dem red, white an' blue*
> *Ready fe go slew, mash up any crew 'pon curfew*
> *Say dem have no business, a who?*
> *Bus' your head in two. Hmmm, me hear dem kill few . . .*'
>   Anthony B – '*Good Cop, Bad Cop*'

Mae gan Heddlu ciaidd Jamaica – y corfflu o blismyn mwya angheuol yn y byd – gyfradd lofruddio bum gwaith yn uwch, per *capita*, na heddlu De Affrica. Maent yn yn ymddwyn yn debycach i filwyr byddin goresgynnol nag i warchodwyr cyfraith a threfn. Yn llwgr a dialgar, yn arbenigwyr ar gadw cefnau'i gilydd a fframio pobol ddiniwed, a chyda hoffter mawr o ddienyddio, carcharu'n anghyfreithlon, defnyddio grym eithafol, bygwth ac erlid dinasyddion diniwed ac arteithio carcharorion, does fawr o ryfeddod bod gwerin bobol yr ynys yn eu hofni a'u casáu. Dwi'n deall yn iawn fod ganddynt waith uffernol o galed a diddiolch i'w wneud, ond chreda' i ddim fod yn rhaid iddynt fod mor frwnt, didostur a chyfan gwbl anwahaniaethol wrth ei wneud o. Yn ystod y deng mlynedd diwethaf mae gynnau heddlu Jamaica wedi rhoi dros 1,500 o'u cyd-wladwyr yn y pridd. Tua'u hanner nhw, o leiaf, yn ddioddefwyr cyfiawn na fuodd erioed oddi ar y llwybr cul.

Ganol 1998, digwyddodd rhywbeth y tu hwnt i ddychymyg yng Ngorllewin Kingston. Wedi hen 'laru ar holl ladd yr heddlu, rhoddodd arglwyddi rhyfel y rhanbarth eu cynhennau gwaed a'u gwahaniaethau gwleidyddol hanesyddol o'r neilltu er mwyn trafod y posibrwydd o ffurfio ffrynt unedig i ymladd tor-cyfraith ac amddiffyn y rhanbarth rhag y gelyn cyffredin. Ar ddechrau mis Awst, daethant ynghyd ac arwyddo cytundeb heddwch. Mewn llai na blwyddyn, bu gostyngiad syfrdanol o 51% yng nghyfradd llofruddiaeth y gorllewin gwyllt, a chwymp sylweddol yng nghyfraddau treisio a lladrata'r rhanbarth. Cyn pen diwedd y flwyddyn roedd llwyddiant y digwyddiadau yng Ngorllewin Kingston wedi symbylu *area dons* o bob cwr o'r ddinas i gefnu ar *badmanism* a throi'n dangnefeddwyr a chymhellwyr rheol a threfn.

> 'Now Dudus rum yard, man a water it.
> Zeuks run matches Lane, 'im a the torch a it.
> Seh Moscow from waterhouse will slaughter it.
> Shot out yuh bombo, pussy, raas claat a it.
> Andrew Phang an' George Speng dem a the spwot a it

Rasheed Bull would a never retreat a it
Well me seh big up all the warrior from the present to the past
A muff a dem die fe a cause . . .'
Elephant Man & Spragga Benz – *'Warrior Cause'*

Saethwyd dau o'r *area dons* y cyfeirir atynt uchod yn farw ddwy flynedd yn ôl; Andrew 'Phang' Stephens, cadfridog, 32 mlwydd oed, gan griw o blismyn; a Willie 'Haggart' (llygriad o *hog heart*) Moore, gan ddau aelod o un o gangiau mawrion teyrngar i'r *Jamaican Labour Party*, Denham Town.

Cyn i Andrew 'Phang' ymgartrefu yno roedd Grant's Pen ymysg getos mwya terfysglyd y brifddinas. Ond o fewn wythnos neu ddwy iddo fo a'i ddynion fynd i'r afael â'r lle, roedd ymhlith y mwya heddychlon. Dan stiwardiaeth 'Phang' daeth ergyd gwn i fod yn sŵn dieithr. Darfu lladd, mygio a fendetau yn gyfan gwbwl. Ac am y tro cyntaf ers cyn cof, roedd pobol fusnes yr ardal yn rhydd o afael racetiriaid, a merched ifainc y gymuned yn gallu cerdded o gwmpas, heb ofni cael eu treisio. Wedi cosb lem, byddai unrhyw un a ganfuwyd yn defnyddio, neu bedlera, cocên neu grac yn cael ei hel ymaith. Rhoddodd hen bobol yr ardal y gorau i faricedio'u hunain yn eu tai ar fachlud haul, a dechreuodd carfanau arfog gelyniaethus Morgan Lane a Grant's Pen Drive gyd-fyw mewn heddwch ac undod. Diolch i haelioni 'Phang', cefnogwyd teuluoedd tlotaf y dreflan ac fe ddilladwyd eu plant mewn gwisg ysgol. Roedd ei ddeiliaid yn caru'u don ifanc i'r carn. Yn dilyn ei ddienyddiad gan yr heddlu roedd stryd ei gartref Grant's Pen Drive, yn llyn dwfn o ddagrau hallt.

Yn ôl fersiwn swyddogol yr heddlu; pan oedd mintai o'r *Special Anti-Crime Task Force* yn gyrru trwy Grant's Pen, tarodd Andrew 'Phang' ei ben drwy ffenestr llofft ei gartref a thanio atynt â reiffl awtomatig AK90. Ac fe'i saethwyd yn gelain yn ystod y frwydr ynnau ddilynol . . . Dengys y ffeithiau a thystiolaeth yr holl bobl a welodd yr anfadwaith, mai cael ei ddienyddio wnaeth o. Gwyliodd dwsinau o ymdrechwyr syn ddau heddwas yn llusgo'r creadur, ei ddwylo mewn cyffion, i'w iard gefn yn ei drôns, lle y'i saethwyd yn ei ben fel ci lloerig.

* * *

Gyferbyn â stiwdio Jammy roedd 'na ŵr tenau, tal, yn ei
ddeugeiniau yn llwytho drymiau olew a geriach coginio i gefn
hen racsyn o dryc agored.

'Wyt ti eisio help llaw hefo hwnna?' galwais, wrth weld y
creadur yn straffaglu hefo plât dur mawr trwm.

'Yeah, man! It real heavy, y'know,' bloeddiodd y dieithryn yn
ôl. Felly rhedais ar draws y lôn i'w gynorthwyo. Wedi i ni orffen
codi'r homar o shît i gefn y lori, eisteddodd y dyn jyrc a minnau
ar ben y wal isel o flaen ei fyngalo bach pren, a mynd ati i roi'r
byd yn ei le.

'So yuh from North Wales?' meddai'r dyn jyrc, *'Which part?
Builth Wells?'*

'Nage,' atebais, gan fygu chwarddiad, 'bellach i'r gogledd o
lawer na fan'no. Reit yn nhopiau'r wlad.'

'Uhuh.'

'Dywed i mi, pam wnes ti ofyn ai o Builth Wells o'n i'n
dŵad?'

"Cause me know it north a Cardiff. Me deah two week ago.'

'Arglwydd annwyl! Be' ddiawl oeddet ti'n da'n fan'no?'
holais, bron â thorri 'mol o chwilfrydedd.

'Takin' a look 'roun' the place.' esboniodd, *'Me lickle breddah an'
'im wife an' kids live deah a Cardiff, y'know. Dem move deh 'bout, uh
. . . 'bout ten year ago.'* aeth ymlaen, *'Two week 'fore Christmas jus'
gone me fly over an' spen' a month wid dem. Me only fly back 'ome las'
week.'*

'Wnes ti fwynhau dy hun draw 'na?'

*'Yes, man.'Cept fe the cold, me love it! Me travel all over de place.
When me breddah an' 'im wife workin' me walk a town an' ketch a bus,
or train. You been a the big museum outside Cardiff, wheh dem 'ave a
whole 'eap a ol' 'ouse dat a 'undred a year old?'*

'Yr Amgueddfa Werin yn Sain Ffagan? Do.'

43

'Yeah man! Very interestin'. Me breddah 'ave t'ree lickle daughta, y'know. Dem go a school wheh dem get teach fe speak Welsh – you speak it? Dem all a talk it when dem speakin' a each other at 'ome! Wha' the name a that nice beer you 'ave dung deh?'

'Brains?' gofynnais.

'Yeah, Brains! Me love it, man! Every time we go a rugby match we stop off somewhere an' 'ave a couple pint. Me breddah love rugby. 'Im use fe play, y'know, when 'im was younger. Now 'im jus' watch. You been a rugby match deah a dat new stadium deah a Cardiff?'

'Naddo. Dwi'm yn ddyn rygbi, a dweud y gwir.'

'Seen, seen. Y'know, every time me breddah a phone 'ome, 'im always tell me 'bout 'ow much 'im love the Welsh people dem. Since me been over a Cardiff me get fe unnerstan' wha 'im mean. Welsh people nice, man. Real, real, nice. Much, much, nicer'n a de English dem!' chwarddodd y dyn jyrc hoffus.

Roedd y canwr boliog oedd ar frig siartiau senglau Jamaica ar y pryd, George Nooks, yn cynnal sgwrs â'r gitarydd Earl 'Chinna' Smith wrth ddrws ffrynt *Sonic Sounds*. A llathenni i'r chwith iddynt, y DJ llygatgroes, Hawkeye, yn rhannu *spliff* hefo tri llanc ifanc. Wrth i mi gerdded at y fainc ar bwys y drws ochr i'r swyddfa, lle'r oedd Capten Sinbad yn claddu pysgodyn rhost a mynydd o reis a phys, tarais ar Lexxus, Assassin a Mad Cobra.

Cefais wybod bod criw o lanciau mewn *Honda Civic* gwyn wedi tanio at dŷ Sinbad y nos Fercher flaenorol. Felly roedd y Capten a'i deulu wedi mynd i fyw at ei frawd-yng-nghyfraith am sbelen.

'Beth ar wyneb y ddaear oedd wrth wraidd peth felly?' gofynnais iddo. 'Camddealltwriaeth fach,' atebodd yn ddidaro.

Roedd injan cerbyd Toyota dwyflwydd oed Sinbad wedi chwalu'n gynharach y bore hwnnw, am nad oedd tropyn o ddŵr yn ei rwyll. Newydd gael gwybod hyn oeddwn i, pan ymddangosodd Skully, y *bongoman* bach dall, a Winston Jarrett, cyn-arweinydd y *Righteous Flames*, a mynd ati i'w bryfocio ynglŷn â'r digwyddiad. Wrth i Winston Jarrett ddechrau fy serenadu ag *'I Was Born To Be Loved,'* tynnodd hen gronc o Fitsubishi gwyrdd i mewn ger drws yr offis. Wrth ei lyw oedd fy eilun mawr, Yabby You.

Mae'r hen Yabby You yn ddyn gwael. Yn dioddef yn ddrwg gan friwiau ar y stumog ac mewn gwewyr parhaus oherwydd cryd cymalau. Beth oedd fy enw, ac un o ble o'n i gofynnodd yr hen greadur i mi wedi iddo ymlwybro'n boenus o araf atom ar bwys ei ffon. Yna, gafaelodd yn fy nwylaw, cau'i ddau lygad a gofyn i'w Dduw fy ngwared i rhag drwg yn ystod fy arhosiad yn Kingston.

'Tell me sump'm, wha' religion you 'ave?' holodd y cerddor addfwyn, wedi iddo orffen fy mendithio.

'Well, I was born and brought up a Methodist,' mwmiais, ar ôl oedi am eiliad i gysidro sut i ateb cwestiwn mor sensitif heb dramgwyddo fy nghynulleidfa fechan o Rastaffariaid brwd. *'But even though I've never believed in a God, my outlook on the world is remarkably similar to yours,'* ceisiais esgusodi fy nidduwiaeth, *'In relation to injustice, inequality, greed, vanity, racism, and other sinful things.'*

'Me breddah,' dywedodd yr hen Yabby You yn dyner, gan wenu'n dirion arna'i, *'It only a fool say in his heart there is no God.'*

Aeth Zack adre'n gynnar nos Fercher i newid gwadnau brêc ei gar cyn iddi dywyllu. I arbed amser iddo, neidiais i ffwrdd ger Llysgenhadaeth Ganadaidd Waterloo Road a cherdded y gweddill o'r ffordd i'r gwesty. Ar yr ochr ddeheuol i'r Llysgenhadaeth, ar bwys y mynediad, lle'r oedd hanner cant o Jamaicaid anarferol o amyneddgar yn ciwio am fisâu neu basportau, roedd stondinwraig tua deugain oed yn hwrjio diodydd a phapurau newydd. Croesais y ffordd i brynu copi o'r *Observer* ganddi. Roedd 'na gyfweliad â Capleton yr oeddwn yn ysu i'w ddarllen ynddo.

'Sorry darlin', no Observer lef'. Me only 'ave Star an' Gleaner,' meddai'r ferch.

'Just a cold guava juice then, please.' atebais yn siomedig.

'Mind if me aks you wha' you 'ave in dem carton under yuh arm,

honey?' holodd y ferch, wrth dyrchu yng ngwaelodion ei bocs oer.

'Records.' dwedais.

'Mek I tek a look at dem.' brathodd y stondinwraig yn awdurdodol. *'Yuh own a record shop, or a soun'(system)?'* gofynnodd, wedi iddi orffen bwrw golwg fras dros y senglau.

'No!' chwarddais.

'Den wheh you a go do wid all dem 45?' holodd, gan eistedd i lawr ar grêt cwrw gwag.

'Listen to them. I collect dancehall records.' esboniais.

Rhoddodd y ferch ddeniadol blwc caled i odre'i gwisg, gan ddinoethi'i chluniau siapus. Yna, agorodd ddau fotwm ucha'i ffrog, nes oedd tri chwarter ei bronnau'n dangos. *'Come a lickle closer, honey. Mek I aks you lickle sump'm.'* gorchmynnodd. Camais ymlaen. *''Ow 'bout me an' you go a dance one night.'* awgrymodd, gan roi'i llaw ar fy ngafl a chydio'n galed yn fy nhaclau. *'Mek I tell you lickle sump'n.'* sylwebodd toc, â chwerthiniad ddrwg, *'If you waan go wid Jamaican gyaal you 'ave fe stretch up yuh wood deh! You nah go satisfy Jamaica woman wid dat whiteman buddy you 'ave deh. It only blackman cyaan do dat.'* chwarddodd yn fras.

Pan gyrhaeddais fy ystafell taniais y teledu, yn union fel yr oedd ail hanner gornest y prif gynghrair rhwng Arnett Gardens a Seba ar fin cychwyn. Wedi i mi bicio i'r bar i nôl potelaid o gwrw, gorweddais ar fy ngwely i wylio gweddill y gêm.

Ag ugain munud o'r gêm yn weddill, boddwyd y sylwebaeth gan dwrw clecian mawr. Yna, wrth i mi wylio lluniau o'r chwaraewyr a'r swyddogion yn ei g'leuo hi oddi ar y maes a'r dorf yn sgrialu i bob cyfeiriad, aeth y sgrîn yn llawn o eira llwyd. Toc, pan ddychwelodd y sain a'r llun, roedd yr olygfa ar y bocs wedi newid yn gyfan gwbwl. Doedd y criw camera ddim yn y stadiwm bêl droed mwyach, roeddent ar un o'r strydoedd gerllaw, yn ffilmio brwydr ynnau rhwng aelodau o'r fyddin a chriw o lanciau ifanc.

Roedd y gwrthdaro yn ei anterth. Gyda'm calon yn curo fel

drwm, gwyliais ddrwgweithredwr ifanc yn cael ei gornelu mewn maes parcio cyfyng. Ceisiodd ruthro i ryddid. Ond lathenni o loches ali dywyll, disgynnodd mewn cawod o fwledi. Dangosodd y camera luniau agos ohono yn gorwedd ar ei fol ar y palmant tu allan i siop groser, ac un arall â'i ddwylo marw yn cydio mewn gwn awtomatig *Glock 17mm*. Yn ogystal â'r llanciau a laddwyd, saethwyd dau ŵr ifanc arall. Gwyliais bâr o filwr yn llusgo un ohonynt ar hyd y palmant wysg ei draed. Pan afaelodd un ym mhob pen iddo, a'i daflu i gefn modur a barciwyd gerllaw, gollyngodd y bachgen sgrech annaearol.

Roedd sioe *dancehall* fawr yn cael ei chynnal yn 'Mas Camp' Nos Wener. Pan ddwedais wrth Mr Campbell y gwarchodwr fy mod i'n bwriadu mynd draw yno, aeth o'i go'n lân.

'No, Edwin,' dwrdiodd, '*Yuh nah fe go deh alone. Me not sayin' you woulda get rob, or someone attack you, but you could get ketch up in badman business. You might step 'pon badman toe accidental, spill drink 'pon 'im suit, dat kinda t'ing. Badman nah tek sorry, Edwin. Y'understan'? . 'Im gwaan bus' a bottle a Heineken inna yuh face, or pull out 'im knife an' jook (trywanu) you. No man! Dance no place fe you fe go alone. You mus' 'ave Jamaican wid you. If yuh waan go a Mas Camp, Edwin, you mus' aks Moses fe go with you. Moses can go anywhere, man!*' cyhoeddodd, '*Any place in the city!*'

Ar ôl galw heibio'r snacbar, a derbyn ateb cadarnhaol, brwdfrydig, gan yr hen Foses, cychwynnais ei cherdded hi am Devon House, tua hanner milltir i'r de o'r *Mayfair* fel yr eheda brân.

'Every day there's a curfew on the street
Be careful of who you might meet
Even when you're on the right side of town
Remember, anything can go down...'
    Prince Malachi – 'Healing in the Streets'

Eithriad i chi weld cerddwr ar strydoedd New Kingston wedi iddi dywyllu. Yn sgil yr holl lofruddiaethau sy'n digwydd yn y ddinas dan lenni'r nos, mae pawb yn defnyddio'u ceir, neu dacsis – hyd yn oed i bicio can llath i fyny'r ffordd. O fewn munudau i'r haul suddo o'r ffurfafen, mae New Kingston yn troi'n dref anghyfannedd. O gwmpas chwech o'r gloch, mae trigolion *uptown* i gyd yn cau'u giatiau a gollwng cŵn ffyrnig i'w gerddi, cyn cloi'r rhwyllau haearn addurnedig sy'n gwarchod drysau a ffenestri'u tai a setlo i lawr o flaen y teledu am y noson.

O fynediad y *Mayfair* hyd at ddiwedd West King's House Drive, pellter o tua can llath, dwi'n siŵr bod deg ar hugain, neu fwy, o warchotgwn. Mae gan bob un o'r byngalos bach twt sy'n ffinio â'r ffordd un ohonynt. Yn ystod y dydd maen nhw'n reit dawel a dof. Mae 'na ambell fleiddgi yn ddigon bodlon i chi roi'ch llaw dros ben y wal a'i fwytho. Ond y munud mae'r haul yn mynd i lawr maen nhw i gyd yn troi'n fwytawyr dynion.

Wrth i mi gerdded ar hyd y Kingsway, daeth dwsinau o buteiniaid o bob oedran ataf a chynnig fy ngwneud yn ysglyfaeth i'w swynion. Erbyn i mi gyrraedd pen fy nhaith roeddwn wedi mynd i deimlo'n reit wantan a ffrwcslyd.

Adeiladwyd Devon House, tŷ trillawr crand, yn y steil Sioraidd clasurol, yn 1881, gan filiwnydd du cyntaf y Caribî – gŵr o'r enw George Stiebel, saer olwynion a wnaeth ei ffortiwn ym mwyngloddiau aur Feneswela. Yng nghanol y ganrif ddiwethaf aeth y tŷ'n adfeilion. Ond yn 1967 fe'i prynwyd gan y Llywodraeth, a'i hadferodd i'w hen ysblander. Ar un o'i derasau, mae bwyty drud o'r enw *Norma's on the Terrace*. Lle gogoneddus i gael brecwast, neu botiad o goffi rhagorol y Blue Mountains ar ôl gorffen archwilio tu mewn i'r hen blasdy, sy'n cynnwys llu o hen bethau, sawl llun trawiadol ac amgueddfa fach ddiddorol yn dathlu treftadaeth Affricanaidd 98% o drigolion y wlad. Yn y cwrt tu ôl i Devon House a'i erddi helaeth – lle mae un o'r nifer bychan iawn o goed mahogani sy'n dal i oroesi ar yr ynys i'w gweld – mae dau hanner cylch o siopau bach difyr, yn cynnwys becws o'r enw'r *Brick Oven*, lle mae *patties* cyw iâr gogoneddus a theisennau danteithiol i'w cael, a changen o'r cwmni lleol, *I-Scream*, gwneuthurwyr hufen

Mr Campbell a Michael,
gwarchodwyr y gwesty,
a finnau yn y canol.

Junior Kelly, un o ynnau mawr
cerddoriaeth Jamaica.

Mr Hart, un o reolwyr Tuff
Gong, a Zack.

Rhai o stiwdios blaenllaw Jamaica ac ar
y dde, siop recordiau y diweddar
Augustus Pablo.

Yr hanes ar y waliau – (uchaf) Marcus Garvey; (canol) Ras Tafari,
y llew Ethiopaidd, Marcus Garvey a Paul Bogle;
wal o bosteri ar y stryd.

51

Y canwr Dudley Sibley (uchaf, chwith); Mr Campell y gwarchodwr; Moses, yn y cefn, ei fab, Phillip, a Joiner, y saer; Junior Reed, canwr enwog o'r ynys.

Moses a Joiner (uchaf); y DJ yng ngŵyl y Rebel Salute; Gladdy, y pianydd yn Studio One; Capten Sinbad a Skully yn Sonic Spounds.

Devon House, a godwyd gan George Stiebel, y miliwnydd du;
Orange Street, stryd enwocaf Kingston.

Siop African Museum (uchaf); y rhacsyn o Doyota oedd gan Zack;
Orange Street; un o gŵn Dynamic Studio; siop groser.

Yn Sonic Sounds: Beres y porthor, Winston Jarrett a Skully (uchaf);
gwasg recordiau Tuff Gong; Zack;
criw y Rebel Salute.

iâ gorau'r byd. Ar safle hen stablau a choetsiws y diweddar Mr Stiebel saif dau fwyty crand, y *Grogge Shop* a'r *Devonshire*, a fynychir gan grachach *uptown* ac ambell gŵr busnes gwyn gyda chyfrif treuliau diwaelod.

Er mai'r *Devonshire* oedd â'r fwydlen fwya deniadol, i'r *Grogge Shop* yr es i. Oherwydd bod *Merritone*, system sain hynaf Jamaica, yn cynnal sesiwn yn y cowrt. Eisteddais wrth fwrdd gwag ar bwys clamp o foncyff hen goeden fango ddireidus sy'n gollwng ei ffrwythau aeddfed ar ben y cwsmeriaid, a daeth weitar ifanc â bwydlen i mi.

'Gaf i nôl diod i chi, syr?' holodd, â gwên gynffonllyd.

'Blydi Meri mawr sbeisiog, os gweli di'n dda. A photelaid o *Heineken* oer,' atebais. Ac i ffwrdd â fo i dendio ar y tri Americanwr mewn dillad *leeezure* ar y bwrdd nesa. Yn hwylio ar yr awel, o gyfeiriad y seinyddion o'r naill du a'r llall i'r porth brics coch, bwaog, yn arwain at y bar, daeth sŵn hen fiwsig *shuffle* o'r 1950au i'm clustiau.

* * *

Oherwydd bod cyfran diweithdra'r wlad wedi saethu i fyny yn y 30au a'r 40au cynnar, gorfodwyd degau o filoedd o wŷr Jamaica i fudo dramor i ddarganfod gwaith. Aeth rhai i Giwba, eraill i wledydd Canolbarth America. Ond i'r Unol Daleithiau yr aeth y mwyafrif, i dorri siwgr cên, casglu ffrwythau, neu weithio mewn ffatrïoedd canio a phrosesu bwyd. Yng nghanol y 40au, pan ddychwelodd y gweithwyr gartref yn un fflyd wedi i economi, amodau gwaith a chyfradd cyflogau Jamaica wella'n sylweddol, cafodd rhyw ŵr anturiaethus yn eu plith y syniad o ddilyn esiampl *juke joints* duon yr Unol Daleithiau, a diddanu cwsmeriaid *rum shops* Kingston gan chwarae recordiau *R&B* iddynt drwy seinyddion *public address* wedi'u cyplysu â seinchwyddwr a gramoffon. Yn y modd yma y ganwyd diwylliant *sound system* unigryw'r ynys.

Peiriannau digon tila a chyntefig oedd y genhedlaeth gyntaf

o setiau. Ond, diolch i welliannau technegol y cyfnod a dyfeisgarwch electronig adeiladwyr systemau arloesol fel Hedley Jones, cynyddodd eu maint a'u soffistigedrwydd mor gyflym nes roedd angen lorïau mawr i'w cludo o amgylch neuaddau dawns, traethau glan môr a *lawns* (clytiau o dir wast wedi'u ffensio) Kingston, a chriw mawr o ddynion cyhyrog i'w gosod yn eu llefydd.

'*Dancehall it real sweet inna the early 50s,*' meddai'r hen Skully wrthyf un diwrnod, '*Yuh nah 'ave none a dis botheration an' voilence dat you 'ave later on. Dem time deah, yuh could a visit any dancehall downtown an' nobody woulda trouble you. Success Club deah a Southside, Barrel-O Lawn dung a Penn Street, Jones Town . . . Chocomo, Forrester's Hall, King's Lawn, Jubilee Hall . . . it no matter where yuh go, nobody a bother you. It only when Duke Reid, an' certain other soun'man, appear 'pon scene dat dancehall business get kinda rough.*'

Gydag ymddangosiad yr ail genhedlaeth o systemau mawrion brigodd cenfigen gwenwyn a chasineb rhwng gwahanol *soundmen* a'u dilynwyr i'r wyneb, gan droi'r neuaddau dawns yn feysydd cad. I ganol y ffau llewod hwn, camodd Coxson Dodd a Duke Reid – y ddau arloeswr, anfesuradwy, a sefydlodd ddiwydiant cerddoriaeth Jamaica fwy neu lai ar eu pennau'u hunain.

Ganwyd Syr Clement Seymour 'Coxson' Dodd yn Kingston yn y 1930au cynnar. Saer maen oedd ei dad. Rhedai ei fam gaffi/siop gwirodydd ffyniannus ar Laws Street yn ardal Crossroads. Yn y 50au cynnar, rhoddodd Coxson y gorau i'w swydd fel mecanig mewn garej fawr a mudo i Ogledd America, lle treuliodd dros bedair blynedd yn gweithio fel casglwr ffrwythau a thorrwr cansenni siwgr teithiol yn nhaleithiau deheuol y wlad. Wrth fynychu partis penwythnos yn y treflannau du ar gyrion y ffermydd a'i cyflogai, syrthiodd mewn cariad â cherddoriaeth *Jazz* ac *R&B*. Yn fuan ym 1954 dychwelodd gartref, ei siwtcesys yn llawn o ddisgiau dawns cyffrous.

Yn ystod absenoldeb Coxson (derbyniodd ei lysenw oherwydd ei fedrusrwydd fel batiwr ifanc ar y maes criced; cricedwr enwog o Sir Efrog oedd y Coxson gwreiddiol), roedd diwydiant system sain flagurol Kingston wedi newid. Pan ddychwelodd Dodd gartref a gweld yr holl ddatblygiadau cyffrous oedd wedi digwydd, mopiodd ei ben yn lân. Ymhen mis roedd o'n cynnal dawnsfeydd *(blues dances)* yn neuaddau Canol Kingston. A chyn pen blwyddyn roedd ei system, *Sir Coxsone Downbeat*, wedi datblygu i fod yn un o setiau mwya llwyddiannus y brifddinas . . .

Ym 1953, wedi i'w wraig Lucille ennill tomennydd o bres ar y loteri, ymddeolodd Sarjant Arthur 'Duke' Reid o'r heddlu a throi'n ddyn busnes. Prynodd warws gyfanwerthu gwirodydd o'r enw *Treasure Isle* ar Bond Street a bwyty bychan ar gongl Orange Street. Blwyddyn gwta cyn iddo gychwyn ar ei yrfa newydd fel *soundman* gyda system sain heb ei ail, arwyddodd gytundeb â'r orsaf radio genedlaethol, *RJR*, a dechrau cyflwyno sioe *Rhythm & Blues* wythnosol o'r enw *'Treasure Isle Time'*.

Gwnaeth Reid leng o elynion iddo'i hun yn ystod ei yrfa faith fel plismon eofn. Felly, rhag ofn iddo brofi dialedd yn y neuaddau dawns, recriwtiodd osgordd fawr o gorff-warchodwyr, labystiaid ymladdgar o ardal Pink Lane. Ac er mwyn bod yn hollol ddiogel, dechreuodd gario dau bistol llwythog yn ei wregys a chuddio gwn twelf bôr tu ôl i beirianyddiaeth ei system sain. Wedi iddo gael ei draed dano, trodd Reid ei fyddin fechan o amddiffynwyr mileinig yn llu ymosodol. Roedd cystadlu brwd wedi bod rhwng systemau sain Kingston reit ers y cychwyn. Ond cystadlu difalais, oedd o, nes i Reid ddechrau gyrru'i ddynion caled, ei *dance crashers*, o amgylch dawnsfeydd i hambygio dilynwyr ei gystadleuwyr ac achosi difrod i'w setiau.

Yng nghanol y 50au roedd cyflenwadau o ddisgiau *R&B* siopau a warysau recordiau'r Unol Daleithiau yn ddiwaelod. Doedd hi ddim yn beth anghyffredin i Dodd a Reid – ynghyd â Vincent Edwards, perchennog *King Edwards the Giant*, yr unig *soundmen* a allai fforddio hedfan i America bob mis i siopa am recordiau dawns ffres – ddychwelyd o'u teithiau hefo cannoedd o senglau heb eu profi. Ond erbyn 1957, roedd llif ffrydwyllt o ddisgiau dawns du yr Unol Daleithiau wedi arafu'n ddiferiad, wedi i gwmnïau recordio mawr y wlad fwrw'u artistiaid du i'r neilltu i ganolbwyntio ar gynhyrchu a hyrwyddo recordiau cerddladron gwargoch fel Elvis Presley, Jerry Lee Lewis, Pat Boone, a'u bath.

Yn gwbwl ddealladwy, a hwythau wedi'u magu ar *Boogie-woogie, Swing, Jazz a Rhythm & Blues,* doedd gan ddinasyddion Jamaica'r 50au diweddar affliw o ddim i'w ddweud wrth gerddoriaeth ferfaidd a glastwraidd Roc a Rôl. Er i *'Okeh', 'Atlantic',* a dyrnaid o labeli arbenigol fel imprint eponymaidd y brodyr Leonard a Phil Chess, *'Federal'* Ohio, *'Imperial'* Los Angeles, *'Duke'* Texas a *'Vee-Jay'* Chicago ddal ati'n ddygn i gynhychu *R&B* dilys drwy gydol y 50au diweddar, doedd y rhain yn unig ddim yn rhyddhau chwarter y cyfanswm o recordiau oedd holl *soundmen* Kingston angen i fodloni chwant am gerddoriaeth newydd dawnswyr y dref. Tua chwe mis wedi i'r prinder mawr o ddisgiau *R&B* Americanaidd godi braw mawr ar berchnogion systemau sain y brifddinas, cafodd Coxson Dodd fflach o weledigaeth. Doedd dim byd arall amdani, penderfynodd. Byddai'n rhaid iddo fynd ati i gynhyrchu recordiau ar ei liwt eu hun.

Sylwodd Coxson fod dawnswyr Kingston wrth eu boddau hefo sain rowlio, llac, *R&B* New Orleans. Bod disgiau Fats Domino, Amos Milburn, Shirley a Lee a Lloyd Price yn gyrru'i ddilynwyr yn honco bost. Pan alwodd fand gorau'r ynys ar y pryd, Cluett Johnson a'r Blues Blasters, ynghyd i ddyfeisio cerddoriaeth frodorol, gofynnodd i'r cerddorion gadw sŵn clompio, ystwyth, y *Crescent City* mewn cof. A dyna'n union a wnaethant. Ond pa un ai'n fwriadol neu beidio, camsododd Theophillus Beckford, pianydd athrylithgar y grŵp (a laddwyd, gan ddwy ergyd i'w ben â *machete*, un gyda'r nos ym mis Ionawr, 2001, wedi iddo ymyrryd mewn anghydfod rhwng dau gymydog iddo), yr acen gerddorol ar yr off-beat, ar ail a phedwerydd bob bar, gan genhedlu *shuffle* (neu *jump*), hen daid *Reggae*.

* * *

Rhwng yr holl adar anweledig yn dynwared clychau eglwys, y cannoedd o griciaid yn grillian yn angerddol a'r dwsinau o lyffaint chwibanogyn y gwelyau blodau gerllaw, prin o'n i'n gallu clywed detholion cerddorol system *Merritone* Winston Blake. Denai'r goleuadau arian bychain a orchuddiai geinciau'r hen goeden fango fawr ddwsinau o wyfynod anferthol, lliw hufen a brown. Glaniodd un ohonynt ar fy mraich fel yr oedd fy niodydd yn cyrraedd. Ymhen eiliadau, cwympodd mango anferthol droedfeddi i ffwrdd o'r ieuengaf o'r tri Americanwr ar y bwrdd nesa.

'Christ almighty! Did you see that!' gwaeddodd yr Ianc ar ei ffrindiau, cyn codi ar ei draed a dynesu at y ffrwyth yn betrusgar, fel petai'n arbenigwr difa bomiau ar ei ffordd i arolygu mein heb ffrwydro. Ar ôl rhythu ar y mango am hydoedd, dychwelodd i'w sedd a dechrau piffian chwerthin yn afreolus.

'Atolwg i ti,' gweddïais, 'yr hen goeden fango hynafol, bwria dy ffrwythau ar ben y tri deiliad Satan Mawr yma sydd yn eistedd gerllaw. Pleda nhw â dy fangos trymaf, bombardia nhw'n ddidrugaredd â'th belenni magnel hirgrwn . . .'

'You nah see a heathen dem! A duppy man dem!
Me nah inna nuthin' wid dem! The fire 'ave fe bunn dem!
Pure condemn! A dead man dem!
Dem nah like me, an' a me nah like dem! . . '
  Capleton – 'Who Dem'

Cymerais gas at y gweithwyr alltud gwyn, y Saeson yn arbennig, a fynychai dafarn y Mayfair. Ar ôl bod yn eu mysg am ddwy awr dair, yn clustfeinio arnynt yn dilorni a lladd ar bawb a phopeth Jamaicaidd, yn enwedig y bobl leol a weithiai danynt, ac yn defnyddio'r geiriau anghynnes, *nigger* a *niggeritis* (eu cyfystyr am ddiogi), yn gwbl agored, roeddwn wedi mynd i'w casáu nhw'n gythreulig.

Fel arfer, byddai cwsmeriaid gwyn y bar yn ei throi hi tua thref yn brydlon am naw o'r gloch. Siwt Resen Fain, llipryn meindal â'r cyfenw Wheeler, ac Arthur Askey'r Ieuengaf oedd yr olaf i fynd. Byr amser wedyn cyrhaeddodd yr hen Eric o Miami, yr oeddwn wedi ei gyfarfod yn y bar rai nosweithiau cyn hynny. Newydd ddechrau datgelu cynhwysion ei rysáit dresin pupur melys, tra chyfrinachol, i Mr Royes, yr hen farman hyfryd, a minnau oedd o, pan gerddodd stwcyn gwyn â barf mawr anniben drwy'r drws.

Cyn rhuthro draw i Kingston, roedd Eric wedi bod wrthi'n brysur yn arbrofi â gwahanol fathau o sawsiau a dresins salad. Tasan nhw'n mynd trwy'r prawf blasu'n llwyddiannus, roedd un o'i fêts yn y Maffia oedd â ffatri brosesu bwydydd fawr yn Efrog Newydd am eu marchnata iddo. Os oedd rhyw hen sugnwr caliau bach o actor fel Paul Newman yn gallu llwyddo yn y byd coginiol, pam ddiawl nad fo?

'Yn union, Eric,' boddiais ei fympwyon. Ac yntau'n tynnu ar ei sigâr, ymwthiodd y dyn gwyn â'r barf anniben ei hun rhyngom yn y modd mwya anghwrtais. O mam bach, roeddwn i'n flin.

'*You two guys here on business,*' rhoddodd ei hen big blewog i mewn.

'Be 'di o i chdi, y coc oen difaners?' mwmiais dan fy ngwynt.
'Pa bryd oeddwn i'n dychwelyd i'r hen *Blighty* annwyl felly?' holodd y Sais.

'Ymhen deng niwrnod,' atebais yn surbwch.

'I Lundain?'

'Nage, Manceinion.'

'Ti'n blydi lwcus 'ta. Yn wahanol i mi, fyddi di ddim yn gorfod wynebu llond gwlad o ffycin ddynion tollau Pacistanaidd na fedrant air o Saesneg!' chwarddodd y Sais.

'Mae Prydain wedi mynd i'r diawl, 'sti,' meddai, gan droi at Eric. 'Adrannau tollau'n llawn o Bacis, llefydd doctor ac ysbytai'n llawn o *ragheads*, Indiaid a Nigeriaid . . .'

'Iesu Grist! Alla'i ddim credu 'mod i'n clywed hyn!' torrais ar ei draws. Trodd yr hiliwr rownd ar ei union a syllu arnaf yn herfeiddiol.

'Be' ffwc sy'n bod arnat ti?' gofynnodd, â chilwg hyll.

'Wyt ti wedi anghofio lle'r wyt ti?' llefais yn ôl, 'Nid yn Guildford, Chelmsford, neu ba un bynnag ffycin *ford* wyt ti'n dod o, wyt ti rŵan, ond yn Kingston, Jamaica, yn siarad ag un dyn du ac â dyn arall â gwaed Indiaidd, Affricanaidd a Thsieineaidd yn ffrydio trwy'i wythiennau. Y ffycin clown hanner call! Wyt ti erioed yn dweud wrtha i fod penaethiaid Tollau ac Ecséis Prydain yn ddigon gwirion i gyflogi tramorwyr na allant siarad gair o Saesneg? Be' ddiawl wyt ti'n feddwl ydw i, blydi pen dafad?' gofynnais yn ffyrnig, wedi'i cholli hi'n lân erbyn hyn ac o fewn trwch blewyn i roi clec iddo.

'Dwi'n dweud y gwir,' haerodd y Sais.

'Ffwcia hi o 'ma, y bastard twp,' gwaeddais yn ei wyneb, cyn camu ddwy'n dair llath i lawr y bar a thanio fy mhibell mewn ymdrech ofer i oeri.

'Tyrd yma am eiliad, mi dwi eisio gair bach â chdi,' galwodd Jac Sais arnaf, gan gamu'i fys.

'Paid ti a meiddio fy ordro i o gwmpas, y bastard hiliol. A rho'r bys 'na i lawr, cyn i mi ddŵad draw yna a'i rwygo fo allan o'i ffycin soced!' bloeddiais, gan gychwyn rhuthro tuag ato.

O rywle oddi allan i'r cwmwl trwchus o gynddaredd yn fy amgylchynu, clywais lais yr hen Mr Royes annwyl yn galw –

'*Gentlemen! Gentlemen! Cool down! Cool down!*' erfyniodd – ac fe ymbwyllais rhywfaint bach. Wedi iddo dalu'i fil, cychwynnodd y Sais hi am y drws.

'Wela' i chi fory, Mr Royes.' gwaeddodd dros ei ysgwydd yn siriol wrth fynd trwyddo. Roedd hi'r agosa peth i ddim i mi fynd ar ei ôl o, a gwneud bwyd John Crow o'r *pussy claat* ffiaidd.

Toc wedi deg, dechreuodd bar cefn y *Mayfair* lenwi eto. Y

cyntaf i gyrraedd oedd Patrick Kelly, cawr o adeiladwr du siriol a swnllyd: Precious, dynes fawr ddeniadol, llawn hwyl, a weithiai i gwmni teledu *TVJ*, a Marvin, ei gŵr tawedog. Ddeng munud yn ddiweddarach powliodd Everett, perchennog fferm goffi yn y Blue Mountains, ac Everton, hyfforddwr tennis golygus, drwy'r drws, y ddau ohonynt, yn ôl eu harfer, yn feddw gaib. Yn dynn ar eu sodlau ymddangosodd Rees, darlithydd amaethyddiaeth ifanc o blwyf St Mary's, 'Woody' y ffotograffydd, a Julie y gyfreithwraig dlws o darddiad Ddwyrain-Indiaidd a drawai heibio bob yn ail noson i foddi mewn rym a rhew. Yr aelod olaf o griw o ffyddloniaid y bar i alw i mewn y nos Fercher honno oedd Steve Tuekam o'r Camerwn, milfeddyg deugain oed, yng ngwasanaeth y Cenhedloedd Unedig. Un ar y naw oedd Steve. Cymeriad tanllyd, gwyllt iawn ei dymer, â blas am win coch, am ddillad cynllunydd drudfawr, ac yn olaf, ond nid lleiaf, am Julie, y gyfreithwraig ifanc. Doedd na'r un o'r yfwyr caled 'ma byth yn meddwl am fynd adref tan nes oedd hi'n ddau o'r gloch. Am nad oeddwn eisiau ymddangos yn anghymdeithasol, dechreuais innau wneud yr un fath â nhw.

Y Pedwerydd Diwrnod

'Wele, mor ddaionus ac mor hyfryd yw trigo
o frodyr ynghyd!'

Salm 133:1.

Roedd y sŵn ratlo parhaol yn tarddu o ddwy ffenestr gefn doredig yr hen Doyota yn mynd ar fy nerfau i – hyd yn oed ag *Irie FM* ar ei ucha'n deg.

'Be' ddigwyddodd i ffenestri cefn y car, Zack?' holais, wrth i ni yrru ar ein hynt i offis Crown Plaza y canwr Ritchie Stephens, mêt Bounty Killer.

'Oh, dem jus' a get mash up over the years,' esboniodd, *'An' beca' dis a very ol' American model a Toyota, me nah been able fe find replacement.'*

Bob tro y gofynnai Zack i mi a o'n i wedi cofio cloi'r drws teithiwr wrth i ni ymweld ag ardal neilltuol o arw, byddwn yn gwenu'n ddistaw bach. Yr oll oedd angen ei wneud i dorri mewn i'r car oedd rhoi pwniad ysgafn i un o'r estyll persbecs, a dyna chi!

Neidiais allan o'r car pan dynnodd Zack i fyny o flaen giatiau cyfadeilad *Tuff Gong* y teulu Marley, a thynnu llun o furlun mawr lliwgar o Marcus Garvey yn darllen y Beibl.

'Elwyn,' dwedodd fy nghyfaill, pan ymunais ag o a Rastaffariad cyfarwydd mewn tyrban a gynau gwyn ar bwys mynediad yr adran cyfanwerthu recordiau, "Member how you praisin' Junior Kelly music yesterday?' 'Well dis is 'im,' cyhoeddodd.

Aeth y cerddor adref i'w wely. Newydd gyrraedd yn ôl o Ffrainc oedd o, ac roedd wedi blino'n gorn. Wrth i mi gael smôc sydyn, gyrrodd Prince Jazzbo trwy'r giatiau yn ei *Doyota* mawr gwyrdd.

Dim ond dau artist oedd angen i mi fod yn ochelgar ohonynt, yn ôl Noel. Sef yr hen ganwr bach blin a thrahaus (nad oes wiw i mi'i enwi), yr hwn y gwelodd ein cyfaill Paul ef yn chwipio Beres, hen *gateman* diniwed *'Sonic Sounds'*, yn anymwybodol â phistol un dydd. A'r DJ arloesol, Prince Jazzbo, dyn cas ac annymunol. Ar ôl iddo barcio'i fodur yn daclus dan gysgod coeden fananas fawr, cerddodd Jazzbo ling di long ar draws yr iard i gyfeiriad cwt y *gateman*, a gosod ei hun ar y fainc o flaen y brif fynedfa. Wedi i mi aildanio fy mhibell a thynnu'n galed arni, ymwrolais a gwneud fy ffordd draw ato am sgwrs.

Cyflwynais fy hun gan ganu'i glodydd yn gynhyrfus, a rhythodd arnaf â'i ddau lygad ebill oeraidd.

'Which one a me record a yuh favourite?' holodd yn ei lais sarrug, crug.

'"Choice of Version", dy glasur o LP i *Studio One*,' atebais yn ddiymdroi.

'So, yuh nah favour me own production work?' chwyrnodd yr hen DdJ yn gâs.

'Ydw, wrth gwrs fy mod i. Dim ond bod . . .'

'The record me 'ave in me car trunk much better'n that ol' Coxson Dodd stuff deh,' torrodd Jazzbo ar fy nhraws i. *'Come, get up. Mek I show you dem,'* sgyrnygodd, gan godi ar ei sefyll a gwneud amnaid arnaf i'w ddilyn i ben draw'r iard.

'Who you a link up wid inna town?' holodd fy eilun, wrth i ni ddynesu at ei fodur.

'Zack-I-We o Bog Walk, cyfaill Capten Sinbad,' atebais.

'Right. Seein' 'ow you a par (cyfeillachu) *wid Zack, me a go gi' yuh special deal,'* sibrydodd y chwe throedfedd dwy fodfedd o gyhyrau a gewynnau yn fy nghlust, wrth balfalu ym mhocedi'i drowsus melfed glas am allweddi'r car.

Yn wahanol i'w waith cynnar mawreddog i Lee Perry, Glen Brown, Bunny Lee, Coxson Dodd, ac eraill, does gen i ddim byd i'w ddweud wrth stwff diweddarach Jazzbo – yr holl recordiadau syrffedus a di-fflach a ymddangosodd ar ei label *'Ujama'* (gair Swahilïaidd am hunan-gymorth) ym mlynyddoedd diweddar y 70au a dechrau'r degawd canlynol. Pan chwipiodd Jazzbo gist ei gar yn agored ac fe syrthiodd fy llygaid ar gynhwysion yr hanner dwsin o focsys oddi mewn, suddodd fy nghalon i ddyfnderoedd fy mogel.

'*Dis yah album a classic,*' datganodd Jazzbo, gan dynnu copi o record hir 'Seven Gold', ddiarhebol o ddiflas, U-Roy o'i chlawr.

'Dwi'n gwybod. Mae hi gen i,' rhaffais hi.

'*Yuh know dis one – "Best of Ujama Vol. 1?"*'

'Ydw. Mae honna gen i hefyd,' palais drachefn.

"*Ow 'bout Volume Two?*'

'A hon'na.'

'"*I-Roy an' Prince Jazzbo Clash*"?'

'Yr un peth eto. Gwrandawa, Jazzbo, dwi'm eisio swnio'n bowld,' dywedais yn wylaidd, 'ond does dim diben i ti ddangos chwaneg o dy albymau i mi. Maen nhw i gyd gen i, 'sti.' Ar hyn tynnodd yr hen DdJ ei het ffelt fawr frown a phatio'i dalcen chwyslyd.

'*Listen nuh, man, me only tryin' fe 'elp you.*' rhochiodd, yn prysur ddechrau colli'i amynedd, '*If unno buy, seh ten copy each a dem LP, you can mek a nice lickle money, y'know. Sell 'em a Inglan' fe double, maybe t'ree time the price.*'

'Ond lle dwi'n byw, yng Nghymru, does 'na fawr ddim selogion *Reggae*,' nadais mewn anobaith. 'A ph'run bynnag, sut ar wyneb y ddaear faswn i'n mynd â nhw adref?' gofynnais yn erfyniol. 'Cant o recordiau hirion! Mi fyddant yn pwyso bron i dunnell!' dolefais yn wyneb y cyn-blentyn stryd cawraidd o Spanish Town. '*Yuh fe ship dem!*' rhuodd yntau'n ôl.

Ar ôl dioddef dros bum munud o'i hwrjo penderfynol, trois ar fy sawdl a'i brasgamu hi tuag at y prif fynedfa. Â Jazzbo honco bost, â phentwr o recordiau hir dan ei fraich, yn sathru ar fy sodlau. Yr oeddwn bron iawn â chyrraedd drws ffrynt yr adran cyfanwerthu, pan agorodd y *gateman* y giât gan gau'r ffordd am eiliad, a rhoi cyfle i fy ymlidiwr fy nghornelu. Drwy drugaredd, daeth Zack i'r adwy a'm hachub o grafangau'r castell o hen *toaster* blin.

'*The gang down at "Tattie's" may seem rather surly at first,*' dywedodd fy nghyfaill Paul Coote o Sydenham, wrthyf dros y ffôn, rhyw fis ynghynt, '*But as soon as they grow to realize that you're just an ordinary bloke, and not some patronising rich bastard with a penchant for slumming it amongst ghetto people, they'll become friendlier.'*

Roedd o'n iawn hefyd. Erbyn fy nhrydydd ymweliad â'r bwyty difyr roedd agwedd pawb yno tuag ata'i wedi newid yn gyfan gwbwl. Pan gerddais i mewn amser cinio bnawn Iau, nodiodd Tattie ei ben arna i'n frenhinol, gwaeddodd rhai o'r ciniawyr *'Yes!'* groesawgar, a brysiodd y ddau weinydd ifanc drosodd i gyffwrdd dyrnau caeëdig.

Er mawr ddifyrrwch y weitar bach swil, gofynnais am botelaid o *Irish Moss*, diod stamina poblogaidd a wnaethpwyd o wymon wedi berwi. Pan fo'ch yn Jamaica, gwnewch fel y Jamaicaid . . . Sodrodd y llanc hi ar y bwrdd. Ond er i mi drio popeth, ei hysgwyd hi fel gwallgofddyn, waldio'i gwaelod hefo nwrn, stwffio cyllell blastig i'w chrombil, allwn i'n fy myw â gwneud i'r un diferyn o ddiod adael ceg y botel. Pwniais Zack mewn rhwystredigaeth.

'Zack bach, sut ddiawl wyt ti'n cael y stwff yma allan?' gofynnais. Yn chwerthin fel dyn gwirion, cymerodd y botel o'm dwylo, ei throi hi â'i phen ei lawr a sodro'i cheg mewn mwg plastig mawr. Funudau wedyn, dechreuodd cordial trwchus, gwyrdd tywyll, ddiferu allan. Wedi i'r mwg lenwi i'r top, cymerais andros o swig. Bu bron iawn i mi â chwydu. Roedd yn union fel yfed pâst papur wal hallt wedi'i gymysgu â gwlych pysgod wedi drewi! Wedi i fy nghyd-giniawyr stopio rowlio chwerthin a waldio'r byrddau, ffeiriais yr *Irish Moss* am botelaid o sug gwafa Zack.

'Studio One', prifysgol cerdd answyddogol Jamaica'r 1960au. Cartref ysbrydol miwsig y wlad. A Mecca'r grefydd Reggae. Pan ddatgelodd Zack mai pencadlys Syr Coxson fyddai'n galwad nesaf, wnes i ddim cynhyrfu o gwbwl. Beth o'n i haws? Fyddai 'na ddiawl o neb yno, heblaw am ryw hen ofalwr bach piwis. Doedd y stiwdio heb fod yn weithredol ers 1983, y flwyddyn cyn i Coxson fudo i'w gartref parhaol newydd yn Brooklyn, Efrog Newydd, yn dilyn ymweliad gan griw o ladron arfog â'i

68

thir cysegredig. Y tro diwethaf y galwodd fy mêt Paul heibio, roedd estyll yn gorchuddio'r ffenestri, y giatiau ar glo a chwyn a drain yn tyfu ymhobman. 'Mieri lle bu mawredd' myn diawl i.

Saif cartref *'Jamaica Recording & Publishing Studio Ltd'*, enw swyddogol cwmni recordio Syr Dodd, ar stryd breswyl fach ddistaw yn ardal ddirywiedig Kingston 5, nepell o fynwent Iddewaidd wedi tyfu'n wyllt o ddiffyg defnydd. Pan drodd *downtown* Kingston yn fersiwn Caribïaidd o Orllewin Beirut yng nghanol y 70au, fel gwynion ac Indiaid a'r mwyafrif llethol o drigolion Tsieineaidd y ddinas, ffodd yr Iddewon dramor am eu bywydau, byth i ddod yn ôl.

'Y'know Coxson 'im back in town?' meddai Zack yn ddidaro, wrth i ni'i gwneud hi i lawr Rousseau Road.

'Ti'n jocian!' llefais mewn syndod.

'No man. Me serious,' haerodd y Bingiman, dan wenu, *'Im here – permanent. 'Im jus' come back a New York Monday gone.'*

'Ti'n meddwl y bydd o gwmpas y lle heddiw 'ma?' holais yn gynhyrfus.

"Im coulda be. 'Im was deh yesterday, when Sinbad call fe pick up a horder. 'Im prob'ly deh today too.'

'Os ydy o, ti'n meddwl y basach chdi'n gallu fy nghyflwyno fi iddo fo?'

'Yes, man.' chwarddodd fy nghyfaill, *'Me a go try an' get 'im permission fe you fe check 'im ol' stockroom too.'*

'Yes, me breddah,' cyfarchodd Zack yr hen *gateman* bach selog yn siriol. *'Yes, Dread! Respec'!'* anerchodd yr hen fachgen y *Bingiman* yn ôl drwy un o'r bylchau yn y giât – oedd newydd ei beintio fel pob modfedd o'r adeilad sylweddol o'n blaenau.

'Wha' me can do fe yuh, boss?' holodd y corrach diddanedd.

'Me a distributor, come yah fe pick up record.' meddai fy mêt wrtho.

'Sorry boss, yuh 'ave fe park out deh so, deh 'pon road. Place it a ram. Pure car a jus' cork up the place,' atebodd yr hen borthor, dan

godi'i ysgwyddau bach culion fel math o ymddiheuriad.

Roedd tri Rastaffariad ifanc, wedi hel gormod yn eu 'sgyfaint, yn pendwmpian ar feranda'r adeilad. Wrth i ni gerdded heibio iddyn nhw, cododd un ohonynt ei ben a 'nelu arnaf yn ddrwgdybus â llygaid cochion cilagored.

'*Look who deh,*' dwedodd Zack, wrth i ni sefyll yn ein hunfan ar bwys yr estyniad mawr ddeulawr oedd bron â chael ei gwblhau, darpar gartref stiwdio newydd y perchennog. Craffais yn hir i ganol y dorf o ddieithriaid yn gwau trwy'i gilydd yn yr iard, heb lwyddo i sbotio yr un wyneb cyfarwydd. Yna, rhuthrodd yr hen Winston Jarrett annwyl tuag atom, yn wên fawr o glust i glust, '*Yuh frien' Skully over deh,*' meddai'r cerddor hynaws, trigain mlwydd oed, wrthyf, wedi i Zack ei throi hi am y swyddfa.

'Duw annwyl, yn lle?' holais. Roeddwn wedi mynd i feddwl y byd o'r hen Noel Simms erbyn hyn.

'*Dung deh,*' mynegodd Winston, gan bwyntio i ben draw'r iard. "*Im wid "Sticky", "Stranger", "Gladdy" an' a whole heap a other ol' musician, waitin' fe rehearse a few tune,*' datganodd, cyn cydio yn fy mraich a mynd â mi i weld yr hen *bongoman* bach dall o Maxfield Avenue.

'Beth bynnag, Winston, sut mae'r hen fyd yma'n dy drin di?' holais, wrth i ni ddynesu at y criw o locsmyn henaidd yn rhoi tunelli o offerynnau cerdd a geriach sain trydanol at ei gilydd. '*Well nuh . . . gi' t'anks an' praise, me still a survive some'ow, y'know?*' atebodd yn dduwiolfrydig. '*Dis yah a dangerous time, me breddah. Yuh 'ave fe be very, very vigilant. If yuh nah watch out, praise His Majesty always an' live a clean an' upful life, the Beast a gwaan creep up behin' you an' ketch you,*' ychwanegodd, gan gau'i lygaid a chydio yn ei wddf â'i ddwy law wrth wneud twrw dyn yng ngwewyr olaf marwolaeth. '*Y'understan' wha' me seh?*' gofynnodd o ddifrif, wedi i'r dramateiddio ddod i ben.

'Ydw, yn berffaith Winston,' atebais braidd yn syn, cyn i'r canwr tirion, Dudley Sibley, gerdded drosodd a'm hebrwng i ŵydd y tua dwsin o gantorion ac offerynwyr adnabyddus gerllaw.

70

Er ei fod o yno reit ar y cychwyn, pan esgorwyd y baban *Ska*, welwch chi byth 'mo'r enw Dudley Sibley yn ymddangos ar dudalennau'r hynny bach sydd 'na o lyfrau miwsig Jamaicaidd. Na'i lais hyfryd o'n harddu'r un detholiad *Various Artists* chwaith. Mae hanes bywyd cynnar y canwr addfwyn hwn o bentref Derry, plwyf St Mary, yn drist dros ben. Bedwar mis ar ôl ei enedigaeth, trodd ei fam ei chefn arno a'i adael yng ngofal ei fodryb, dynes o'r enw Princess Eccles. Pan fudodd y fodryb i Loegr yn y 50au hwyr, ddyddiau wedi i Dudley ddathlu'i benblwydd yn wyth oed, cymerodd chwaer oedrannus hen fachgen o'r enw Mr Hopi drugaredd ar y crwt, a rhoi lloches iddo. Ond dair blynedd yn ddiweddarach, bu farw'r hen greadures ac fe'i gadawyd yn ddigartref am y trydydd tro. Treuliodd y llanc y misoedd canlynol yn crwydro'r ynys fel enaid coll, nes iddo droi i fyny ar stepan drws *Studio One* un dydd yn 1963, ym mhle y rhoddwyd pryd o fwyd, gwely, a swydd yn y *pressing plant* iddo, wedi i Syr Coxson ddod i wybod ei hanes. Yn 1967, yn dilyn praw-wrandawiad gan y bos, lleisiodd Dudley *'Gunman'* – un o'r recordiau Jamaicaidd cyntaf un i fwrw melltillion ar leiddiaid ffiaidd y brifddinas – *'Monkey Speaks His Mind'*, *'Hole in Your Soul'* a'r gân ymwybodol swynol a'i sengl fwyaf adnabyddus, *'Love in Our Nation'*.

Gallasent fod wedi fy anwybyddu'n ddigon hawdd . . . Dyna ichi'r pianydd chwedlonol, yr hen Gladstone 'Gladdy' Anderson, : yna'r *bongoman* bychan, Uziah 'Sticky' Thompson, ac fel 'Skully', enw gorfodol ar glawr bron bob un LP Reggae a recordiwyd cyn 1985: wedyn yr anfarwol Wilburn 'Stranger' Cole, ynghyd â Derrick Morgan, y seren fwya disglair yn ffurfafen miwsig *Ska* ers talwm, a 'Bunny', hen bartner canu, rhyfeddol o heini, 'Skully'. Ond rhoddodd pob un o'r hen fois heibio i beth bynnag oedd o'n wneud ac ymroi ei hun yn llwyr i sgwrsio â mi am ychydig funudau. Does dim mymryn o goegfalchder a hunanbwysigrwydd yn perthyn i gerddorion Jamaica. Maen nhw'n frîd ar wahân i weddill 'enwogion' bondigrybwyll yr hen fyd yma.

Fel o'n i'n gwneud fy ffordd yn ôl tuag at fynedfa'r stiwdio i chwilio am Zack, sbonciodd Alton Ellis allan o jîp mawr glas oedd newydd dynnu i fyny o flaen y drws ffrynt. Prysurais fy nghamau cyn iddo gael cyfle i ddianc. Wrth i mi ruthro mynd, nerth fy nghoesau bach tewion, dechreuodd y band tu ôl i mi chwarae fersiwn *one-drop* swynol o *'Rough and Tough'*, hen glasur *Ska* 'Stranger' Cole o'r 60au cynnar.

* * *

Breuddwyd mawr Alton Nehemiah Ellis o Trench Town – y gorau o'r cannoedd o gantorion Jamaicaidd – pan yn blentyn ysgol, oedd bod yn ddawnsiwr proffesiynol. Ond hanner ffordd trwy'i arddegau, daeth dan ddylanwad ei gymydog, Joe Higgs, canwr, cyfansoddwr, athro cerdd rhan-amser ac un hanner o'r ddeuawd *shuffle* dylanwadol, Higgs a Wilson, felly rhoddodd y gorau i'w hyfforddiant dawnsio a throi'i sylw at y byd cerdd. Yn 1960, ffurfiodd ddeuawd â'i gyfaill, Eddie Perkins.

Aeth yr holl lwyddiant a ddaeth ar ffordd Alton ac Eddie â'r baledi hyfryd, *'Muriel'* a *'My Heaven'*, ac eraill o'u lluoedd o recordiadau *Studio One*, i ben partner Alton. Yn 1962, aeth Eddie'i ffordd ei hun i ganlyn gyrfa fel canwr solo, ac ni chlywyd sôn amdano byth wedyn. Yn synhwyrol, arhosodd Alton Ellis yn Brentford Road, lle cymerodd Lee Perry, Jackie Mittoo, Eric Frater, Leroy Sibbles, ac eraill o drefnwyr a cherddorion dawnus Syr Dodd, y gŵr ifanc hoffus dan eu hadenydd. Erbyn i gerddoriaeth *rocksteady* ysgubo drwy'r ynys yn 1966, roedd Alton wedi llwyddo i ennill enw iddo'i hun fel canwr steilus a chyfansoddwr penigamp.

Erbyn 1964, roedd R&B go iawn, y cyfuniad cyffrous hwnnw o'r *Blues* a cherddoriaeth *Gospel* a ddaeth i'r amlwg yn ninasoedd Chicago a Detroit ar ddiwedd y 40au, yn rym darfodedig yn yr Unol Daleithiau. Miswig *Soul* oedd yn ben. Yn raddol, dechreuodd cerddorion Jamaica dynnu fwyfwy at y sain waraidd a soffistigedig, fel petai, yn llifo allan o stiwdios

Gogledd America a Memphis a Nashville, a chantorion yr ynys glosio'n agosach ac agosach at ddulliau canu a chyfansoddi mawrion *Soul* fel Jerry Butler, Tyrone Davis, Gene Chandler, Garnett Mimms, Chuck Jackson a Curtis Mayfield. Arafodd tempo deifiol *ska* yn sylweddol yn 1965. Dechreuodd y drymiau, y gitâr fas, a'r organ drydan ddod i'r blaen, ac fe ddiraddiwyd y piano a'r offerynnau pres – prif gymeriadau *Ska* – i fod yn fân actorion. Yn fuan ym 1966, rhoddwyd cerddoriaeth *Ska* i orwedd ac fe gododd *rocksteady* yn ei le.

Roedd *rocksteady* yn gweddu i ddull o ganu, llawn mynegiant, Alton Ellis i'r dim. Gyda'i grŵp o ganwyr harmoni, y *Flames* (â Winston Jarrett ifanc yn eu plith) yn gyfeiliant iddo, cyrhaeddodd ei yrfa uchafbwynt syfrdanol ymhen dim. Ers dechrau 1965 roedd Alton wedi bod yn rhannu'i amser rhwng 13, Brentford Road a'r stiwdio bren fechan a adeiladodd Duke Reid ar ben siop wirodydd y *Duchess*, ar Bond Street. Ond yn 1968, pan ddisodlwyd sain felys a choeth *Rocksteady* gan *Reggae*, lledodd ei esgyll a dechrau ymhél â chynhyrchwyr eraill: dynion fel Vincent Chin, perchennog stiwdio '*Randy's*' ar y North Parade: Clancy Eccles, y sosialydd brwd a aeth ymlaen i fod yn gynghorwr ar faterion Rastaffaraidd i arweinydd y PNP, Michael Manley, a Lloyd Daley, dyn siop delifisions o Waltham Park. Yn 1971, ar ôl cael ar ddeall bod Coxson a Duke Reid wedi pocedu cyfran helaeth o'i freindaliadau, torrodd Alton ei gysylltiadau â *Studio One* a *Treasure Isle* a mynd i weithio i Prince Buster, ac ymhellach ymlaen, Clive Chin, Herman Chin-Loy, y brodyr Hookim, a'r diweddar Keith Hudson. Yn hwyr yn y 70au, wedi'i ffieiddio'n llwyr gan drais tragwyddol Kingston, trodd Alton Ellis ei gefn ar Jamaica a mudo i Lundain, ei gartref parhaol byth er hynny.

* * *

Loetrais yn fwriadol lathen neu ddwy y tu ôl iddo. Yna, cyn gynted ag yr oedd wedi gorffen sgwrsio â'i gyfaill, y canwr

Horace Andy, camais tuag ato.

'Sut mae Dean, y mab 'cw, yn cadw Mr Ellis?' holais yn uchel. Trodd fy eilun rownd ar ei union.

'Llai o'r Mr Ellis 'na! Alton 'di'r enw.' dwrdiodd gan wenu'n braf.

'Sut wyt ti'n nabod Dean felly?' holodd.

'Drwy'ch siop recordiau yn Brixton,' esboniais iddo, 'A boi hyfryd ar y naw ydy o hefyd. Wastad yn groesawgar. Mae'n siŵr eich bod chi'n falch iawn ohono fo.'

'Diolch yn fawr iawn i ti. Ydw,' dwedodd Alton, gan gydio'n fy mraich a'm harwain tuag at gornel ddistaw ar bwys y giât. 'Ydy wir, mae Dean 'cw'n glod mawr i mi,' meddai dan ei wynt.

'Hysbys y dengys dyn' dwedais innau'n ddistaw bach yn iaith y nefoedd.

Soniais wrtho am y pnawn hwnnw, bymtheng mlynedd ynghynt, pan fûm i'n sefyll ochr yn ochr ag o o'r blaen. Wrth gownter siop *'Dub Vendor'*, lle'r oedd o'n arwyddo copïau hysbysebol o'i sengl *'Too Late'*. Roedd o'n gwisgo helmet haul, crys siec du a glas a jîns tywyll. Ac roeddwn i'n rhy swil i gyflwyno fy hun iddo fo. Wedyn, soniais am yr halibalŵ gyda Jazzbo. Ac fe dorrodd i chwerthin dros y lle, gan ddweud wrthyf i beidio â chymryd y peth i galon. Mai hen gingron diawl oedd Jazzbo wedi bod erioed.

Pan o'n i'n eistedd ar ben y wal ger giatiau'r stiwdio, yn sgwrsio â'r porthor a chael smôc, ymddangosodd Zack gwengar o'm mlaen i.

'Me jus' been chattin' a Coxson. 'Im seh, if you waan, you cyaan go inna 'im storeroom an' check 'im stock a ol' record,' meddai.

'Mewn difrif?' ebychais yn gyffro i gyd.

'If unnu sit dung 'pon one a the chair inna the hallway, one a 'im helper a come fe fetch you,' ychwanegodd, cyn mynd ati i agor y giât.

'Lle wyt ti amdani?' holais.

'Dung a Sonic Sounds. Me link wid you later,' atebodd.

Wedi i mi ddiffodd fy mhibell a meddiannu fy hun yn 'o lew,

brasgamais hi ar draws y cwrt a cherdded trwy byrth Syr Coxson â diolch a mawl.

Er ei fod o mewn tipyn o oed bellach, roedd i'w weld yn rhyfeddol o ifanc a heini. 'Fel pren wedi ei blannu ar lan afonydd dyfroedd'. Wedi iddo dywallt joch mawr o rym gwyn afresymol o gryf *Wray & Nephew* i'w wydr a'i wanhau â thropyn bach o ddŵr, cododd y cynhyrchydd pwysicaf yn hanes Jamaica ar ei draed a chynnig ei law i mi.

'Pleasure to meet you, Jackson.' (yr enw a ddefnyddiai i gyfeirio at bawb).

'Mae'n fraint fawr cael cwrdd â chi . . . does gennych chi ddim syniad faint . . . diolch yn fawr am roi caniatâd i mi . . .' mwydrais a checio, cyn bagio'n araf deg i gyfeiriad y gadair wag tu ôl i mi.

'What kinda record you lookin' for – LP or 45?' gofynnodd hen gynorthwywr Coxson i mi, wedi i ni esgyn i dop y grisiau.

'Senglau,' atebais, heb unrhyw reswm neilltuol.

'All a Mr Dodd seven inch record stock in deh,' pwyntiodd at ddrws, reit ym mhen draw'r landin tywyll, *'An 'im LP an' twelve inch single stack over deh.' 'If you waan help, jus' bawl out,'* ychwanegodd, cyn diflannu yn ôl i lawr y staer.

Pan gamais i mewn i'r ystafell fawr fwll a diawel, cefais andros o sioc. Roedd y lle'n llawn dop, yn orlawn o'r llawr i'r nenfwd a channoedd o filoedd o ddisgiau. Yn amrywio o gynnyrch diweddaraf labeli *'Coxsone'* a *'Studio One'* i hen, hen, gynyrchiadau prin yn dyddio'n ôl i wawr miwsig *Shuffle*.

Wedi i mi dreulio awren hyfryd yn hela trysorau saith modfedd, cerddais ar hyd y landin, lle'r oedd llond gwlad o focsys a chistiau, a hyd yn oed sinc a bath haearn bwrw enfawr, yn gorlifo â miloedd o greiriau diwylliannol amhrisiadwy. Ar ôl bwrw golwg fras drostynt, camais i mewn i stordy llawer llai, yn gyforiog o recordiau hir – nid yn unig yn gasgliadau *Ska*, *Rocksteady* a *Reggae*, ond yn ddetholiadau *Mento*, *Jazz*, *Gospel*, *Soca*, *Calypso* a *Blues*. Tua awr arall yn ddiweddarach, dychwelais, yn wlyb socian o chwys, at y cownter. Fel o'n i'n aros i wraig Coxson orffen gwneud syms, taflwyd drws y stiwdio yn agored. Yn sefyll yno yr oedd King Stitt – y mwya dyfeisgar o DdJs cynnar Jamaica, yn fy marn ostyngedig i. *'Cool! Cool! King Stitch done rule. Influential factor a the DJ school . . .'* cefais fy hun yn llafarganu yn fy mhen wrth fwrw golwg lechwraidd ar wyneb erchyll o gamffurfiedig yr hen fachgen.

Y diweddar Count Matchuki, cyflwynwr a dewiswr recordiau y system sain arloesol, *Tom the Great Sebastian*, oedd DJ cyntaf un Y Wlad o Ddŵr a Choed. O fewn dim iddo drawo ar y syniad chwyldroadol o floeddio gweiddi ebychiadau digrif a phytiau o *jive-talk* cerddorion *Jazz* du yr Unol Daleithiau dros gefndir o fiwsig *R&B* cyflym un noswaith yn 1956, fe'i dilynwyd gan griw o ddynwaredwyr: Sir Lord Comic, Icky Man, Count Sticky, King Sporty, Pompadoo, a Winston Sparkes – enw bedydd King Stitt.

Ganwyd King Stitt, neu'r *'Ugly One'* fel y'i bedyddiwyd gan ddawnswyr y 50au diweddar, â rhyw syndrom neilltuol sy'n peri namau arswydus i bryd a gwedd; mae o amgylch ei geg a'i lygaid yn eithriadol o chwyddedig, ei ben o'n fawr a di-siap, a'i wyneb yn anghytbwys, fel wyneb rhywun sydd wedi dioddef strôc ddrwg. Dim ond ci rhedeg, un ar bymtheg oed, i Syr Coxson oedd o ar y cychwyn. Ond ymhen dim, graddiodd i fod yn eilydd ar y drydedd o systemau sain ei fos, a blwyddyn neu ddwy yn ddiweddarach, i gymryd cyfrifoldeb am y brif set. Yn fuan yn 1968, oherwydd i Coxson – ymysg sawl perchennog system arall – roi'r gorau i weithredu fel *soundman*, wedi iddo gael llond bol ar aflonyddu cyson yr heddlu a holl drais dychrynllyd y dawnsfeydd, collodd Stitt ei waith. Ond fu o ddim yn segur am hir. O fewn dyddiau, derbyniodd wahoddiad i weithredu *Hi-Power* Ocho Rios, system boblogaidd y cynhyrchydd diweddar, Jack Ruby, gynt o Greenwich Farm.

Yn anesboniadwy, dim ond tua hanner dwsin o draciau leisiodd King Stitt i *Studio One*. Yn 1969, ymunodd yr *Ugly One* â Clancy Eccles, cynhyrchydd ei senglau gorau oll a'i recordiau mwya adnabyddus. Yn 1970, chwaraeodd Duke Reid ei ran olaf ar lwyfan cerddoriaeth Jamaica, gan recordio DJ ysbrydoledig o'r enw Ewart Beckford o Jones Town. Pan lamodd U-Roy i'r fei â'i steil esmwyth, digyffro, o fynegi, aeth dull cynhyrfus ac ebychiadol o draethu King Stitt a'i gyfoedion allan o ffasiwn dros nos. Wedi i'w yrfa gerddorol fynd i'r gwellt prynodd Stitch, fel y'i gelwir, system sain ail-law a mynd ati i deithio plwyfi dwyreiniol yr ynys. Bu wrthi am bum mlynedd gyfan, hyd at 1976, pan dorrodd lladron i mewn i'w gartref a dwyn y seinyddion a'i gasgliad gwerthfawr o dros ddau gant o ddyb-plêts pan oedd yn gwylio gêm griced ym Mharc Sabina. Wedi torri'i galon yn lân, rhoddodd y ffidil yn y to a mynd i labro ar safleoedd adeiladu, nes dychwelodd i'w hen gynefin yn Brentford Road ar ddiwedd y degawd, i weithio fel gofalwr.

'I ble 'dan ni'n anelu hi?' holais Zack, wrth i ni wneud ein ffordd i fyny'r Old Hope Road, tua chyfeiriad croesffordd brysur Matilda's Corner yn Liguanea, a enwyd ar ôl ffoadures o Haiti dros ganrif a hanner yn ôl.

'Up a Mona Heights. Yuh 'member me tellin' you 'bout the airline stewardess frien' a mine dat work fe Air Canada? The one dat gi' me dis cellie?' gofynnodd fy ffrind, gan gydio yn ei ffôn canser . . . *'We takin' dem a her house up in the hills.'* eglurodd, *'She gwaan tek dem a Norman Manley Airport tomorrow mornin''.*

Wedi i ni lwyddo i ffeindio cartref y stiwardes – byngalo bach cyffyrddus ar stâd enfawr yn ardal ffyniannus Mona Heights – neidiais allan o'r car ac agor y giatiau er mwyn i Zack gael bagio i lawr y dreif hir. Ymddangosodd dyn gwyn, anghyffredin o dal, ag wyneb digon hyll i ddychryn babis, trwy ddrws agored y garej a syllu'n flin ar yr hen Doyota. Deuthum i'r penderfyniad, yr eiliad y gwelais i hen wep y *fassy*, ein bod ni am gael dipyn bach o drafferth hefo gŵr cyfeilles fy mêt.

'Duw annwyl, be' sydd wedi digwydd i'r ci bach?' gofynnais i gymar y stiwardes, oedd erbyn hyn yn cwrcwd uwchben ci bach selog, tebyg iawn i gorgi, yn rhwbio eli piws ar fannau dolurus yr anifail.

'Next door's Alsatian attacked it this morning.' rhochiodd yn

swta heb godi'i ben. Plygais i lawr a mwytho pen yr ast fach.

'Mae gennym ni domen o focsys recordiau – ond rhai bach, i dy wraig yng ngherbyd fy mêt,' dywedais toc. 'Lle fasat ti'n leicio i ni'u stacio nhw?'

'You're not gonna fuckin' stack them anywhere!' atebodd, gan neidio ar ei draed a throi rownd i wynebu Zack, a oedd eisioes hanner ffordd trwy'r dadlwytho. Pan welodd *whitey* hyn aeth i ben y caets yn lân. *'Hey, you! Rastaman!'* bloeddiodd fel peth gwirion, *'Put those back in the car before I throw them over the garden wall and out into the fuckin 'road!'* Er mawr ddifyrrwch imi, anwybyddodd fy mêt o'n llwyr, a chyda gwên fach wynfydedig ar ei wyneb, dal ati i wagio'r car. Pan sylweddolodd y bwbach nad oedd ei holl ddwndro a chwythu bygythion yn cael unrhyw effaith ar fy ffrind, rhuthrodd hi am y tŷ fel corwynt.

Newydd ddarfod pentyrru'r bocsys yn daclus oedden ni, pan ddychwelodd 'ngwas i o'r tŷ yn siarad pymtheg y dwsin â'i wraig ar ei ffôn symudol. Safodd y ddau ohonom ar bwys yr hen Doyota nes oedd o wedi gorffen. Cyn gynted ag y switsiodd o'r peth i ffwrdd, cerddodd Zack drosodd ato a gofyn iddo arwyddo darn o bapur. Afraid dweud, gwrthododd y bwbach ar ei ben a dechrau bloeddio nad oedd fy nghyfaill, byth i ddywyllu'i le fo byth eto. Wnaeth yntau ddim stopio gwenu'n fendigaid drwy gydol y miri.

'Blydi hel! Roedd hwnna'n fastard hapus a chlên, 'n doedd?' dywedais wrth Zack, wrth i ni gychwyn gyrru i lawr y dreif.

'Baldhead! Dem still a fight 'gainst Rasta,' atebodd, *'But dem know how far fe push we.'*

Roedd cyfran helaeth o newyddion teledu'r noson honno'n ymwneud â'r holl drais oedd yn heintio'r ynys. Ar gyrion tref gytiau Dunkirk, saethwyd *area don* asgell dde yn farw, colbiwyd gŵr chwe deg oed o Mountain View i farwolaeth a haciwyd llanc ifanc o ardal Church Pen o'r brifddinas yn ddarnau gan griw o drigolion cynddeiriog y gymdogaeth, wedi iddynt ei ddal o'n ysbeilio dreifar tacsi o'i dderbyniadau. Fe'm rhybuddiwyd sawl gwaith gan fy ffrindiau yn Kingston, i beidio byth â cheisio gwrthsefyll lladron arfog yr ynys os digwyddent ymosod arna'i. Mae'n amlwg na rybuddiodd neb yr Almaenwr druan, ar ei wyliau hefo'i wraig yn Runaway Bay ar yr Arfordir Gogleddol. Y noson gynt, torrodd dau leidr arfog i mewn i'w ystafell yn y gwesty. Pan geisiodd yr Almaenwr ymliw â'i ymosodwyr, saethodd un ohonynt o yn ei wyneb a bu farw.

'The music of a nation reflects the nature of its people. It's a fact. Statistics show that aggressive music increases crime and directly impairs on people's behaviour. Take Jamaican Dancehall music, its lyrics undoubtedly contribute greatly towards creating aggression in this troubled society of yours.' clywn lais Americanaidd benywaidd yn hysbysu rhywun. Neidiais ar gefn fy ngheffyl yn y fan. Â fy marf yn bâst dannedd i gyd, es drwodd i'r ystafell wely i fusnesu ar unwaith.

Wedi i'r seicolegwraig Americanaidd gael dweud ei dweud, cafodd colofnydd ar y *Daily Gleaner* gyfle i ymateb.

'I must admit,' meddai, *'some of our artists do spout forth pure evil. The sounds coming from Beenie Man, Merciless, Bounty Killer, and especially Sizzla and Capleton, are extremely jarring to one's nerves and sensibilities. I know full well that their lives are filled with deprivation, injustice at the hands of the police, abuse by the hands of the political system, etc,'* aeth ymlaen, heb awgrym o eironi yn ei lais, *'but do they have to remind us of it all the time? I know that art reflects life, but for heaven's sake. Why can't they sing or chant about something else, something uplifting, for a change?'*

'Yes. My sentiments exactly.' tarodd ddynes frown golau ddeniadol i mewn i'r drafodaeth, *'Like Bob Marley used to . . .'* Ar glywed enw Sant Bob, cyflenwr Reggae *'for export only'* â chyflas roc cryf iddo i'r lluoedd gwyn, diffoddais y teledu yn ddig.

Y Pumed Diwrnod

'Dem never want us reach nowhere
Yet I know, I & I are everywhere
From Holy Mount Zion to the Highest Place
The Conquering Lion bears no shame
Dem no respec' fe the poor, an' yet dem table prepare
Continue to ignore, dem insult an' jeer
We cook the food they eat an' make the very clothes they wear
What a tribulation poor people a bear
Why boast, when it lead you nowhere
An' your riches will soon disappear . . .
Sizzla – *'Why Boast?'*

'Afraid i briddyn efrydd murnio taer, a marw'n oed dydd.
O'r prif noeth y doeth, du oer, yn lludw yr â dyn lledoer. Ni
roddai ddifai ddwyfuw wrda ddoe er dau o Dduw! Heddiw
mewn pridd yn ddiddim o'i dda nid oes iddo ddim . . .' Dwy
iaith wahanol, a chyfandir cyfan ac oddeutu chwe chan
mlynedd rhyngddynt, cefndiroedd, diwylliannau a chrefyddau
am y pegwn â'i gilydd, ond yr un neges yn union. Â
gweledigaethau o'r hen Sion Cent yn gweithio'r meic mewn
neuadd ddawns orlawn yn Kingston, a'r Hisiwr yn adrodd ei
gerddi i gyfeiliant telyn mewn llys canoloesol yng Ngwalia yn
troi o flaen fy llygaid, codais o 'ngwely gan wenu a chynnau'r
teledu. Buan iawn y difrifolais.

'Ffermwr yn darganfod corff bachgen un ar ddeg oed wedi'i
benflingo yn y *bush* ar gyrion Portmore; gŵr tri deg pedwar yn
cael ei saethu'n farw wrth bastio posteri *dancehall* ar fur ym
Maxfield Avenue; treflannau cymdogol August Town a
Hermitage yn rhyfela; athro yn darganfod pistol hôm-mêd
llwythog ym mag ysgol bachgen saith mlwydd oed; saethu yn
ardal Duhaney Park; plismyn yn arestio hogyn pedair ar ddeg â
gwn awtomatig *Cobra*, o wneuthuriad Israelaidd, yn ei feddiant;

a dau o gardotwyr canol oed Montego Bay yn cael eu llosgi'n ddifrifol wedi i rywun drochi eu cyrff cwsg â phetrol, a'u tanio.' – Newyddion wyth TVJ.

Y pnawn cynt, pan o'n i allan yn galifantio gyda Zack, roedd chwaer fawr Eric o Efrog Newydd wedi ymddangos yn annisgwyl yn y bar. Aeth hi'n andros o ffrae gyhoeddus rhyngddynt, yn ymwneud â phenderfyniad unochrog ei brawd i roi'i fam mewn cartref hen bobol a gwerthu tŷ'r hen greadures. Wedyn roedd Eric gandryll wedi pacio'i fagiau a dychwelyd i Miami. Roedd hi'n biti mawr gen i, a dweud y gwir. Er gwaetha'i geg annifyr o frwnt a'i holl gynllwynio teuluol dandin, roeddwn wedi mynd i leicio'r hen rôg yn arw.

'Bore da!' cyfarchais y ddau newydd-ddyfodiad drws nesa, yn hen fflat Eric.

'Bore da. Sut wyt ti?' meddai'r talaf o'r ddau Sîc yn ôl.

'Fel bom, diolch.' dwedais, gan gerdded draw ac eistedd ar ben y wal. 'Newydd symud i mewn i'r gwesty 'dach chi?' holais yr Indiaid canol oed.

'Nage. 'Dan ni yma ers bron i wythnos,' atebodd y byrraf, mewn Saesneg coeth. 'Uwchben y bar oedden ni cynt. Ond roedd hi'n rhy swnllyd o beth wmbredd yno. Felly mi ofynnom a oedd posib i ni gael ein symud i fan distawach pan fyddai fflat addas ar gael.'

'O, wela' i,' atebais yn euog.

'Wyt ti'n gwylio'r newyddion?' gofynnodd y dyn tal.

'Ydw, bob bore a phob gyda'r nos.'

'Begeriaid yn cael eu ffaglu, plant bach yn cario gynnau llwythog, mwrdro ac anhrefn ym mhobman . . . dywed i mi, beth ar wyneb y ddaear sy'n mynd ymlaen yn y wlad yma?'

'Tlodi enbyd, rhyfela rhwng gangiau, cyffuriau, diweithdra, dynion dan anfantais feddyliol yn crwydro'r strydoedd . . .' ategais, gan godi fy ngwar yn ansicr.

'O be' dwi'n ddeall, mae gan y wlad yma heddlu a byddin. Dylent fedru mygu'r holl dor-cyfraith a thrais yma'n gymharol hawdd. Wedi'r cyfan, ynys fechan ydy hi.'

'Dylent, am wn i,' cytunais, er mwyn rhoi pen ar y mater. 'Beth bynnag am hynny, be 'dach chi'n feddwl o Kingston?' gofynnais yn siriol.

'Llawn o ddihirod!' atebodd y gŵr byrraf, 'Mae'i swyddogion yn llwgr, ei dynion tacsi i gyd yn racetiriaid, a'r dydd o'r blaen twyllodd rhyw ddyn yn *Devon House* ni o ddwy fil o ddoleri Jamaicaidd. Dwedodd wrthom fod o'n weinydd yn y gwesty 'ma, a'i fod o ar fin ymadael am y Blue Mountains i ymweld â ffrind iddo oedd . . .'

'Yn berchen ar fferm goffi a werthai ffa coffi iddo am chwarter y pris adwerthol,' torrais ar ei draws.

'Wel ar f'enaid i!' ebychodd yr Indiad mewn syndod, 'Sut ar wyneb y ddaear oeddet ti'n gwybod?'

'Mi driodd y cenau chwarae'r un tric arna i y noswaith o'r blaen,' atebais.

Am ryw reswm roedd dyddiau Gwener wastad yn dawel, dwedodd Zack, wrth iddo aros i oleuadau traffig Waterloo Road newid lliw.

'Dim ymweld â stiwdios heddiw, felly?' gofynnais yn siomedig.

'Yeah, later,' atebodd, *'But first we a go tek a lickle ride up a Jack's Hill, fe you fe see the city.'*

Fe enwyd yr allt serth hon, ar ôl *'Three Finger'* Jack Mansong, caethwas ar ffo, a drigai'n ei choedwig drwchus. Yn 1779, wedi iddo annog gwrthryfel ymysg gweithwyr du un o stadau mawrion plwyf St Thomas, dedfrydwyd Jack i farwolaeth. Ond ddyddiau cyn ei ddienyddiad llwyddodd i ddianc i Queensbury Ridge, lle y dechreuodd anrheithio teithwyr cyfoethog yn mynd a dŵad rhwng Kingston a Morant Bay. Yn 1781, wedi iddo ladd degau o filwyr Prydeinig yn ystod cyrchoedd niferus y fyddin ar ei wâl, fe'i saethwyd yn farw gan fintai o Farŵns a dorrodd ei ben i ffwrdd, ei osod ar bolyn, ac ymdeithio i Spanish Town i hawlio'r £300 o fownti.

Wrth i ni fynd trwy ardaloedd preswyl dethol Cherry

Gardens a'r Barbican Heights, dangosodd fy nghyfaill hen dŷ Prince Buster i mi – palas o adeilad enfawr ag un adain ohono ar ffurf coron. Reit ar ael Jack's Hill, tua chanllath o gartref anhygoel o grand Rita Marley, gwraig y Wailer diweddar, dechreuodd cytiau cyntefig wedi'u gwneud o hardbord, sinc a shîts plastig ymddangos ymhobman. Sylwais fod y tir o amgylch i gyd mor ofnadwy o serth nes gorfodi holl ffermwyr bychan yr ardal i wneud fel yr Incas a'r Astecs ers talwm, a thyfu'u cnydau ar derasau culion.

Ddwy filltir i fyny'r ffordd fawr o dreflan ddistaw Jack's Hill, saif pentref bychan o'r enw The Cooperage, a enwyd ar ôl cymuned o hwperiaid Gwyddelig a gyflenwai gasgenni i berchnogion ffermydd coffi'r Blue Mountains yn y bedwaredd ganrif ar bymtheg. Roeddwn wedi meddwl gofyn i Zack fynd â mi draw yno, ond wedi i ni dreulio awr mewn rym siop fechan o'r enw *Foxy's Bar* ar sgwâr Jack's Hill, aeth The Cooperage a'i ysbrydion Gwyddelig yn angof llwyr. Ar yr hen ddynes hynafol tu ôl i'r bar oedd y bai, am godi ysfa arna'i i ymweld â threflan gyfagos August Town, a hithau wedi ein diddanu â straeon am ei haelodaeth o eglwys y Bugail Bedward.

> *'Bedward give out a lot a invitation to people*
> *Tellin' people that he goin' to fly*
> *He don't have no wing, but he goin' to fly . . .'*
> Prince Far I – *'Bedward the Flying Preacher'*

Ganwyd Alexander Bedward, pregethwr, cerddor, cenedlaetholwr du a gweithiwr ymfudol, tua 1870 yn hen dref farchnad Linstead, plwyf St Catherine. Yng nghanol ei arddegau, ddwy flynedd cyn iddo fudo i weithio ar gamlas Panama, symudodd i August Town – tref fechan bryd hynny, a sefydlwyd gan ŵyr du rhydd yn y 1820au diweddar. Yn ogystal â bod yn efengylydd diwygiadol enwog, roedd Bedward yn nodedig am ei bwerau iachau; defnyddiai Afon Hope gyfagos i fedyddio'i ddilynwyr ac i wella'r gwael a'r gwan eu meddwl. Yn fuan yn y 1890au, dechreuodd yr iachawr ecsentrig gael gweledigaethau. Un ohonynt oedd breuddwyd yn ymwneud â dwy wal enfawr yn symud at ei gilydd yn gyflym, y naill yn ddu a'r llall yn wyn. Yn dilyn y glec anochel rhwng y waliau, yr un ddu yn unig oedd yn dal i sefyll. Carcharwyd y Bugail Bedward am gyfnod, am annog trais a chasineb tuag at wynion. (Yn rhyfeddol, mae hanes caethiwed yng Ngogledd America yn frith o straeon am arweinwyr gwrthryfeloedd du yn cael eu hysbrydoli gan freuddwydion, neu weledigaethau, tebyg i'r un a gafodd Bedward. Gweld dwy fyddin enfawr o ysbrydion, un yn ddu, a'r llall yn wyn, yn ymladd wnaeth Nat Turner, y caethwas o Virginia a sbardunodd wrthryfel du yr Unol Daleithiau yn 1831.)

Phariseaid, Ysgrifenyddion a Sadwceaid oedd aelodau'r hil wyn, yn ôl Bedward. Yn gynnar un bore o Fehefin, 1921, gorymdeithiodd y Bugail a dros 1,500 o'i 30,000 o ddilynwyr i Kingston er mwyn ymladd i'r pen â'i elynion gwynion. Ond fe'u rhwystrwyd gan gant o hanner o blismyn a dau gwmni o filwyr Prydeinig rhag cael mynediad i ganol y ddinas. Aeth yn ymladd, ac fe arestiwyd yr iachawr a dros 700 o'i ddilynwyr. Dedfrydwyd y cwbwl ohonynt i dri mis o garchar. Yn dilyn ei ryddhau, hebryngwyd Bedward gartref gan fintai o warchodwyr arfog. Ond lai nag wythnos yn ddiweddarach sleifiodd yn ôl i August Town. Ymhen dyddiau roedd allan ar strydoedd Kingston yn cyhoeddi ei fwriad i hedfan gartref i Affrica. Mewn llai na mis, datganodd, byddai'n tyfu adenydd ac yn lansio'i hun tua'r awyr oddi ar ben to ei eglwys. Aeth mor bell, hyd yn oed, â phennu dyddiad i'w orchest, sef Dydd Sul y 31ain o Ragfyr, 1921.

Ar y bore Sul penodol, â thorf anferthol o filoedd o ynyswyr yn ei wylio, cerddodd Bedward, yn ei fentyll claerwyn, tuag at dŵr ei eglwys. Ond cyn cyrraedd, fe'i harestiwyd ac aethpwyd ag ef i garchar Half Way Tree. Penderfynodd yr awdurdodau ei ddyfarnu'n wallgof a rhoi gorchymyn i'w gadw am amser amhenodol yn Ysbyty Meddwl Belle Vue, ym mhle bu farw – yn ei iawn bwyll – yn 1930. Eginodd yr hadau a blannodd Bedward ym meddyliau ei ddilynwyr. Mae 'na Bedwardites, fel y'u gelwir, yn dal i fodoli yn Jamaica hyd heddiw.

Edrychwn ymlaen yn arw i'n hymweliadau dyddiol â swyddfa Art, rheolwr *pressing plant Tuff Gong*, perchennog system sain *African Heartbeat* a chymydog a chyfaill gorau Zack. Roeddwn wrth fy modd yn eistedd ar y soffa fawr a lenwai hanner swyddfa'r hen Fingiman, yn trafod hanes, gwleidyddiaeth, myrdd o grefyddau Jamaica a'i diwydiant cerddorol. Bwyta'i ginio – llond bocs plastig mawr o salad cymysg – oedd Mr Hart pan gamodd Zack a minnau i glaerder braf y swyddfa.

''Dach chi di cael cinio eto?' gofynnodd yr hen foi i ni, rhwng cegeidiau o fwyd. Pan atebodd Zack 'na,' cododd a rhuthro trwy ddrws y swyddfa cyn dychwelyd â dau blatiad mawr o ackee, *saltfish* a reis a phys o'r cantîn. Wedi i ni orffen ein prydau a'u golchi i lawr â gwydriad o sug grawnffrwyth ffres o ardd ein cymwynaswr, gorweddom yn ôl ar y soffa, yn llawn fel bŵis.

Mae'n anodd gen i gredu bod dreifars mor wallgo a diofal â gyrwyr bysys cyhoeddus glas a gwyn Kingston yn unrhyw fan yn yr holl fyd. Sôn am nytars! Maen nhw'n gwneud i'r ffermwyr ifanc sy'n gyrru *Vauxhall Novas SRI* o amgylch Llŷn ac Eifionydd edrych fel pensiwnïars yn mynd â'u gwragedd am reid ar ôl te ar bnawniau Sul. Mae gan bob un o'r cannoedd o'r bysys 'ma enw difyr, a hysbysebwyd mewn llythrennau enfawr ar draws eu ffenestri ffrynt a chefn: pethau fel *Exterminator, Ayatollah, Flying Bomb* a *Saddam's Chariot*. Dan eu sang â theithwyr a miwsig *dancehall* yn diasbedain trwy'u ffenestri, eu hinjins yn sgrechian am drugaredd a'u cyrn yn canu'n ddi-baid, mae'r olygfa o resaid o fysys Kingston yn mynd ffwl pelt drwy'r dre yn ddigon i godi gwallt eich pen. Y tro cyntaf y gwelais i gonfoi ohonynt yn taranu trwy Half Way Tree, eu *'ductors* ifanc yn hongian allan trwy'r drysau yn bloeddio pethau anweddus ar bedestriaid benywaidd a'u pibelli ecsôst yn gollwng cymaint o fwg i'r atmosffer nes bygwth troi'r dydd yn nos, rhewodd fy ngwaed yn gorcyn. Ar ôl cinio pnawn Gwener, adroddodd Art stori wrthyf am daith hunllefus a wnaeth o ar un o'r coetsis dieflig yma, ychydig o wythnosau ynghynt.

Â'i waled yn bolio gan swm sylweddol o arian yn ddyledus i un o berchnogion stiwdio *downtown*, byrddiodd Art 'Who God Bless, No Man Curse,' a gwthio'i ffordd i gefn y bws, lle'r oedd un neu ddwy o seddi gwag. O fewn eiliadau iddo eistedd, cododd dau *rude boy* ar draws yr eil ar eu traed, tynnu'u *ratchets* o'u pocedi a mynd i'r afael ag o. Cyn i Art druan gael cyfle i geisio amddiffyn ei hun, defnyddiodd un o'r tacla ei erfyn i rwygo'i drowsus, yr holl ffordd o'r gwast dat y pen glin, a dwyn ei waled. Er iddo weiddi am help, chododd 'na'r un teithiwr i roi cymorth iddo. Pan stopiodd y bws yn yr arhosfan nesaf, neidiodd y lladron i ffwrdd a diflannu i'r torfeydd.

Treuliodd Art gyfran helaeth o'r 60 a 70au yn Llundain. Anrheg ffarwel gan un o'i hen gyfeillion Saesneg oedd y waled a ddygwyd. Yn naturiol, roedd hi o werth personol mawr iddo. Drannoeth y lladrad, gofynnodd Art i un o'r genethod ifanc yn y swyddfa – teithiwr cyson ar y bws neilltuol lle cyflawnwyd y drygioni – i hysbysu'r dreifar bod y gŵr a ymosodwyd arno ar ei goets y diwrnod cynt yn fodlon talu swm bychan o arian am ddychweliad ei waled. Pan gerddodd i mewn i *Tuff Gong* yn fuan drannoeth, roedd hi'n gorwedd ar y llawr tu mewn i'r ffens.

'Sôn am lwcus!' ebychais.

'Lwc? Doedd a wnelo lwc un dim â'r peth!' chwarddodd yr hen *dread*. 'Ti'n gwybod y llanciau hanner call 'na wyt ti'n ei weld yn gyrru'r bysys? Maen nhw'n gweithio law yn llaw â'r *rude boys* sy'n anrheithio'u cwsmeriaid 'sti,' esboniodd 'Maen nhw'n derbyn canran o'r ysbail. A gwobrwyon hael hefyd ambell waith!'

Roedd hi'n arferiad gan Mr Hart a Zack ymbleseru mewn *spliff* enfawr, maint corned hufen iâ, ar ddechrau bob prynhawn. Bob tro y tynnai Art lond cwd plastig o fariwana allan o ddrôr uchaf ei ddesg a mynd ati i'w dorri'n ddarnau mân â'i gyllell boced, fe'm hatgoffwyd o fy nhad ers talwm, yn paratoi saws mint ffres ar fore Sul. Yn wahanol iawn i Zack, a lithrai i goma dwfn bob tro y câi un o *spliffs* pwerus ei fêt, doedd Art fawr gwaeth. Roedd ei leferydd yn arafach nag arfer efallai, a'i ymresymu braidd yn aneglur, ond ar wahân i hynny roedd o rêl boi. Pan oedd Zack yn gorweddian ar y soffa bnawn Gwener â gwên fawr benwan ar ei wyneb, cerddodd geneth ifanc, gyfareddol o brydferth, i mewn i'r swyddfa.

'Elwyn,' dwedodd Art, yn dilyn sgwrs fusnes fer â'r eneth hardd, 'Hoffwn dy gyflwyno i Stephanie Marley.'

"Member now, try an' ketch a nap 'fore you go a Mas Cyaamp tonight. You prob'ly nah get fe go a bed 'fore six o' clock tomorrow mornin', meddai Zack wrthyf ym maes parcio'r gwesty. Dilynais ei gyngor. Ond allwn i gysgu? Dim ffiars o beryg! Roeddwn fel plentyn bach cyffrous ar noswyl y Nadolig. Ar ôl hanner awr o fwydro pen a gwingo chwyslyd, cymerais gawod a mynd am beint.

Wnes i ddim sôn wrth y peiriannydd trydanol, chwe deg tri blwydd oed, o Dortmund a gerddodd i mewn i'r bar ychydig o funudau ar fy ôl i, fy mod i wedi treulio'r pum mlynedd ar hugain diwethaf yn gweithio fel leinsman. Rhag ofn imi gael fy nhynnu i mewn i drafodaeth ar rywbeth annioddefol o *boring* fel Deddf Ohm, neu anwytho electromagnetig.

'Newydd landio 'dach chi?' holais yr Almaenwr eiddil, wedi iddo ddringo i gopa'r stôl drws nesa'.

'Ia. Newydd gyrraedd bore heddiw,' atebodd yn swta, gan dynnu'i sbectols oddi ar ei drwyn llafn cryman, hir.

Ar ôl dwy botelaid o *Red Stripe* daeth yn fwy siaradus. Roedd o wedi treulio'r pum niwrnod blaenorol yn Florida, datgelodd toc, yn mynychu confensiwn rhyngwladol adeiladwyr modelau trenau stêm (y bore wedyn yn yr ystafell fwyta, dangosodd i mi injan trên fach oren a gwyn, wedi'i lapio'n ofalus mewn bocs pren cadarn), lle cafodd ei drawo gan ysfa gryf i ymweld â Jamaica. Roedd o am wario'r pythefnos nesa yn ei gwarbacio hi'n hamddenol o amgylch yr ynys ar ben ei hun, cyhoeddodd yn gynhyrfus.

'Ti'n meddwl bod hynna'n beth doeth, syr?' rhoddodd Mr Royes pryderus ei big i mewn, 'Mae gennym nifer fawr o gymeriadau peryg iawn yn crwydro'r ynys 'ma, 'sti.'

'Paid â phoeni, mi fyddai'n iawn,' atebodd yr Almaenwr, 'Dwi'n heiciwr profiadol, â deugain mlynedd o brofiad o grwydro gwledydd estron ar fy mhen fy hun bach.'

'O wel, ti a ŵyr . . . syr,' mwmiodd yr hen farman dan ei wynt.

Cyn iddo'i siyntio hi am ei ystafell, datgelodd y gŵr musgrell o Dortmund ei fod o wedi treulio'r rhan fwyaf o'r prynhawn *downtown*, ar bwys Coronation Market. Yn ceisio dod o hyd i amserlen bysys i Port Antonio.

''Dydy bysys Kingston ddim yn rhedeg i amserlenni, wyddost ti,' esboniais, 'Maen nhw'n cyrraedd y terminws ar hap, aros tan mae'r bws dan ei sang, ac yna'n gadael. Ddwedodd neb hynna wrthyt ti yn yr orsaf?'

'A dweud y gwir,' atebodd yr Almaenwr â gwên wan, 'Rwyf mewn penbleth, braidd. Alla i'n fy myw â chael crap â'r acen Jamaicaidd, wyddost ti. Prin dwi 'di deall gair ers pan gyrhaeddais yma.'

> 'Well right about now, we 'ave fe big-up every crew a deah. Big-up all the ladies in the house. Big-up all the uptown ladies, lookin' beautiful tonight. All the ghetto gal dem, immaculate queens. All the rude boy dem – big up! You see me a seh? Yes, my people, tonight a go nice. "Mentally Ill" Matterhorn jus' arrive, y'know. So right about now, before we do anything, we 'ave fe put God first. Mas Camp! All God bless right now! . . "

Jazzy T yn cychwyn y sioe *dancehall* fawr ym Mas *Camp* ar nodyn ysbrydol.

'Ti'n gwybod, Moses, mae rhywbeth yn dweud wrtha i y byddan ni'n gyrru adref o fan 'ma bore fory yn y *Ford F150* newydd sbon danlli 'na draw fan 'cw,' dywedais wrth fy ffrind, gan bwyntio i gyfeiriad y lori gymalog â'r clamp o bic-yp gyriant bedair olwyn, hoff gan gerddorion *dancehall*, ar y cefn.

'Yuh t'ink so?' holodd fy mêt yn gynhyrfus.

'Ydw'n Tad.'

'Cyaan drive. Me woulda prefer fe win the secon' prize, y'know. The big 36inch Hitachi TV.'

'Ond 'tasan ni'n ennill y bic-yp 'na, mi fasa ti'n gallu'i gwerthu hi. A phrynu llond blwmin warws o *Hitachis* mawrion.'

'True, true.'

'Wn i be' wnawn ni. Mi daran ni fargen. Os gaiff un ohonom dro lwcus ac ennill y brif wobr yn y raffl, bydd raid iddo werthu'r pic-yp a rhannu'r arian hefo'r boi arall.'

'Yes, man! It a deal.'

Wedi i ni selio'r cytundeb â thrawiad dyrnau, rhoddom glec i'n cwrw a cherdded tua'r fynedfa, gan aros i edmygu'r pic-yp fawr goch yn sgleinio fel sofran dan oleuadau stryd Oxford Road.

Hanner can llath o'r ystafelloedd newid, yn dynn yn erbyn y ffens sinc uchel oedd yn amgau parc mawr Mas Camp, roedd tair llwyfan dros dro, dan eu sang â bocsys recordiau a pheirianyddiaeth sain. A'r naill ochr a'r llall iddynt, dŵr uchel o seinyddion. Rhwng popeth, roedd gan y tair system sain – *Exodus, Alaska a Nitetraxx* – dros saith deg o seinyddion yr un wrth law. *'Soun' to mek yuh liver quiver!'*

Wedi i Moses brynu llond cwdyn plastig o *high-grade* a phaced o *W(R)izlas* gan un o'r hanner dwsin o *ganjamen* oedd yn gwau trwy'r dorf, ac i minnau nôl dau *Guinness* 'poeth' a dwy botelaid o *Heineken* oer o'r bar, aethom i chwilio am le addas i wersylla, fel petai. Hanner can llath i'r chwith o'r bar, rhwng rhesaid o loriau nwyddau trwm a jîp Heddlu yn llawn plismyn yn cael cyntun, daethom o hyd i'r union le. Wedi'i ddympio ymhlith hanner dwsin o goed bach ceinciog oedd y paled pren mwya a welais i erioed. Ar ôl i ni droi'r anghenfil rownd, nes oedd ei hyd yn wynebu'r llwyfannau, sodrom ein penolau i lawr.

Rywsut neu'i gilydd, arweiniodd ein sgwrs at Angau a'i Gleddau Glas.

'P'run fasa'r gorau gen ti Moses, claddedigaeth ynteu corfflosgiad?' gofynnais i'r dyn bychan o Denham Town, a oedd yn rhoi'r cyffyrddiadau olaf i'w drydedd *spliff*.

''*Ow you mean?*' holodd, heb godi'i ben.

'Wedi i ti farw, fasa'n well gen ti i dy gorff gael ei gladdu mewn bedd, ynteu cael ei grasu mewn amlosgfa?'

'*Me nah unnerstan'*,' meddai, felly esboniais y weithred o ddarlosgi iddo.

'*Wha' you a go do?*' gofynnodd, â golwg bryderus ar ei wyneb.

'A dweud y gwir, dwi'm di meddwl rhyw lawer am y peth. Ond draw ym Mhrydain, mae'r mwyafrif llethol o'r boblogaeth yn dewis mynd i'r tân 'sti.'

'*Eh? An' bunn dem body?*'

'Ia.'

'*But dat a madness! Cyaan done!*' bloeddiodd y dyn bychan, wedi styrbio'n lân, '*A joke you a tell!*'

'Nage. Mae'n berffaith wir, Moses. Heb air o gelwydd rŵan.'

'*Whaaa? So the fire bunn the righteous an' the wicked man same way?*' holodd yn anghrediniol.

'Ydy.'

'*Why dem a do that? Why dem a t'row righteous people inna de fire?*'

'Dwi'm yn siŵr.'

'*A idiot t'ing dat! So the heathen dem get bunn two time?*'

'Ydyn.'

'*Chhhhhoooo,*' wfftiodd y dyn bach, gan grychu'i wyneb ac ysgwyd ei ben mewn ffieidd-dod.

'*Roas' peanut! Cashew!*' '*Cane! Roots wine! Plantain chips!*' '*Curry goat an' rice! Roas' fish an' bammy!*' Uwchlaw grwnan y dorf hwrjiai lleisiau bloeddfawr *vendors* aneirif eu nwyddau. Cododd yr holl gyfeiriadau at fwyd yma newyn difrifol arna'i.

'Ffansi rhywbeth i'w fwyta, Moses?' holais.

'*No, man!*' wfftiodd, gan chwifio'i law yn ddiystyriol. '*Me a look after me structure, y'know. Me nah inna dat kinda food deh,*' dwedodd, gan bwyntio bys i gyfeiriad y stondinau bwyd, '*Me*

90

eat 'ealthy. Stric'ly fruit an' vegetable. An' plenty a Guinness. Dat why me so fit, y' know. Fit! Fit! Fit!' Ar y drydedd *'fit'*, er mawr ddifyrrwch y ddwy *hot gyaal* oedd wedi dod i eistedd yn ein hymyl, sbonciodd Moses ar ei draed, rhoi coblyn o naid i ganol y dorf a mynd ati i roi arddangosfa *Kung-Fu* i mi.

'Uffern o ddyn wyt ti, Moses!' bloeddiais mewn edmygedd, wedi i'r sioe grefftau ymladd, un-dyn, ddarfod â hwrdd gwallgo o gyhwfan breichiau a thair cic ehedol ysblennydd.

'Yes, man. Me know!' clegrodd y *sufferah* bachigol, pum deg wyth mlwydd oed, gan gynnig ei ddwrn caeëdig i mi am y cant a milfed tro y noson honno.

Wedi i mi sglaffio llond carton mawr o *ackee* a *saltfish*, es am dro o amgylch y maes, a oedd, erbyn hyn, yn fwrlwm gwyllt o bobol. Ar bwys yr ystafelloedd newid, tarais ar *Bobo 'Shanti*, mewn gwisg filwrol drwsiadus, â shît o hardbord wedi'i gorchuddio â bathodynnau diwylliannol yn pwyso'n erbyn ei goesau. Fel o'n i wrthi'n talu iddo am fathodyn Marcus Garvey, llamodd criw *Alaska* ar un o'r llwyfannau, felly g'leuais hi'n ôl i'r gornel fach glyd, lle'r oedd Moses yn astudio pedwar plismon swrth yr olwg yn ymestyn a rhwbio'u llygaid.

Hen fechgyn, ymhell dros eu chwedegau, wedi'u gwisgo fel *rude boys* deunaw oed: *ghetto* gals mewn *batty riders* (trowsusa bach, bach, tynn fel maneg) a thopiau halter back meinion yn dangos popeth: *posses* o laslanciau, wedi'u ymdaclu fel artistiaid *hip-hop* Americanaidd: dynion caled a'u bodins yn fflachio'r ffasiynau cynllunydd diweddaraf, a *mampies* (pladresi o ferched canol oed) anhunanymwybodol yn paredio o gwmpas mewn ffrociau annigonol, tri maint rhy fach . . . Er fy mod wedi gwisgo fy nillad mwya *criss* i'r ddawns, ymhlith dros bum mil o baenod a pheunesau Mas Camp allwn i'n fy myw beidio â theimlo'n llwm a thlodaidd yr olwg. Pan ddaw hi at wisgo amdanynt am noson o hwyl a sbri, does neb all gymharu â gwerin bobol Kingston – *'the best dressed poor people in the world'* chwedl yr Athro Rex Nettleford, Dirprwy Bennaeth Prifysgol India'r Gorllewin.

Gymaint oedd uchder a phŵer y sain yn llifo o'r seinyddion, nes bod y paled pren oedd Moses a minnau'n dawnsio arno'n pwyo dan ein traed a'r ffens sinc y tu ôl i ni'n bowndio'n braf ar ei chynhalbyst. Erbyn i *Firelinks*, orffen bombardio'r dorf â'i lond gwlad o senglau Capleton ecscliwsif, a'r lloerigyn o droellwr recordiau Tony '*Mentally Ill*' Matterhorn, ddarfod ein pledu â dyb-plêts Bounty Killer, roedd hi'n tynnu am bump. Er ei fod o wedi bod yn llafurio'n galed trwy'r dydd, yn dawnsio, yn yfed *Guinness* ac yn smocio perlysiau'n ddi-baid ers saith awr, yn wyrthiol roedd yr annwyl Foses Rupert Johnson cyn sionced â'r wiwer. Biti garw na faswn i'n gallu dweud yr un fath am ei gadach llestri o gydymaith.

Ar ôl i enillydd y gystadleuaeth 'weindio' (dawnsio awgrymog, agos iawn at fod yn gwbwl pornograffig), dawnswraig *go-go* siapus o geto Seaview Gardens, gael ei chyflwyno â dau gant o ddoleri Ianci, camodd y Rastaffariad ifanc sy'n ffryntio system sain *Exodus* at y meic i'n hysbysu ei fod o'n barod i dynnu'r raffl.

Gosodais fy stribed o dicedi ar fy nglin. Gwnaeth Moses yr un fath.

'*Six 'undred an' eighty t'ree,*' bwmiodd llais y DJ dros Mas Camp. Ail-edrychais ar fy nhicedi'n rhuslyd.

'Chwech, wyth, tri,' cyfrais. Ro'n i'n iawn y tro cyntaf.

'Blydi hel, Moses, y fi ydy o!' gweiddais yng nghlust fy mêt. '*Sure?*'

'Ydw'n Tad. Yn bendant. Sbïa!'

'*Run up a stage an' tell the DJ so! Hurry, 'fore 'im a go an' pull another ticket from 'im bag!*' bloeddiodd y dyn bach, gan godi ar ei draed a phlycio'n galed yn fy mraich i.

'Alla i ddim, Moses. Ddim o flaen yr holl filoedd o bobol yma. Ei di'n fy lle fi?' crefais.

'*No man! Run up deh so, 'fore it too late. Quick! Hurry now!*' gorchmynnodd yn daer. Felly, o'm hanfodd, fe es i.

'*Me a go shout it out jus' one more time! Mas Cyaamp! Check unnu pocket an' purse! If unno 'ave ticket number six 'undred an'*

eighty t'ree come up front yah so right away an' claim dis state a the
art Digicell cellular phone an' attachments!'

Roedd 'na ddau *Bobo Dread* yn eu hugeiniau yn pwyso'n
erbyn y ffens yn cadw'r dorf draw o gwr y llwyfan. Pan laniais
wrth eu hymyl, yn diferyd o chwys ac yn chwifio'r tocyn
buddugol uwch fy mhen, chwarae teg iddyn nhw, aethont ati i
dynnu sylw'r DJ gan floeddio gweiddi *'Yow! Yow! Yow!'* nerth
esgyrn eu pennau tyrbanog.

Disgynnodd tawelwch llethol dros Mas Camp. *'Yow,
videoman!'* galwodd y DJ ar y dyn camera, *'Me waan unno shine
yuh light 'pon the big man inna the blue shirt. 'Im standin' nex' a dem
two Bobo breddren a front a stage.'* Ymhen dau eiliad roeddwn i'n
boddi mewn môr o oleuni llachar. *'Yow, Big Man! Unno look kinda
rich to me. Tell me, wha' you a go do wid dis yah cellie? Unno look as
if you a'ready 'ave six a dem back 'ome!'* tynnodd y dyn meic arna'i.
Gwingais yn annifyr a glaswenu'n wanllyd arno. *'Okay den, Big
Man,'* meddai drachefn, wedi i chwerthin byddarol y dorf
wanhau rhywfaint, *'Come an' join me fe claim yuh prize. Walk roun'
the side a the speaker box dem deh, an' come up 'pon stage.'*

Yn nerfau'i gyd, a chyda'r *videoman* yn cerdded wysg ei gefn
o fy mlaen i â golau tanbaid ei gamera yn fy ngwneud i'n ddall
bost, dringais y grisiau ar goesau crynedig. 'Taswn i wedi bod
ar fy ffordd i wynebu mintai saethu, neu grogwr, faswn i ddim
wedi bod yn fwy ofnus. Wedi i mi gyrraedd y llwyfan, yn
annoeth, bwriais gipolwg dros y dorf. Pan welais fod pob un
pâr o lygaid ym Mas Camp yn syllu'n astud arna'i, dychrynais
gymaint nes i mi ystyried ffoi. Ond chefais i 'mo'r cyfle, achos
mewn chwinciad disgynnodd dwy eneth ddel yn gwisgo *hot
pants*, wigiau piws a lipstic cyfliw, arna'i a fy llusgo i ganol y
llwyfan.

Cyflwynwyd y ffôn i mi, ac yna, â chamera'r dyn fideo'n
hofran modfeddi o'm hwyneb, camodd y ddwy frenhines
dancehall handi ymlaen a fy moddi â swsys mawr gwlyb (wnes
i ddim sylwi, nes i mi edrych yn y drych bore wedyn, bod fy
ngwep yn lipstic i gyd). Yn fy ffwdan i ruthro o'r golwg, collais

bob amgyffred o gyfeiriad a mynd ar goll yn lân. Bûm yn crymowta yn ôl a blaen tu ôl i'r rhengoedd o seinyddion am hydoedd, hyd nes i *selector Exodus* ddigwydd fy sbotio'n ymbalfalu mynd yn yr hanner tywyllwch oddi tano. Mae'n siŵr fod y sinach diawl wedi achwyn wrth y DJ, oherwydd y peth nesa a glywn i oedd y dorf yn cael ei hysbysu fod y big man *o foreign* ar goll! Pan ddois i'r wyneb a chamu allan i lygad y dorf, fe'm cyfarchwyd â bloedd fawr o gymeradwyaeth. Ac wrth i mi wneud fy ffordd yn ôl at Moses, camodd hanner dwsin o ddynion ymlaen i ysgwyd fy llaw ac fe gurwyd fy nghefn yn rhadlon gan lond gwlad o bobl yn dymuno'n dda i mi.

Abwyd oedd y *Ford F150*, wedi deall, i ddenu cwsmeriaid drwy'r giatiau. Pan oedd pawb yn y dorf wedi ymgolli yn y gorchwyl o dynnu tocyn am y teledu *Hitachi*, rhuodd y lori gymalog â'r pic-yp ar ei chefn drwy'r giât ochr agored a diflannu i lawr Oxford Road. Pan wawriodd hi arnynt fod cafflwr o drefnydd y ddawns wedi'u twyllo, aeth y dorf yn wallgo bost. Gan floeddio gweiddi *'Ginnal!'* (hocedwr), *'Samfiman!'* (felly eto) – a myrdd o bethau eraill, saith gwaeth – a thaflu poteli gweigion a cherrig at y llwyfan a'r ystafelloedd newid, rhuthrodd pawb, yn un fflyd, am y fynedfa.

Dim ond dwsin neu ddau ohonom a'i 'nelodd hi am New Kingston. Cerddodd pawb arall ymaith i gyfeiriad Crossroads, Half Way Tree, neu i lawr yr Old Hope Road. Wrth i ni ymlwybro yn flinedig ar hyd hanner gorllewinol Oxford Road, rhoddodd Moses fyr-hanes ei fywyd i mi a bywgraffiadau bach cryno o'i ddwy ferch a'i ddau fab. Wedi iddo orffen, addawodd fynd â mi i lawr i Denham Town un noswaith, er mwyn i mi gael cwrdd â nhw.

'Ti'n addo?' holais yn gynhyrfus.

'Yeah, man!' datganodd yr hen gorrach caruaidd, gan wenu fel rhyw hen gath fawr oedd namyn hanner ei dannedd.

Welsom ni'r un enaid byw nes i ni gyrraedd giatiau Devon House, lle'r oedd dau lafnyn yn eistedd ar ben wal yn siglo'u coesau. Wrth i ni gerdded tuag atynt gwaeddodd un ohonynt yn uchel, fel pe bai'n hysbysu rhywun o'n dynesiad.

'*Yow! Yow! Yow! Two buggaman* (gwrywgydwyr) *a come; one black, one white. Blackman a fuck whiteman inna 'im batty* (tin).'

Yn Jamaica, mae galw rhywun yn wrywgydiwr yn cael ei ystyried yn sarhad aruthrol. Cythrodd Moses ar draws y lôn, ei ddyrnau wedi'u cau'n dynn â golwg benwan ar ei wyneb.

'*Listen good now, my yout,*' harthiodd, fodfeddi o wep ein hathrodwr ifanc. '*You waan test me? Eh? You waan see me get bombo claat vex?*'

'*No sah,*' mwmiodd y llanc yn lletchwith.

'*Well den, unno better shut yuh big toilet mouth! Yah 'ear me nuh?*' ceryddodd.

'*Yes sah,*' sibrydodd y rafin ifanc, gan grymu'i ben. A dyna fu diwedd y mater.

Rhwng y dicter a'r cynnwrf, anghofiais bopeth am y sawl oedd y llafnyn cegog yn trio tynnu'u sylw. Pan droesom i'r chwith yn y groesffordd a chychwyn cerdded ar hyd Hope Road, dychrynais am fy mywyd. Tua phymtheg llath i ffwrdd, roedd deg ar hugain o ddynion o bob oedran, eu hanner nhw'n dwyn *machetés* a'r gweddill yn cario *pangas* mawr hirion.

'Mae hi wedi cachu arnom ni rŵan Moses,' sibrydais yn daer.

'*No, man. Nah fret yuhself. It okay.*'

'Tyrd, beth am droi rownd a cherdded adref ar hyd Waterloo Road,' awgrymais.

'*No, man. It too late fe dat,*' hisiodd y dyn bach yn ôl dan ei wynt,

'*Cyaan turn back now an' lose face, we 'ave fe move onward. Jus' hol' yuh head up an' walk normal.*' Am blydi gobaith!

Wrth i mi frasgamu, fel oen i'r lladdfa, tuag at yr haid o ddarpar lofruddion o'n blaenau, cefais fy hun yn ysu am smôc. Fy un olaf un. Tynnais fy mhibell o fy mhoced a thrio'i thanio heb dorri camre. Ond roedd y peth yn amhosibl. Roedd fy llaw leitar i'n crynu fel deilen a fy nannedd yn clecian fel pâr o gastanetau, gan achosi'r cetyn i siglo i fyny ac i lawr yn wyllt. Wrth i ni ddynesu at y lleiddiaid, hoeliais fy sylw ar stwcyn bach cyhyrog yn naddu darn o bren â'i *panga* finiog. Cododd ei ben am eiliad a syllu i fyw fy llygaid, cyn sefyll o'r neilltu er mwyn i mi gael pasio. Wrth i mi ysgubo heibio y fo a'i gymydog, roeddwn yn sicr fy mod am dderbyn ergyd ar gefn fy ngwddf. Felly tynheais fy hun a gwasgu 'nannedd yn barod. Yr union eiliad nesa dyma lori fawr, gefn-agored, yn bomio rownd troad Ysbyty Coffaol St Andrews. Ar bwys ceg lôn y Kingsway stopiodd yn stond, gan aros nes oedd y torwyr cên i gyd wedi dringo i'w thrwmbal.

Y Chweched Diwrnod

'Seh 'im spar wid a cokehead breddren
Seh 'im know 'im long time, so 'im chill out wid 'im
Start to sniff, so it start fe mad 'im
'Im start eat outta garbage bin
"Mercy, please,"'im mother cryin'
When she 'ear a de mad 'ouse 'im 'eadin'
'Im follow drugs from the age of seven
It lick 'im 'ead before the age a eleven
Nuff, nuff, nuff vibes 'im desire
So from the cokehead world 'im won't retire
Flames an' fire! Jah Jah, bunn the coke seller an' the buyer . . .'
    Nature – *'High Grade Corner'*

Roedd hi'n amlwg mai blydi *druggist* oedd o, yn ôl y ffordd y llechodd yn nrws un o dai cyllid caeëdig Knutsford Boulevard pan gerddodd dau blismon heibio.

'Good mornin',' boss. *Mind if I aks you where yuh goin'?'* gofynnodd yn sebonllyd, gan dynnu'i sbectol haul a chodi'i het silc blastig wedi'i haddurno â sêr bach arian a'r geiriau *Happy Millenium 2000.*

'Nunlle'n neilltuol, 'sti,' mwmiais yn surbwchaidd.

'Yuh from Germany?'

'Nac ydw!' brathais, gan godi sbîd.

'Henglish?'

'Na'

'American! Yuh mus' a American!'

'Dim ffiars o berig!'

'Mister, could yuh spare me lickle cyash. Me nah 'ave no breakfas'.'

'Does gen i ddim newid,' gwaeddais dros fy ysgwydd.

'Yuh waan change? A me can get it fe yuh, y'know, from dat garage deh 'cross the way.' Fe'i hanwybyddais yn llwyr, a'i gwneud hi am y banc ffwl sbîd.

Un gyda'r nos, galwodd fy nghyfaill Paul Coote heibio

Scotiabank Knutsford Boulevard i nôl arian. Pan oedd o hanner ffordd i lawr grisiau'r adeilad, rholyn ugain mil o ddoleri Jamaicaidd (tua £240) wedi'i guddio yn un o'i sanau, ymosododd gwallgofddyn yn dwyn picell hôm-mêd arno a mynnu'i bres. Yn ffodus, roedd mêts Paul, y cynhyrchydd Ossie Thomas a'i ddau frawd bach o Maxfield Avenue, yn aros amdano mewn car dros y ffordd. Felly, pan sylweddolont bod eu cyfaill mewn picil, tynnont eu *ratchets* o'u sanau a mynd i'w achub. Ar weld tri horwth dig yn chwifio cyllyll uwch eu pennau yn rhedeg tuag ato, gwadnodd y dyn lloerig hi i lawr y lôn yn bloeddio fel dyn o'i go'. O gofio'r hyn a ddigwyddodd i Paul, cyn datgloi drws y bwth diogelwch yn y cyntedd, roliais y deunaw mil o ddoleri yn fy llaw yn rholyn bach del a'i glymu'n dynn â dolen 'lastig. Yna, cyn agor y drws, fe'i gwthiais i gwdyn plastig a stwffio'r pecyn i ddyfnderoedd fy nhrôns.

'*Dat guy inna the sunglasses an' 'at. 'Im a pester you?*' holodd y stwcyn canol oed â wyneb paffiwr yn sefyll yn fy ffordd.

'Dim felly,' atebais.

'*If 'im come an' bodda you 'gain, unno 'ave fe come an' tell me.*'

'Iawn. Mi wna'i hynny.'

'*Me name Everald. If dat dyamn crackhead come aks you fe money again, tell 'im dat Everald a go clap* (dyrnu) '*im real good.*' meddai'r dyn, gan osod ei hun mewn ystum bocsiwr.

'Diolch yn fawr iti. Mi wna i hynny.'

'*'Fore yuh go, mek I beg you lickle money. Me nah eat yet, boss.*' Gan ochneidio'n uchel dan fy ngwynt, sodrais domen o newid mân yn ei gledr agored cyn ei brasgamu hi am y siop lyfrau.

Wedi i mi brynu copi chwe diwrnod oed o'r *Sunday Times*, a chopi o'r *X-News* (tabloid difyr, yn llawn dop o hynt a helyntion sêr byd y neuaddau dawns) o siop *Bookland*, eisteddais i lawr ar fainc bren tu allan i'r *Pharmacy Plaza*, tanio fy nghetyn, a gwylio un o wageni towio ceir yr Heddlu yn gyrru'i lawr y stryd yn chwilota am ysglyfaeth. Ychydig o lathenni o fy mlaen, roedd 'na hen Doyota Camry glas tywyll racsllyd wedi'i barcio ar linellau melyn. Roedd ei berchennog, newydd bicio i'r caban

Loteri Cenedlaethol i fyny'r ffordd. Pan sbotiodd dreifar y wagen towio'r hen Doyota, breciodd yn galed a bacio'n ôl yn araf nes oedd tin y lori bron yn cyffwrdd â ffrynt y car. Yna, ymysg corws o fwio uchel o gyfeiriad criw o lanciau'n eistedd ar ben wal i'r chwith i mi, neidiodd partner y wagen allan a dechrau tynnu ar raff wifrau'r winsh. Roedd ar fin cyrcydu i gysylltu'r bachyn i siasi'r modur, pan ymddangosodd perchennog y car gan sbrintio i lawr y lôn fel Donald Quarrie. Ymhen fflach, roedd o tu ôl i'r llyw a'r injan yn rhedeg. Hanner eiliad yn ddiweddarach, roedd o'n ei bomio hi i lawr Knutsford Boulevard. 'Taswn i heb fod mor gyfarwydd â diffyg hiwmor plismyn Jamaica, mi faswn i wedi sefyll ar ben y fainc ac wedi bloeddio cymeradwyaeth.

Ar draws y lôn, dan do feranda adeilad bach gwyngalchog ar gongl Trinidad Terrace, roedd hwrjwr cerfiadau wedi'u masgynhyrchu wedi codi stondin. Pan droais glust fyddar i'w fargeinio taer, rhedodd dros y ffordd gan wenu fel giât a gofyn i mi i ble' o'n i'n mynd. 'I Hot-Pot, am damaid o frecwast,' datgelais. *'Me a go walk dung deh wid you,'* meddai'r llanc yn galonnog, *'Fe mek sure dat no one a bodder you. It only gwaan cost you the price of a couple a bockle a beer.'* Erbyn hyn, roedd f'amynedd wedi pallu'n llwyr. Dyna hi, y blydi poteli cwrw oedd ei diwedd hi! Fel oedd y gwerthwr cerfiadau – digon siriol, chwarae teg iddo – yn gofyn imi o ba wlad o'n i'n dŵad, collais fy mhen yn lân. Stopiais yn stond a damio'r *youthman* i'r cymylau. Tynnodd yr holl weiddi sylw un o warchodwyr arfog y ganolfan siopa cyfagos.

'*Dat man deh, 'im troublin' you, sir?'* galwodd drosodd. Cyn i mi gael cyfle i'w ateb, gwadnodd y gwerthwr cerfiadau hi ar draws y ffordd. Saith gwaith, i gyd, y cefais fy rhagodi gan *hustlers* a smygwyr crac yn ystod fy siwrnai chwarter milltir hunllefus o geg lôn Knutsford Boulevard i ben pella Altamont Crescent. Ac i goroni'r cwbwl, fe'm dilynwyd, yr holl ffordd o gyffordd Trinidad Terrace i fynediad yr *Altamont Court Hotel* gan gardotyn carpiog â sach ar ei gefn, ffon yn ei law, a golwg pell, pell i ffwrdd yn ei lygaid. Erbyn i mi gyrraedd pen fy nhaith roeddwn i'n teimlo'n wan fel brechdan.

'Sut mae petha?' holais y gwarchodwr ifanc oedd yn pwyso'n ddioglyd yn erbyn giât *Hot-Pot*.

'T'ings cool. How t'ings wid you?' atebodd, gan dynnu'i sbectol haul a'i chadw hi'n ofalus ym mhoced frest ei grys caci.

'Paid â gofyn!' ochneidiais.

'Why? Wha' 'appen?' holodd y llanc yn bryderus.

'Dwi newydd gael fy rhagodi gan bob un blydi *crackhead* a *hustler* yn New Kingston gyfan,' atebais yn flin.

'Yuh see the crack'ead dem, dem all a flock up deh beca' it a the business district an' dat wheh the money is,' esboniodd Lyndon i mi, pan ofynnais iddo pam bod Knutsford Boulevard yn berwi â chymaint o'r ffernols.

'Yuh see me a seh? Yuh nah get dem dung a Half Way Tree, or Crossroads . . .'

'Dwi 'di sylwi hynny.' torrais ar ei draws.

'Yes, man! It too dangerous fe dem dung deh. If a crack'ead try an' hustle people dung a Half Way Tree Square, 'im gwaan get mash up or cut up. Y'see, we as black people, we hate dem coke'ead deh. Dem a wicked lickle fassy 'ole. Dem a pure evil. It a dem dat response fe mos' a the crime dat gwaan inna town. Listen, mek I gi' you lickle advice. Nex' time yuh buck upon a 'ardware store, yuh 'ave fe buy rachet. Den if one a dem coke-ist a bodder yuh, pull it outta yuh pocket an' flash it inna 'im face. An' if 'im still gi' you trouble, den gi' 'im a lickle jook wid it inna 'im chest.'

Dois at fy hun yn 'o lew. Calliais ac adfywio'n sylweddol ar ôl llawcio platiad o stwnsh corn-bîff a dau sglaffwd o fara rhost. Erbyn i mi orffen llond pot o goffi a chael smôc, roeddwn yn teimlo'n rêl boi ac yn barod i wynebu unrhywbeth – heblaw am fyddin o *cokeheads* diflas a begeriaid penderfynol Knutsford Boulevard.

'Dywed i mi, sut alla i gerdded i'r gwesty heb orfod

100

dychwelyd y ffordd ddois i?' gofynnais i Lyndon, cyn ei cychwyn hi am adref.

'Well nuh . . . you can either go dung deh,' pwyntiodd i'r dde, 'dung Grenada Crescent till you get a Renfrew Road, which tek you onto Trafalgar Road. Or walk dung deh,' cyfeiriodd i'r chwith, 'Dung a Hanning Road an' onto Oxford Road, which tek you dung a Half Way Tree Square.'

Eisteddais i lawr ar y palmant a phendroni am funud. 'Mi ddylwn i ddychwelyd i'r gwesty, 'sti, a thrïo cael rhywfaint o gwsg,' dywedais wrth y gwarchodwr ifanc o Harbour View, 'Dwi 'di bod ar fy nhraed drwy'r nos. A heno 'ma, dwi'n mynd i'r Rebel Salute.'Ta waeth! Dwi'n meddwl yr âi am dro fach i lawr i Half Way Tree. Digon o amser dal i fyny â chwsg pnawn fory, 'n does Lyndon?' A dyna be' wnes i.

Wrth i mi gerdded heibio Llysgenhadaeth y Satan Mawr ar Oxford Road, pasiodd hers fawr sgleiniog â miwsig dancehall yn diasbedain trwy'i ffenestri agored ag arch dan orchudd fflag Jamaicaidd yn ei chefn. Stopiais yn stond a syllu arni mewn syndod ac edmygedd – nes iddi hi a'i chynffon hir o Hondas, Mitsubishis a Thoyotas ddiflannu o'm golwg i gyfeiriad Old Hope Road.

Ar gwr cangen Scotiabank Half Way Tree Square, stopiais i brynu bagiad o soursops – ffrwythau mawr hirgrwn, cennog a gwyrddaidd, sy'n llawn o gnawd hufen, blas cwstard – gan ddynes hancart gyfeillgar. Wedi iddi ddweud y ffordd wrthyf i siop recordiau Derrick Harriott – yr hen gynhyrchydd a chanwr Ska, Rocksteady a Reggae cynnar – croesais y briffordd, eistedd ar risiau cerrig, a chael andros o wledd wrth gynnal sgwrs â chriw o hen deidiau dymunol.

Roedd gwraig bryd tywyll atyniadol mewn bicini melyn yn gorwedd ar un o'r gwlâu haul cyfagos. Fel o'n i'n crafangu allan o'r pwll nofio, gwenais a dweud 'sut mae' wrthi hi. Eiliadau'n ddiweddarach, ymddangosodd ei chariad, gŵr penfelyn, athletaidd yr olwg, o gyfeiriad y bar ac fe ddechreuodd y tri ohonom sgwrsio.

Digwyddais sylwi, wrth godi ar fy sefyll i basio fy leitar i'r ddynes o Frasil, fod ganddi anaf hegar – toriad weddol ddwfn, tua throedfedd a hanner o hyd – yn rhedeg i lawr ei braich dde. 'Ew, dyna anaf cas. Lle goblyn gefaist ti o?' gofynnais iddi.

'Ym Mandeville, ddau ddiwrnod yn ôl, wedi i rhyw lafnyn fy slaesio â *macheté*' datgelodd, gan wenu'n wanllyd. Ar ôl iddi oedi am funud i dynnu'n galed ar ei sigarét, dechreuodd adrodd yr hanes i mi mewn Saesneg cae swêj.

A hwythau wedi cael llond bol ar fasnacheiddiwch rhemp Montego Bay, aeth hi a'i chariad Swedaidd i ganol y ddinas a neidio ar fws i Mandeville. Buont yn crwydro'n ddiamcan o amgylch canol y dref, cyn dechrau cerdded i gyfeiriad Jackass Hill, lle'r oedd hanner dwsin o westai cymharol rad. Ond cyn iddynt fynd yn bell, tynnodd car *hatch-back* gwyn i mewn o'u blaenau a gollwng tri llanc ifanc, dau ohonynt yn cario *machetés*, i lawr. Llwyddodd ei phartner, rhedwr marathonau brwd, i'w gwadnu hi i ddiogelwch. Neidiodd dros ben wal uchel, gan sgriffio'i goes a braich chwith yn bur ddrwg yn y broses, a'i goleuo hi am ganol y dref. Ond roedd ei gariad dan faich ysgrepan mawr a belt arian trwm, ac fe'i daliwyd yn ddidrafferth. Yn synhwyrol, ymostyngodd i'w ffawd yn dawel a gadael llonydd i'r llanciau slaesio drwy strapiau'i bag cynfas a belt arian â'u harfau. Collodd y cwpwl bopeth o bwys yn ystod y lladrad: eu pasportau, cardiau banc, arian, camera, ac ati. Mae'n debygol y buasent wedi colli'u bywydau hefyd, petaent wedi rhoi cynnig ar amddiffyn eu heiddo. Roedd y greadures bach o Frasil yn dal i fod yn ofnadwy o sigledig y bore wedyn. Ond roedd ei chariad i'w weld rêl boi. Yn ysgafnfryd a difater ynglŷn â'r holl beth. A meddwl, hawdd iawn i'r cachgi diawl fod felly, ac yntau wedi rhedeg i ffwrdd a gadael ei bartner i wynebu'r lladron ar ei phen ei hun bach.

Wnes i ddim trafferth agor y *Sunday Times* brynais i yn *Bookland*. Dim hyd yn oed i edrych ar ganlyniadau pêl-droed y Sadwrn cynt. Wedi i mi fwrw golwg dros y penawdau, daeth teimlad rhyfedd o ddihidrwydd llwyr ynghylch popeth an-Jamaicaidd drosta'i, felly fe'i taflais i'r bin sbwriel ar fy ffordd i'r bar i nôl potelaid o gwrw.

Mae'n rhaid fy mod i wedi bod yn pendwmpian. Doedd dim golwg o'r ferch Frasilaidd a'i chariad yn unlle. Ar y gwely haul nesa i mi roedd dynes frown ddeniadol. A draw yn y pen arall i'r pwll, criw mawr o ferched duon, cefnog yr olwg, yn brysur yn gwneud gwahanol bethau. Roedd rhai'n gosod cadeiriau a byrddau plastig y gwesty mewn cylch, dwy yn rigio system sain fechan ar fwrdd trestl hir, hanner dwsin yn cerdded yn ôl a blaen i'r snacbar, a'r gweddill yn hongian balŵns a rhubanau ar frigau'r hen goeden almon. Chwarter awr yn ddiweddarach, ymddangosodd llond gwlad o blant cynhyrfus mewn gwisgoedd nofio o gyfeiriad y maes parcio. O fewn dau funud, roedd wyneb y pwll nofio'n ewynnu a byrlymu, fel petai'n llawn o biranas rheibus, a'r gerddi'n ferw o wichian dros ddeg ar hugain o *pickneys* selog.

O gwmpas dau o'r gloch, wedi i'r plant fwyta'u byrgyr a tships ac i bawb – yn cynnwys fi – ganu pen-blwydd hapus i'r eneth fach oedd yn dathlu'i phen-blwydd yn naw oed, sgrialodd fflyd o feiciau rhacslyd rownd cornel y bloc deullawr o fflatiau i fyny'r ffordd. Wrth i'r criw o laslanciau llawn miri swalpio i'r snacbar i dalu $50 yr un i Benny'r goruchwyliwr, sylwais mor dreuliedig a di-raen oedd dillad, tyweli, a bagia chwaraeon yr hogia, o'u cymharu â dillad a thacla gwesteion da'u byd y parti pen-blwydd.

Rhwng y gerddoriaeth – cymysgedd o *Hip-Hop* ystrydebol a miwsig *dancehall* pwysedd plu – a darddai o'r system sain fechan, a holl blymio a sblasio a chwerthin a thaeru yr hanner cant o blant a phobl ifanc, roedd canolbwyntio yn gwbl amhosibl. Felly, stwffiais fy llyfr gwlyb socian dan y gwely haul, tanio fy mhibell, ac ymroi i wylio'r syrcas.

Roedd y ddynes frown gerllaw yn amlwg wedi ei chorddi. Bob tro y digwyddai un o'r llafnau difreintiedig ei sblasio'n ddamweiniol wrth droellblymio'n gampus i ddyfnderoedd y pwll, taflai olwg filain ar ei gyfeillion a thwt-twtian yn uchel.

Wedi iddi hi a minnau, gael andros o drochfa pan neidiodd hanner dwsin o'r hogia i'r pwll ar yr un pryd, gwylltiodd y jolpen hurt yn gacwn. Gan siarad yn uchel, tynnodd ei sbectol haul, taflu'i llyfr ar lawr a sboncio ar ei thraed. 'Dwi 'di cael mwy na digon o hyn! 'Dwi'n mynd i nôl y goruchwyliwr!' ceryddodd dros ei hysgwydd, wrth ruthro'n wyllt i gyfeiriad y snacbar.

Chafodd pryd o dafod Benny fawr o effaith ar y bois. O fewn eiliadau i'r pregethwr ifanc ddychwelyd i'r snacbar dyna fedlam gwyllt eto. Wedi sawl gornest blymio a hanner dwsin o rasys nofio, cymerodd yr hen hogia saib. Yn chwythu fel gyrnads, haliont eu hunain o'r pwll a syrthio'n glewt ar y gwelâu haul.

Bu distawrwydd llethol. Roedd gwesteion y parti pen-blwydd, ynghyd â'r hen jadan frown flin, newydd ymadael ddeng munud ynghynt.

''Scuse me, mister. Wha' dat deh yuh smokin' inna yuh pipe?' galwodd un o'r llanciau ar draws y pwll.

'High grade.' rhaffais hi, gan beri hwrdd mawr o weiddi chwerthin.

'You a businessman?'

'Na.'

'Journalist den?'

'Na.'

'Den wha' yuh doin' in town?'

'Flexin',' atebais, gan achosi i bawb ladd eu hunain drachefn,

'Ac ymweld â stiwdios, cwrdd ag artistiaid, prynu recordiau, mynychu sioeau . . . y math yna o beth.'

'Who a yuh favourite artis'?'

''Taswn i'n eu henwi nhw i gyd mi fasa ni yma tan Sul y pys,' atebais yn eirwir.

Bob yn ddau a thri, ar ôl iddynt orffen rhannu paced o fisgedi a photelaid o ddiod oren, cododd y llanciau a cherdded at fy ngwely haul ac eistedd i lawr o fy nghwmpas.

'O ba ran o'r ddinas 'dach chi i gyd yn dŵad?' gofynnais i fy holwyr ifanc.

'Place call Grant's Pen,' atebodd 'Ronaldo', yr hynaf o'r criw.

'Oes 'na rywun ohonoch chi'n nabod Andrew "Phang"?' holais. Edrychodd yr hogia y naill ar y llall yn syn.

'How yuh get fe 'ear a P'ang?' ceisiodd 'Diplo', bachgen bach llond ei groen â wyneb direidus.

'Trwy wrando ar recordiau *dancehall,'* esboniais.

'Dywed i mi, pam bod dy fêts yn dy alw di'n *Egghead'*?' gofynnais i'r llafnyn tal a enillodd bob ras nofio.

''Cause 'im 'ead shape jus' like a hegg!' daeth corws o atebion afieuthus.

'A thithau'n fan 'cw,' cyfarchais fachgen eiddil mewn siorts carpiog, 'sut cefais ti'r enw *"Hard Ears"?'*

''Cause 'im a stubborn!' ebychodd 'Little Sizzla'.

Mewn dim o dro roedd hi'n tynnu at hanner awr wedi pedwar. Cyn i mi'i throi hi am fy ystafell i wylio sioe *dancehall* wythnosol Susie Q, piciais i'r snacbar cyn iddo gau, i nôl dwy bowlenaid o dships a sosejis i'r bois. Tra oedd y merched yn coginio'r bwyd, eisteddais ar ben y wal wrth ymyl drws y gegin a dal phen rheswm â'r cogydd peneilliedig â'r mwstas bach Mugabeaidd, Benny.

Wedi iddo ennill cystadleuaeth farddoniaeth genedlaethol ar ddechrau'r wythdegau – a feirniadwyd gan gydnabod imi, sef y farddes Jamaicaidd, Jean 'Binta' Breeze – torrodd Benny ddyrnaid o senglau DJ i label *'Techniques'* Winston Reilly dan yr enw Ignatius Jerry. Cafodd ysgytwad a hanner pan ddwedais wrtho mod i'n berchen ar gopi o un ohonynt.

'Yuh see me? Til me saw the light one day an' become a born-again preacher, me was a real bad man outta road, runnin' wid a pack a dangerous yout',' datgelodd y pregethwr un gyda'r nos, yn ystod un o'n dadleuon crefyddol dyddiol.

'Ai dyna pryd dderbyniais ti'r holl greithiau yna ar dy ben a dy wyneb?' gofynnais iddo.

'Yes,' mwmiodd dan ei wynt, ag edrychiad llawn cywilydd. Roedd fy nghasineb tanbaid tuag at y Gristnogaeth ffwnda-mentalaidd honno a bregethai Benny, â'i gwreiddiau yn

nhaleithiau deheuol y Satan Mawr, yn achosi cryn flinder iddo.

'*You know Benny, I can't fathom out why an intelligent bloke like you chose to become a member of a church associated with Confederate flag-waving, paranoically anti-socialist, right-wing, warmongering, racist rednecks,*' dywedais wrtho un dydd.

'*Shame on you!*' jociais, '*Why didn't you chose a more benign and African-inspired denomination. Like the Native Baptists, or the Zion Revivalists?*'

'*Elwyn, it seem dat mos' a yuh frien' dem a Rastaman.*' datganodd Benny, cyn i mi ddanfon y powlenni o fwyd i hogia Grant's Pen.

'Ydyn,' o feddwl am y peth.'

'*Would you do me a lickle favour?*'

'Mi dria'i.'

'*Would you try an' get dem fe change dem way? Aks dem to turn their back on Haile Selassie an' turn toward the one true God.*' erfyniodd. Lladd ei hun yn chwerthin wnaeth yr hen Zack pan ailadroddais eiriau'r pregethwr ifanc wrtho.

Wedi newid, agorais y sêff, cyfrif deunaw mil o ddoleri, eu rhowlio nhw'n rholyn bach tynn a'i glymu â dwy ddolen lastig. Yna, es i eistedd ar un o'r cadeiriau siglo ger y dderbynfa. O geto Grant's Pen, chwarter milltir i lawr Waterloo Road, clywn weithredwyr *sound system* yn gwneud profion sain. Ac am tua hanner munud boddwyd byddin criciaid y *Mayfair* gan lais garw'r 'Dyn Tân' yn rhuo pytiau o un o'i senglau diweddaraf; '*Tell Babylon dat the fuckery fe done! We waan more money when Friday evelin' come. Don't support dem when Chris'mas come, cause only rich man yard alone a Santa Claus come . . .*' Pan beidiodd y miwsig, clywais sŵn injan cyfarwydd yr hen Doyota yn ffrwtian ei ffordd i fyny West King's House Drive.

Roedd y goleuadau traffig ar y gyffordd brysur sy'n cysylltu Molynes Road a Washington Boulevard yn goch. Trodd Zack yr injan i ffwrdd am funud a manteisio ar yr oedi i ddefnyddio'i ffôn i alw ffrind iddo o Spanish Town. Reit ar flaen y ciw hir o geir, oedd y cardotyn mwyaf arswydus yr olwg a welais erioed.

Fel y dynesai'r dyn gwyllt – noethlymun, heblaw am glwt budr wedi weindio rownd ei daclau – dechreuais weddïo i'r golau droi. Am mai car gyriant llaw chwith oedd hen Doyota Zack, y fi fyddai'n gorfod wynebu'r cardotyn dychrynllyd. Dwn i'm be' goblyn ddwedodd perchennog y BMW gwyn o'n blaenau wrth y begar pan sticiodd o'i ben i mewn trwy ffenestr y car. Beth bynnag oedd o, cafodd effaith ddramatig ar yr hen wallgofddyn druan. Mewn un symudiad, plygodd i lawr, tynnu cyllell o'r pecyn trugareddau wrth ei draed a'i chodi hi'n uchel dros ei ben. Ond doedd o ddim cweit digon cyflym. Oherwydd, cyn iddo fedru dŵad â'i erfyn i lawr newidiodd y goleuadau ac fe lwyddodd y BMW i ruthro i ffwrdd, gan adael y cardotyn yn bloeddio rhegi ar y pafin.

'Iesu Grist! Welaist ti hynna rŵan?' gwaeddais ar fy ffrind.

'Yeah, man! Nah feel no way. It jus' a lickle madman t'ing,' chwarddodd yn braf, gan dechrau llywio'r car hefo'i ben-gliniau er mwyn gadael ei ddwylo'n rhydd i rowlio *spliff*.

Ar gyrion hen dref farchnad brysur Old Harbour, troesom i lawr lôn drol dyllog yn arwain at dreflan o dai bach cyntefig ble trigai brawd hynaf Zack. Pan welodd dwy eneth fechan yn eistedd yn selog ar stepan drws ŵr gwyn yn mynd heibio mewn car dieithr, neidion nhw ar eu traed a dechrau bloeddio *'Whitey! Whitey!'* dros bob man. O fewn eiliadau, megis trwy hudoliaeth, ymddangosodd tomennydd o blant bychain o rywle a dechrau rhedeg ochr yn ochr â'r car. Pan sticiais fy mhen trwy'r ffenestr a'u cyfarch, stopion nhw'i gyd yn eu hunfan mewn braw.

'Weather been bad, fish scarce, fuel price sky-high,'eap a big boat from outta Dominican Republic been raidin' we bes' fishin' ground roun' Great Pedro Bank . . .'

'Tasach chi 'di cau'ch llygaid am funud ac anwybyddu'r iaith a'r acen, mi fasach chi'n taeru'ch bod chi'n gwrando ar ffermwr o Gymru'n siarad. Cyn i ni'i chychwyn hi am Port Kaiser, gofynnodd Zack i'w bysgotwr o frawd gadw sachaid o bysgod parot ffres iddo. Galwai heibio i'w nôl nhw rhywbryd y bore wedyn, gwaeddodd trwy'r ffenestr wrth droi'r car yn yr iard ffrynt gyfyng. Pan stopiom yn y gyffordd ym mhen draw'r lôn drol, tynnodd fy mêt lond cwdyn mawr plastig o *high grade* o'r blwch menig, ei daflu o ar fy nglin a gofyn imi rowlio *spliff* ffres iddo. Yna sodrodd gasét yn y system sain a lluchio'r hen Doyota ffyddlon i ganol ffrydlif o draffig Old Harbour.

Cymerodd dros hanner awr i ni gyrraedd yr hen glocdŵr Fictoraidd sy'n cadw llygad ar sgwâr Old Harbour. Ac ugain munud arall i yrru'r canllath, neu ddau, i gyrion gorllewinol y dref fach flêr. Unwaith yr ail-ymunom â phrifffordd yr A2, rhoddodd Zack ei droed i lawr. May Pen, Belle Plain, Toll Gate, Erin, Clarendon Park . . . mewn llai na hanner awr roeddan ni dros y ffin ym mhlwyf Manchester. Chwarter awr yn ddiweddarach daeth goleuadau dinas Mandeville, tref fwya ffynnianus Jamaica, i'r golwg.

Dwi'm yn dweud bod gan y tair *spliff o high grade* a smociodd y gyrrwr rhwng Kingston a phentref Porus unrhyw beth i wneud â'r peth, ond yng nghanol Mandeville collom ein ffordd yn llwyr. Ar ôl chwarter awr o yrru mewn cylchoedd rownd drysni o lonydd unffordd y ddinas, penderfynodd Zack fynd i ryw garej i ofyn am gyfeiriadau. O fewn dim roedden ni'n ôl ar yr A2, yn ei fflio hi i lawr gallt serth Spur Tree Hill tua'r môr.

Yng nghyffiniau pentref bychan Sea Air trodd y ffordd fawr yn lôn gefn fach yn heidiog o bobl o bob oedran yn cerdded i'r sioe. Gweuodd Zack drwyddynt yn gelfydd, heb arafu fawr ddim. Pan gyrhaeddom y troad i waith *bauxite* Port Kaiser, stopiom i roi lifft i bâr o *Bobo Dreads* ifanc oedd Zack yn 'nabod.

'O ba wlad mae'r dyn gwyn yn dŵad?' gofynnodd Carl, y talaf o'r ddau *Ashanti*, i fy mêt mewn *patois* trwm.

'O Gymru.' atebais drosof fy hun.

'Lle mae fan 'no?' holodd y Boboman, gan fodio'i ffon addurniedig.

'Yn *Queendom* Fabilonaidd Elizabitch,' atebais, gan achosi môr o chwerthin uchel.

'*Zack-I-We, how far we fe go?*' gofynnodd Adrian, y distewa o dipyn o'r bois o Tawes Pen, treflan arwaf Spanish Town.

'Jus' four a five mile. 'Nother ten minute an' we a go be there,' atebodd y *Gŵr* o Bog Walk yn ffyddiog. Fel y digwyddodd pethau, roedd amcangyfrif hyderus ein gyrrwr yn bell, bell, ohoni. O ganlyniad i'r dagfa drafnidiaeth anferthol – tua thair milltir o hyd cymerodd ymhell dros awr a hanner i ni gyrraedd.

Hon oedd blwyddyn gyntaf dathlu pen-blwydd Tony Rebel yn Port Kaiser. Yn dilyn banllef o brotestiadau gan gysgwyr ysgafn Mandeville, cartref y *'Salute'* ers ei chychwyn ym 1993, gwrthododd yr heddlu ei hail-drwyddedu. Felly, gorfodwyd ei sefydlydd i geisio lleoliad arall. Am fod cewri *dancehall* fel Bounty Killer, Elephant Man, Babycham, neu Ninjaman yn denu gormod o *rude boys* afreolus, yn rhegi fel Cofis ac yn rhy hoff o wagedd ac oferedd at chwaeth Rastaffariaid deddfol fel Tony Rebel, welwch chi byth mohonynt yn troedio llwyfan y *'Rebel Salute'*. Dim ond artistiaid diwylliannol sy'n cael eu gwadd iddi. Ac yn unol â greddfau cadarn ei sylfaenydd moesol, gwaherddir cig, alcohol, cyffuriau a chabledd o'r maes. Hefyd, er mwyn cynnal naws ddathliadol a natur rwydd, ddibryder, yr ŵyl, ceisir cyfyngu i'r eithaf ar fesurau diogelwch.

Clywais ar y newyddion y noson wedyn bod 'na dros ddeng mil ar hugain wedi talu i fynd i mewn i'r sioe, a dros wyth mil arall o dlodion anghenus na allai fforddio'r 600 doler (rhyw wyth bunt) am docyn wedi gwylio a gwrando'r sioe o'r ffordd fawr ac o'r caeau cyfagos.

Dychmygwch Nant Gwrtheyrn trofannol yn un berw gwyllt o ddynoliaeth, y lôn o Llithfaen i'r hen bentref dair milltir yn hwy, yn gorlifo â phobol a cheir a stondinau bwydydd a thanau coginio, ac mae gennych chi syniad reit dda o borthladd Port Kaiser ar noson ben-blwydd Tony Rebel. Pan gyrhaeddom y gwastatir helaeth wrth ymyl y môr, daeth Rastaffariad ifanc at ffenestr y car i hwrjio *roots wine* – cymysgedd cryf o fariwana, mêl, saethwraidd [*arrowroot*], *paw-paw*, a *Guinness*, neu *Dragon Stout*. Felly prynais bedair poteliad fawr ganddo. Yn sgrechian fel cythraul, saethodd roced i'r awyr. Dilynais ei hynt fer nes iddi drengi â choblyn o glec uwchben y môr. Rhwng y tywyllwch dudew, y mwg, yr holl bobl yn gwau o gwmpas a chlecian byddarol y tân gwyllt, ffwndrodd yr hen Zack druan yn lân a gyrru'i fodur i fyny clawdd lôn. Er mawr gywilydd iddynt, dechreuodd Carl ac Adrian rowlio chwerthin. Wedi i'r ddau *Bobo* a minnau wahanu'r modur o'r clawdd, daeth dau blismon draw a'n cyfeirio i'r mannau parcio. Ag un ohonynt yn cerdded o'n blaenau yn torri ystod trwy'r dorf â'i faton, llwyddom i gyrraedd un o'r meysydd parcio ymhen dim.

O fewn chwinciad i Zack barcio'r car, agorais y drws a chychwyn dringo allan. Ond cyn i'r un o'm traed gyffwrdd â'r glaswellt teimlais law rhywun yn fy nhynnu yn ôl. *'Uh-uh Elwyn. Yuh 'ave fe stay in the cyaar. It nah safe fe yuh out deh alone,'mongst the poor people dem.'* dwedodd y Gŵr o Bog Walk yn llym. Felly, yn anfoddog, dringais yn ôl i mewn a chlepio'r drws yn sorllyd. Ond pan ddechreuodd fy nhri cydymaith fynd ati'n brysur i rowlio *spliffs*, gwelais gyfle gwych i ddenig. Cyn i'r un ohonynt gael siawns i agor ei geg, sbonciais allan o'r modur a llamu i fyny'r maes parcio tua'r ffordd.

Y peth cyntaf a'm trawodd oedd y nifer fawr o blismyn a milwyr yn rhuthro yma a thraw. 'Be' gythraul oedd ar ben Zack yn codi bwganod?' chwarddais, wrth stopio i wylio mintai o filwyr y *Jamaican Defence Force* yn cilwthio'u ffordd trwy'r torfeydd. 'Sut ddiawl alla'i fynd i drybini yng nghanol yr holl swyddogion cyfraith a threfn yma?' Yna, wedi i mi danio fy mhibell, mor llawen â'r gog, diflannais i ganol y miri.

Doeddwn i ddim wedi mynd ymhell, pan gafodd un o'r criw o lanciau oedd yn cerdded wrth fy ymyl wasgfa a disgyn arna i'n swrth, gan fy nhaflu'n glowt yn erbyn modur wedi'i barcio. Yn amau'n gryf mai'i ffugio hi oedd y diawl bach, es ati i geisio'i wthio fo i ffwrdd. Ond er imi geisio fy ngorau glas, allwn i'n fy myw â thynnu fy hun yn rhydd o'i afael. Mewn ffit o wylltineb, dechreuais ei ergydio'n galed hefo fy mheneliniau. Ond cyn i hyn gael cyfle i gael unrhyw effaith arno, bloeddiodd llais uchel *'Leave 'im alone, man! 'Im sick! A cyaar jus' lick 'im!'* yn fy wyneb. Felly, yn naturiol, rhoddais y gorau i'w hambygio ar unwaith.

Nes imi sylweddoli fy mod wedi fy nghornelu. Yn hollol ddiarwybod i mi roedd criw o wŷr ifanc wedi ymgynnull o'm hamgylch i a'r llefnyn 'anafus', ac wedi'n cau i mewn yn llwyr. Pan sylweddolais ddifrifoldeb y sefyllfa, collais fy mhen yn lân a dechrau brwydro'n ffyrnig i ddianc. Mewn byr o dro, llwyddais i daflu'r llefnyn oedd yn glynu ataf i'r llawr. Ond wrth gwffio fy ffordd trwy'r cylch o lanciau o 'nghwmpas, teimlais ddwylo blewog yn mynd trwy bocedi fy jîns.

Sgrialont i phob cyfeiriad. Ac eithrio un dyn bach. Y boi mewn jîns bagiog, singled gwyn a chrys gingham du a melyn; hwnnw a waeddodd bod ei fêt wedi cael ei drawo gan fodur. Digwyddais daro llygad arno'n brysgerdded i fyny'r ffordd tua maes yr ŵyl, yn edrych dros ei ysgwydd yn nerfus bob dau funud wrth fynd. Rhedais ar ei ôl, ei ddal yn ddi-drafferth a chydio'n dynn yn ei fraich. Er mawr syndod i mi, derbyniodd ei dynged fel oen bach. Trwy drugaredd neu wyrth, o fewn eiliadau dyma fy nghymdeithion yn ymddangos o rywle.

Â'r lleidr ifanc yn ddiogel yng ngafael Carl ac Adrian, esboniais wrthynt beth oedd newydd ddigwydd.

'Wha' 'sactly dem a steal?' holodd Zack, wedi i mi orffen adrodd yr hanes. 'Popeth!' llefais,

'Pob un dim oedd gen i yn fy mhocedi! Hyd yn oed fy mhibell, baco a leitar!'

Gwyrodd Zack a chodi potel wag o'r llawr a dechrau dynesu at y llanc. 'Listen good nuh, my yout',' meddai'n fygythiol, gan gydio'n dynn yng ngwddf ein carcharor ag un law tra'n chwifio'r botel uwch ei ben hefo'r llall. 'If you nah go gi' everyt'in' yuh dunn t'ief back right now, me a go mash up yuh 'ead wid dis bockle!' bloeddiodd yn wyneb y llanc, a edrychodd arna i'n lletchwith am ychydig eiliadau, cyn mynd i'w bocedi'n araf deg a dechrau taflu popeth a ddygwyd oddi arnaf wrth fy nhraed.

'Yuh gwaan 'ave fe start tek heed a the advice dat me gi' yuh, y'know Elwyn.' dwedodd Zack wrthyf yn geryddgar, wedi iddo roi cic hegar i'r lleidr dan ei din. 'Me dunn tell yuh not fe go out *pon' road deh,'* dwrdiodd, wrth i ni wneud ein ffordd draw tuag at giatiau'r maes.

Wythnos cyn i mi adael am Jamaica prynais gamera newydd reit ddrud. Roeddwn am ei ddefnyddio i gymryd ffotograff o'm cyfeillion. Ond pan es i'm poced i'w estyn, darganfyddais nad oedd o'm yno.

'Zack, 'dwi 'di gadael fy blwmin camera yn y car. Oes bosib i ni bicio i'w nôl o?' gofynnais i'r *Bingiman*. Dwi'n araf gythreulig yn ei deall hi weithiau.

'Ti'n siŵr nad y *petty t'iefs* diawl 'na a'i dwynodd o?' holodd Carl.

'O mam bach . . .' griddfannais yn isel, cyn mynd yn wyllt gacwn a dechrau rhegi dros bob man. Wnes i ddim ymbwyllo nes dywedodd Zack y basa pethau wedi gallu bod yn llawer, llawer gwaeth arna'i.

Â Zack yn arwain y ffordd a minnau'n union y tu ôl iddo, wedi fy ngwasgu'n dynn rhwng y *Bobomen*, brysgerddom ar hyd y maes i chwilio am fwyd. Wedi i ni orffen llyncu'n dysgleidiau o *ital stew* maethlon, awgrymodd Zack y byddai'n beth doeth i mi drosglwyddo'r rhan fwyaf o'm harian iddo fo. Felly, ar ôl tynnu tair mil o ddoleri o'r rholyn, mi wnes hynny.

Ni chaniatâi Zack i mi gerdded i'r toiledau ym mhen draw'r maes ar fy mhen fy hun. Mynnodd fod fy nau gysgod, Carl ac Adrian, yn fy hebrwng yno. Pan ddychwelsom i gyffiniau'r stondinau bwyd, doedd dim golwg o Zack yn unman. Bum munud yn ddiweddarach daethom o hyd iddo, yn sgwrsio â chriw mawr o lanciau *Bobo* ar bwys rhesaid o lorïau trymion. Yn dilyn trafodaeth fer rhwng y brodyr, fe'm cyfarwyddwydi'w dilyn. Cychwynnodd y fyddin fechan o gyrchfilwyr gwirionedd fartsio ar draws y maes.

Ar gwr y llwyfan troesom i'r chwith, a cherdded heibio ffens dal yn amgáu clwt o dir yn llawn pebyll a byrddau a chadeiriau gweigion. Yn gwarchod y mynediad yr oedd pâr o youthmen cawraidd mewn gwisgoedd glas ac anferth o gi *rottweiler* mileinig yr un. Cafwyd sgwrs frwd rhwng Carl a'r ddau

warchodwr, agorwyd y giât i ni ac fe gamasom drwyddi un ar
ôl y llall. Pwy oedd yn aros i'n croesawu yr ochr arall i'r bwlch,
ond y 'Negesydd' Luciano, a'i gyfaill mynwesol, Mikey
General.

Cychwynnodd y sioe yn glaear braidd, â pherfformiad gan
gwmni o ddawnswyr Falasha o Ethiopia a thair cân gyffredin
iawn gan Queen Ifrica. Ond buan iawn y twymodd pethau, pan
ddaeth y *rootsman*, Anthony Selassie, ac yna un o gantorion
serch gorau'r ynys, Anthony Cruize, ger ein bron. Ond gydag
ymddangosiad grŵp amlhiliol o America o'r enw *Caribbean
Pulse*, plymiodd y tymheredd yn arw, bron hyd at bwynt rhewi.
Wel mi oedden nhw'n drybeilig o giami. Doedden nhw ddim
cweit mor gyfoglyd o sâl â'r criw o gociau oen o Birmingham a
hadwaenir fel UB40. Ond roedd hi'n agos ar y diawl. O leiaf
roedd gan eu prif ganwr, geneth ddu ifanc, lais canu yn hytrach
na rhyw hen nâd drwynol gwynfanllyd. Fu dim rhaid i ni
ddioddef yn hir. O achos holl heclo a phrocio didrugaredd y
dorf o *Bobomen* ifanc yr oeddwn i'n sefyll yn eu plith,
gorfodwyd iddynt ffoi oddi ar y llwyfan mewn dim o dro. Ac
arna' i oedd y bai am hyn i gyd.

> 'Woe be unto those that say they are Israel, and they are not
> Woe be unto those that say they're Jews, and they are not . . .'
> Don Carlos – 'Harvest Time'

Dechreuais golli arni y munud y gwelais i'r crinc. Y fo a'i
wallt matiog pathetig a'i lond gwlad o addurniadau aur, coch a
gwyrdd. Y pen bach nawddoglyd iddo. Yr oll oedd ar goll oedd
y *blackface*. Oedd neb wedi dweud wrth y cretin mai crefydd
pobol dduon oedd Rastaffariaeth? Ac nad oes y fath beth yn bod
â Rastaffariad gwyn? Yna, dechreuodd fursennu fel diawl, a
thynnu rhyw blydi wynebau orgasmig wrth chwarae'i gitâr. A
dyna fi'n dechrau tynnu stumiau hyll a rhegi'n uchel i mi fy
hun, gan dynnu sylw Carl.

'Be' sy'n bod arnat ti?' gofynnodd y Bobo tal.

'Y coc oen 'na'n gwneud yr holl giamocs 'na,' atebais yn

ddig, 'Y peth gwyn ffiaidd 'na â'r gitâr. Does gen ti ddim syniad cymaint o gywilydd mae'r pen dafad yn godi arna i.' Dyna hi wedyn.

'Hei! Chdi â'r gitâr!' gwaeddodd Carl nerth esgyrn ei ben, 'Lle ddiawl wyt ti'n feddwl wyt ti, dwâd? Stopia wneud yr holl *bombo claat* lol 'na y munud yma! Nid yn ffycin America wyt ti rŵan 'sti!'

'Nage, Jamaica ydy fan 'ma!' bloeddiodd rhywun arall y tu ôl i mi. Cyn pen dim roedd pob un o'r *'Shantis* ifanc o fy amgylch yn gweiddi. Yna dechreuont daflu poteli plastig i gyfeiriad y llwyfan. Mewn chwinciad, roedd y cega wedi ymledu dros y ffens, i'r adran nesa o'r dorf. Wedyn, cydiodd yr holl ffordd ar hyd y rhesi blaen. Toc, dechreuodd yr holl faes heclo. Erbyn hyn roeddwn i'n difaru f'enaid 'mod i wedi agor fy hen geg fawr.

Erbyn hanner nos roedd y gorlan fawr cefn llwyfan yn berwi gan artistiaid. Yn sefyll hyd braich i ffwrdd oedd y canwr annwyl, Natural Black, a'r ddau DdJ *Bobo Dread*, Kulcha Knox a Jah Mason. Yn union o'm blaen i, yn smocio perlysiau oedd cwmni bach o artistiaid *Nyahbingi*: Mikey Spice, Buju Banton, Bushman, Prezident Brown, Richie Spice a'r canwr *baldhead*, Ritchie Stephens. Ac yn ymddiddan ar bwys y mynediad i'r babell fwyd oedd Bunny Wailer, Glen Washington, Joseph 'Culture' Hill, Everton Blender, a'r dyn ei hun, Tony Rebel. Pan o'n i'n estyn fy ngwddf mewn ymdrech i weld pwy oedd rhyw Rastaffariad bach byr mewn crys sidan coch a het wellt cantellydan (Coco Tea), ymddangosodd Anthony B o rywle. Stopiodd am eiliad i saliwtio'r criw mawr o gyd-grefyddwyr addolgar yr oeddwn i'n sefyll yn eu plith, cyn gwthio'i ffordd drwyddynt a gofyn i mi sut oedd pethau'n mynd. Plesiodd hynny fi'n aruthrol.

'Time gettin' harder, still we strivin' for better
An' we not gonna stop till the battle is won an' we get justice
An' if you lose your soul there's nothing to gain – it will be over

So lift up your head and hold it up high, we know that we'll
win the prize . . .'
Everton Blender – *'Lift Up Your Head.'*

Everton Blender teimladol, â chymorth yr holl dorf yn
morio'i anthem ddu ddyrchafol, *'Lift Up Your Head,'* a'r
'Gargamel', Buju Banton, yn canu fersiwn a *capella* ysmudiadol
o Salm 23; Ghost, y siwgr genod bychan â llais fel angel, yn
gwasgu bob dafnyn o emosiwn o dair cân serch a'r hen 'Ewythr'
Joseph Hill yn cynddeiriogi pob un plismon yn y cyffiniau â
fersiwn deifiol o'i hen gân wrth-heddlu, *'Babylon Big Dog'*; pawb
yn mynd yn benwan pan darodd Richie Spice *'Earth a Run Red'*,
a'r un fath pan ddechreuodd Natural Black ganu'i sengl
ysgytwol, *'Songs With Feelings'*; yr 'Adeiladwr', Jah Mason, bron
â thynnu'r to i lawr ag uffern o berfformiad eirias, a miloedd ar
filoedd o faneri Rastaffaraidd yn saethu i'r awyr pan darodd
mintai o gyfeilyddion Luciano, y *Firehouse Crew*, fariau
agoriadol ei fawlgan hyfryd i'r ffordd syml Rastaffaraidd o fyw
'Over the Hills.' Roedd hi wedi bod yn un gloddest o gynnwrf
cerddorol. A doedd y sioe ddim hanner ffordd drwodd eto.

Newydd droi pedwar. Roedd y 'Dyn Tân' i fod i chwarae
mewn llai na hanner awr. Drwy gydol perfformiad Sugar Black
a Lehbanculah craffais ar y dorf fawr o sêr gerllaw. A phob tro y
gwelwn dyrban yn siglo i fyny a lawr uwchben y dorf dechreuai
fy nghalon garlamu'n wyllt. Roedd Carl ac Adrian yn adnabod
y 'Proffwyd' Capleton yn dda. A boi hyfryd iawn oedd o hefyd,
meddai'r ddau. Pan gyrhaeddai fy eilun gefn y llwyfan,
addąwodd Carl, byddai'n fy nghyflwyno iddo. Ond lle coblyn
oedd o? Heblaw am Beres Hammond, roedd pob cerddor arall
yng nghorlan y artistiaid ers meitin.

Aeth pobman yn dawel fel y bedd, mor dawel nes o'n i'n
gallu clywed y tonnau'n torri ar draeth Alligator Pond Bay. Ac
roedd rhyw drymder trydanol rhyfedd, fel tawelwch cyn storm,
yn llenwi'r awyr. Pan gymerodd *Prophecy*, band ardderchog y
'Dyn Tân', le'r *Firehouse Crew* a mynd ati i diwnio'u
hofferynnau, cynhyrfodd y dorf gymaint nes y bu'n rhaid i

Mutabaruka a Scotty, y ddau gyflwynydd, a Tony Rebel frysio i'r llwyfan i dawelu pethau. Yna, yn union fel oedd Mutabaruka yn erfyn ar yr aelodau o'r dyrfa oedd wedi halian eu hunain i fyny'r tyrau goleuo i ddod i lawr, teimlais rywun yn fy mhwnio'n ysgafn yn fy 'sennau. Trois rownd ar fy union a dod wyneb yn wyneb â Carl.

'*Fire Man*' *a come*,' gwaeddodd yn fy nghlust i.

'Ble mae o?' holais yn gynhyrfus, gan edrych o'm cwmpas yn eiddgar.

'*See 'im deh?*' atebodd, gan bwyntio tuag at y ffordd fach gul yn arwain i lawr i'r maes. Toc, wedi i fy llygaid gynefino â'r tywyllwch, gryn bellter i ffwrdd, gwelwn gannoedd o *Bobo Dreads* yn rhedeg i lawr yr allt serth tuag at faes yr ŵyl. Fel y cyrchai'r fyddin yn agosach, ymrannodd y lliaws oedd yn llenwi'r lôn, fel y gwnaeth y Môr Coch i Moses ers talwm, er mwyn i'w harwr mawr gael mynd heibio. Wrth ddeall bod Capleton a'i osgordd ar fin cyrraedd y maes, trodd deng mil ar hugain o dân-addolwyr Port Kaiser eu pennau, fel un, i gyfeiriad y lllanciau mewn mentyll a thyrbanau oedd yn carlamu ffwl sbîd tuag atynt, a gollwng gwaedd fyddarol. Yna, diffoddwyd y llifoleuadau, gan adael y llwyfan a'r holl faes mewn tywyllwch dudew.

Yn dilyn dau neu dri munud o ddistawrwydd llethol tragwyddol, taranodd llef *rockstone* adnabyddus drwy'r seinyddion. '*Holy Emmanuel I, Jah Rastafari! Tell the whole worl'; me seh Haile Selassie I is the Almighty without any doubt nor apology.*' llafarganodd y llais di-gorff, cyn tewi'n ddirybudd. Yna, mewn fflach, cyneuwyd y llifoleuadau, chwythodd yr offerynnau pres fariau agoriadol 'Liberation', ac i fôr o faneri Ethiopiaidd a chacoffoni o floeddio, chwibanu a nadau clacson, llamodd y Proffwyd, mewn mantell arian a thyrban unlliw, ar y llwyfan. Pan floeddiodd ein heilun '*Rebel Salute! Wheh de fire deh? Gimme some fire! More fire! Me seh; MORE FIYAAAAH!*' taniwyd miloedd o chwistrelli caniau aerosol a rocedi a thaflwyd cannoedd o gracwyr tân i'r awyr. Trawodd un ohonynt Capleton, reit ar ei dalcen. Ond wnaeth o ddim hyd yn oed 'sgogi. Safodd yn sicr a chadarn a dal ati i boeri geiriau *'Jah Jah City'* i'r meicroffon fel petai dim byd wedi digwydd. 'Fffiiiww!' ochneidiais, cyn rhuthro at ymyl y llwyfan hefo fy gymdeithion.

Gadawodd Capleton y llwyfan yn chwys domen am hanner awr wedi pump. Diolch i'r holl danau a gynheuwyd gan y rheini sy'n dehongli'n llythrennol alwad y Proffwyd am dân nefolaidd i buro Jamaica, roedd caeau chwarae gwaith *bauxite* Port Kaiser yn debygach o lawer i faes brwydr. Dringais ddwy lath dair i fyny'r tŵr goleuo wrth fy ymyl Gwelwn ddwsinau o golofnau trwchus o fwg glas ar wasgar. Roedd hyd yn oed y tiroedd yn cylchynu'r maes wedi eu ffaglu. Ar glogwyn uchel, roedd clwstwr mawr o goed helyg tal yn llosgi'n braf. Ac allan ar y lôn, gwreichion coch yn chwyrlio ymhobman a holl gloddiau'r cyffiniau'n clecian.

Collodd Zack berfformiadau eirias Anthony B a Kulcha Knox. Stem Glen Washington a'i lais siocled Belgaidd swynol hefyd. Roedd o'n chwyrnu cysgu dan glwstwr o seinyddion ers meitin. Doedd dim golwg o Carl yn unman.'Ble mae dy fêt wedi mynd?' holais Adrian oedd yn rhy swrth dan ddylanwad *roots wine* a *high grade* i ateb. Es i ddeffro Zack ac awgrymu ein bod ni'n ei throi hi tua thref. Diolch byth, cytunodd ar unwaith. Erbyn hyn roeddwn yn ysu am fy ngwely. Wedi i ni ddod o hyd i Carl a chael brecwast – powlenaid o *fish tea* yr un i'r locsmyn, llond carton o gawl traed cyw iâr i mi – cychwynnom ymlwybro'n araf tua'r môr. Yn y maes parcio, roedd cannoedd o berchnogion ceir yn mynd o'u coeau'n lân. Roedd eu moduron namyn eu teiars wedi i rywrai eu dwyn nhw yn ystod y nos! Ar ein ffordd i fyny'r lôn gul a serth yn arwain at y ffordd i Mandeville, daethom ar draws ugeiniau o fodurwyr eraill, i gyd yn yr un cwch.

Cyn gynted ag y trawom yr A2, disgynnais i drwmgwsg melys. Wnes i ddim deffro nes stopiodd Zack y car tu allan i dŷ'i frawd yn Old Harbour, ychydig wedi naw. Taflais gip i'r cefn i weld sut siâp oedd ar Carl ag Adrian. Gwenodd y ddau'n wanllyd arnaf, cyn cau'u llygaid a mynd yn ôl i gysgu. A chwyrnu y buon nhw, yr holl ffordd i bentref Gutters, lle gwibiodd blismon moto-beic heibio ac amneidio ar Zack i dynnu i mewn.

Stopiodd Zack y modur ac estyn ei ddogfennau o'r blwch menig. Yna camodd allan o'r car a cherdded yn hamddenol tua'r heddwas. Â gweledigaethau o'r llinell bennawd, *'BINGIMAN FROM BOG WALK, TWO BOBOS FROM TAWES PEN AND FORTY-SIX YEAR OLD MAN FROM WALES ARRESTED FOR GANJA POSSESSION AT GUTTERS'* yn nofio o flaen fy llygaid, taniais fy mhibell a suddo yn fy sedd. Pan aeth Carl ac Adrian ati i herian a bombardio'r cyw *John Law* jarfflyd â chawodydd o eiriau anweddus trwy ffenestri'r car, bu bron iawn i mi â phiso lond fy nhrowsus.

Yn rhyfeddol, ni archwiliwyd yr hen Doyota am fariwana. Y rheswm? Isaac Mendez yw enw bedydd Zack. Ar y pryd, roedd cefnder iddo yn aelod o heddlu Portmore (dydy o ddim erbyn hyn; dangoswyd y drws iddo tua deunaw mis yn ôl). Wrth iddo archwilio dogfennau gyrru Zack yn drylwyr, digwyddodd yr heddwas gysylltu'i gyfenw anghyffredin â'i berthynas, yr hwn fu'n rhannu ystafell ag o yng ngholeg hyfforddi'r Heddlu yn Hollywell flynyddoedd ynghynt. Felly, diolch i gwlwm gwaed tenau rhwng Zack a'r heddlu, cawsom ddianc heb archwiliad.

Nid nepell o ble gollyngom Carl ac Adrian gerllaw hen sgwâr Sioraidd Spanish Town, roedd locsmon ifanc, twymgalon-yr-olwg, yn sefyll wrth ochr y ffordd yn sgwrsio â thywysoges Rastaffaraidd anhygoel o hardd. Stopiodd Zack y car a mynd allan atyn nhw. Yn dilyn trafodaeth fer, ac wedi i'r *Bingiman* diarth daflu bag chwaraeon i'r gist, dringodd o a'i gydymaith godidog i gefn y cerbyd.

Pan gymerodd Zack y troad yn arwain yn ôl i Old Harbour, yn hytrach na'r troad i Kingston, wnes i ddim cyffroi. Diolch i'r teirawr o gwsg a gefais ynghynt, roeddwn yn teimlo cyn sionced â'r dryw erbyn hyn, ac yn barod am unrhyw beth. I'r diawl â'r gwely, penderfynais, wrth fwrw cipolwg lladradaidd ar brydferthwch hudolus y Dywysoges Ifiyah yn nrych ffenestr flaen y car. Roedd Jamaica i gyd yn eiddo imi. Câi cwsg aros.

Ychydig o filltiroedd y tu allan i dref fawr May Pen, stopiodd Zack ger rhesaid fechan o stondinau gwerthu ffrwythau. Buom yn gwledda ar *soursops*, mangos duon ac afalau Jamaicaidd – croesiad rhyfedd rhwng afal, gellygen, ac eirinen wlanog. Ar ôl i Spliffington a minnau olchi'n dwylo a'n hwynebau gludiog mewn afon fechan, ailgychwynnom ar ein taith. I ble'r oedden ni'n mynd? Doedd gen i ddim syniad. Cyn belled 'mod i'n Kingston mewn pryd i fynd i un o feysydd pêl droed prif gynghrair y ddinas, doedd ddiawl o ots gen i.

Wrth i ni ddringo'n uwch ac yn uwch i fryniau plwyf Clarendon, dechreuodd y Toyota ddangos ei oed. Bob tro y deuai'r hen greadur wyneb yn wyneb ag allt neilltuol o serth fe âi i boeri, tagu a gwichian fel smociwr di-baid. Rywle ar y ffin rhwng plwyfi Manchester a Clarendon, mewn pant dwfn, coediog, ger y Rio Cobre, trodd Zack i'r chwith a chroesi'r hen reilffordd sydd i fod i gysylltu Kingston a Montego Bay. Ar ôl cymryd cyfres o droadau siarp, newidiodd i'r gêr isaf a throi i fyny ffordd untrac, arw a serth. Hanner milltir i fyny'r lôn, reit ar gopa bryn uchel, daethom at bâr o giatiau mawr haearn agored led y pen, â'r geiriau *Scott's Pass Nyahbinghi Cultural Centre* wedi'u weldio ar y bwa uchel uwch eu pennau.

Neidiodd pawb allan a chychwyn i fyny'r allt tua'r gwersyll. Er fy mod yn ysu i ymuno â nhw, arhosais yn fy unfan. Heb sôn am fod yn beth ofnadwy o anghwrtais, gwyddwn fod martsio'n ddigywilydd i wersyll Rastaffaraidd heb dderbyn gwahoddiad gan henaduriaid y camp yn ffordd sicr o ofyn am dwrw. Hanner ffordd i fyny'r bryn, gwawriodd ar Spliffington fod un dyn bach ar ôl. Stopiodd yn stond , troi ar ei sodlau a rhedeg ffwl pelt yn ôl i lawr y rhiw.

Fe'm sicrhaodd na fyddai 'mhresenoldeb gwyn yn digio'r un aelod o'r gymuned, felly dringais o'r car a cherdded tuag at lle'r oedd Zack a hanner cant o Rastaffariaid o bob oedran yn cynnal cynhadledd. Dwi'm yn cofio'n iawn ai Bob Marley, ynteu'i wraig Rita, a anrhegodd y brodyr *Nyahbinghi* â'r tir bryniog ble mae'u canolfan ddiwylliannol ddiarffordd yn sefyll. Oherwydd, eiliadau wedi i Spliffington ddatgelu enw'r rhoddwr imi, aeth pethau'n draed moch llwyr. Hanner ffordd i fyny'r llethr, roedd pedwar *Rastaman* hynafol yn eistedd â'u coesau wedi'u croesi, yn curo drymiau a siantio mawl i'w Duw dan gysgod coeden *lignum vitae* lydan. Pan gododd un ohonynt ei ben a gweld tresmaswr gwyn yn troedio tir cysegredig y gwersyll, collodd ar ei hun yn lân. Gan daflu'i ddrwm i'r neilltu, cododd ar ei sefyll a dechrau fy melltithio dros bob man. Dechreuodd ei dri chwmnïwr musgrell wneud yr un peth. Felly, i gyfeiliant corws byddarol o *'Eart'quake! Lightnin'! Brimstone! Fiyah! Deat' to all white oppressor!'* ffois am fy mywyd i fyny'r allt.

'O'i ffwcio hi, Spliffington! Roeddwn i'n amau y byddai rhywbeth fel hyn yn digwydd!' dywedais â'm gwynt yn fy nwrn, wedi i ni gyrraedd y copa.

Chymerais i ddim rhan yn y ffrae fawr ddilynol rhwng Spliffington cynddeiriog a dwsin o henaduriaid. Sefais i'r neilltu yn sgwrsio am bêl droed â chriw o *youthmen* croesawgar. Pan ddangosais ddiddordeb yn yr amrywiaeth eang o ddrymiau yn gorwedd ar lawr adeilad mawr crwn aethpwyd â mi i gael golwg agosach arnynt. Dan faner Rastaffaraidd fawr â'r geiriau *'DEATH TO ALL BLACK AND WHITE OPPRESSOR'* arni, rhoddodd cerfiwr ifanc o blwyf Westmoreland ddarlith ddiddorol i mi ar offerynnau taro Affricanaidd.

Roedd Spliffington yn dal i fod yn wyllt ulw bost. *'Wha' the people deah a Inglan' a go t'ink 'bout we when Elwyn go back 'ome an tell 'im frien' dem dat 'im get cuss up an' fiyah-bunned deah a Rastaman cyaamp? Eh?'* gwaeddodd Spliffington yn wynebau'r henaduriaid, wrth iddynt ein hebrwng at y modur. *'Rastafari suppose fe deal wid peace, love an' unity,'* aeth ymlaen, *'not animosity an' racial 'atred.'* Pan gerddom heibio'r hen frechwydden lydan ble cefais fy melltithio'n ddidrugaredd, roedd y pedwar hen fachgen yn dal i guro'u drymiau a siantio mawl i'r Ymherawdwr. *'Hey, whiteman! Whiteman! Yuh gwaan get fry, man! Yuh gwaan get bunn real bad! We a go call dung brimstone an' fiyah 'pon you!* bloeddio, bron mewn cytgord, wrth i mi gerdded heibio.

Coed a pholion letrig i lawr ymhobman, ugeiniau o doeau tai swydd Surrey wedi chwythu ymaith, a thraean o'r ynys heb drydan na theleffonau. Roedd gwyntoedd cryfion y noson gynt, a achosodd i'r *'Rebel Salute'* golli'i chyflenwad trydan am dri chwarter awr, wedi gwneud llanast go iawn mewn sawl ardal. Wedi iddi orffen godro'r brif stori'n hesb, symudodd y ddynes newyddion ymlaen at faterion a gysidrwyd i fod yn llai pwysfawr. Y bore cynt, rywle yng nghyffiniau Constant Spring, trywanodd llanc tair ar ddeg ei frawd mawr deunaw oed i farwolaeth â chaib rhew. Llofruddiwyd trafeiliwr sgidiau ym mhen draw plwyf Westmoreland: anafwyd dwy ferch ifanc o Montego Bay gan wallgofddyn â *macheté*, a darganfyddwyd corff gŵr canol oed wedi'i hacio'n naw darn ym mhentref cyfagos Bull Bay. Yna, aeth y ddynes newyddion ymlaen i drafod y *'Rebel Salute'*. *'As well as being marred by bad organization, lack of security and inadequate parking facilities,'* adroddodd y ferch, dros hyd o ffilm o Capleton yn llamu ar draws llwyfan yr ŵyl, *'this year's usually trouble-free show was plagued by gangs of thieves. We've just learnt from a spokesman for the Mandeville Infirmary that one of the scores of young robbers who were hospitalized as a result of the crowds turning on them . . . a nineteen year old youth from Kingston 11 . . . , has just died of his injuries. We'll have more for you on this story, and a "live" interview with Tony Rebel, directly after the commercial break.'* Wel, myn diawl i! Dyna pam yr ymostyngodd y lleidr a ddygodd fy nghamera fel oen bach. Trio peidio â thynnu sylw at ei hun oedd o, rhag ofn i'r dorf ddŵad i'm hachub a'i rwygo fo'n ddarnau.

Welais i 'mo ail hanner y newyddion. Oherwydd, o fewn chwinciad i wyneb difrifol-yr-olwg Tony Rebel ymddangos ar y bocs, canodd y ffôn.

'Mr Evans?'

'Ia?'

'There's a gentleman and a lady to see you at reception.' meddai llais un o'r derbynyddesau ifanc.

'Wnaethon nhw roi eu henwau i . . .' Rhy hwyr. Roedd hi wedi pwyso'r bwtwn. Bron â thorri fy mol o chwilfrydedd, cydiais yn fy mhibell, cau'r drws a rhuthro tua'r dderbynfa dan geisio dyfalu pwy goblyn oedd yn fy aros.

Roedd taith Earl a Dee Robinson, cwpwl canol oed hoffus o ddinas Caerlŷr, o amgylch Jamaica yn darfod yn Kingston ymhen wyth niwrnod.

'When we've settled in in town,' addawodd Earl, cyn iddo fo a Dee ffarwelio â ni yng nghyntedd y *Treasure Beach Hotel*, 'we'll call in at the Mayfair to see how you're getting on.'

Cywilydd dweud, roeddwn i wedi anghofio popeth am y Robinsoniaid a'u haddewid caredig. Pan gerddais rownd cornel yr ystafell fwyta a gweld Earl, yn wreiddiol o Kingston, a'i gês o wraig wen yn eistedd ar ben wal y maes parcio yn siglo'u coesau yn ôl a blaen fel dau blentyn ysgol gynradd, cefais sioc ar fy hyd.

'Reit. Tyrd yn dy flaen,' mynnodd Earl.

'I ble?' gofynnodd Dee.

'Swyddfa Heddlu Half Way Tree,' atebodd ei gŵr meindal.

'I beth?' holodd ei wraig.

'I nôl dogfen swyddogol i Elwyn, fel bod o'n cael ceisio'r £300 a gostiodd ei gamera iddo yn ôl gan ei gwmni yswiriant,' eglurodd y Jamaicad.

'Ydy hyn yn mynd i gymryd hir, Earl?' torrais ar eu traws. 'Oherwydd dwi'n disgwyl cael mynd i gêm bêl-droed pnawn yma.'

'Pryd mae'r gic gyntaf?'

'Tri, dwi'n meddwl.'

'Newydd droi un mae hi. Mi fyddi di'n ôl yma ymhell cyn dau,' atebodd. Felly i ffwrdd â'r tri ohonom yn eu *Mazda* llog.

Roedd y palmant tu allan i fynedfa gorsaf yr heddlu yn

heidio gan bobol a phlant uchel eu cloch. Roedd gweiddi mawr yn hanu o'r rhesaid o ffenestri â bariau yn rhedeg ar hyd estyniad hir, a dyna fi'n sylweddoli mai cynnal sgyrsiau â'u hanwyliaid oedd yr ymwelwyr.

'*Just imagine the dangerous customers in amongst that lot, darling.*' ynganodd Earl, wrth iddo lamu tua grisiau'r orsaf ar ei goesau cyw iâr.

O fewn eiliadau i mi gyflwyno fy hun a dechrau adrodd hanes y digwyddiad wrth yr heddferch ar ddyletswydd, torrodd Earl ar fy nhraws a chwblhau'r stori.

'Oeddech chi'n bresennol pan ddigwyddodd yr helynt, syr?' gofynnodd y blismones yn ddiamynedd.

'Nac oeddwn, ond . . .'

'Felly a fyddech chi mor garedig â gadael i Mr Evans siarad drosto'i hun,' arthiodd yr heddferch arno.

Wedi i mi orffen rhoi adroddiad manwl o'r digwyddiad i'r blismones, cododd rhingyll canol oed a fu'n clustfeinio ar bopeth o'r tu ôl i'w ddesg.

'Y lleidr ifanc 'ma ddalioch chi, pam na throsglwyddoch chi mohono fo i ddwylo'r heddlu?' holodd mewn llais llym. Codais fy ngwar a thynnu wyneb llo cors arno. 'Wnaethoch chi eu hysbysu o'r drosedd 'ta?' coethodd.

'Naddo,' mwmiais yn chwithig.

'Gwrandewch am funud, Mr Evans,' chwyrnodd y rhingyll, gan syllu arna'i â dirmyg noeth, 'Ble mae Port Kaiser?'

'Yn St Elizabeth,' atebais.

'Cywir! Felly be' ddiawl 'dach chi'n da yma, yn Half Way Tree?'

'Rhyw feddwl oeddwn i . . .

'Os 'dach chi angen dogfen i'ch cwmni yswiriant, dwi'n awgrymu'ch bod chi'n gyrru i orsaf heddlu Black River. Yn eu hawdurdodaeth nhw y cyflawnwyd y trosedd. Wnelo'r peth un dim â ni.'

'Ond, Arglwydd Mawr,' protestiais, 'mae Black River dros

bedair awr a hanner i ffwrdd!' Ar glywed hyn, trodd y sarjant ar ei sodlau, agor drws yr offis a diflannu i lawr y coridor. Hanner munud yn ddiweddarach, martsiodd cwnstabl ifanc, main fel styllen a chyn daled â chawr, i'r swyddfa a chymryd lle'r heddferch ifanc wrth y ddesg.

'Waeth i chi adael ddim, syr,' meddai'r plismon hirfain, cyn hyd yn oed eistedd i lawr.

'Allwch chi ddim jyst sgwennu . . .'

'Sori syr, 'dach chi ond yn gwastraffu'ch amser, wyddoch chi,' ymddiheurodd ar fy nhraws, cyn defnyddio braich hir y gyfraith i chwifio fi a 'nghyfeillion ymaith.

Cyn i'r Robinsoniaid ddychwelyd i'w llety yn New Kingston – cartref eu ffrind, y cerddor *jazz*, Sonny Bradshaw – aeth y tri ohonom am dro bach hamddenol o amgylch mynwent hen eglwys frics coch St Andrew's. Ffarweliais â'r cwpwl a chychwyn ei throedio hi i gyfeiriad Devon House. Fel o'n i'n cerdded trwy giatiau'r hen blasty, sylwais fod dau fws mawr moethus yn dadlwytho'u beichiau annymunol o dwristiaid *all-inclusive* yn y maes parcio, felly heglais hi thua thref yn bytheirio. Alla'i ddim dioddef bod yn Devon House pan fo heidiau o dwristiaid gwynion yn cael eu rhyddhau am y diwrnod o wersylloedd *Butlins up-market* yr arfordir gogleddol. Yr oll maen nhw eisio'i wneud yw siopa, defnyddio'r toiledau a stwffio'u hen wynebau bach ffiaidd. Does gan y cartwnau deugoes uffern ddim owns o ddiddordeb yn hanes cyfareddol yr hen dŷ a'r holl drysorau diwylliannol sydd i'w gweld o'i fewn. Y nhw a'u ffycin camerâu fideo ymwthiol, crysau-T Bob Marley a *Hard Rock Café*, plethi *cane-row* chwerthinllyd a golwg tabloid ar y byd. I'r purdan â phob copa walltog ohonynt, ddweda i!

Am chwarter wedi dau roeddwn i'n eistedd wrth y bar, rhaglen gemau pêl-droed y pnawn y *Gleaner* o fy mlaen, yn ceisio penderfynu pa gêm i fynd i'w gwylio. Roedd Waterhouse yn erbyn Saba yn swnio'n gêm dda. Olympic Gardens a Harbour View hefyd. Ar ôl dwy botelaid o *Heineken* a chwarter awr o fyfyrio caled, dewisais Tivoli Gardens, tîm gorau Kingston ar y pryd, yn erbyn Wadadah, clwb mwya dinas Montego Bay. Dylai fod yn ornest glòs a chaled, dyfalais yn llawn cyffro.

Synnais o weld cyn lleied o geir oedd ar ffyrdd y brifddinas. O fewn llai na deng munud i ni gychwyn roeddan ni'n bomio heibio murddun hen gartref pren y diweddar anfarwol Dennis Emmanuel Brown ar Orange Street.

'Yuh know wheh dis Tivoli stadium?' gofynnodd y gyrrwr annwyl o Duhaney Park, cynllun tai enfawr ar gyrion gogledd-orllewinol y ddinas, wrth i ni wibio trwy Parade, calon *downtown*.

'Sori, Devon bach, ond does gen i ddim syniad o gwbl,' atebais, gan fwrw cip bach llechwraidd ar fy wats.

Yn dilyn reid wyllt ac ysgytwol ar hyd Bond Street a thrwy geto Jones Town, glaniom mewn cyffordd yn Trench Town. Sodrodd Devon ei gar mewn gêr a'i sgrialu o i'r chwith, i lawr ffordd fawr anghyfannedd, lydan a llychlyd. Hanner can llath i lawr yr heol, breciodd yn galed a thynnu i mewn o flaen gorsaf heddlu Denham Town. Yna, gan fwmian rhywbeth am drac rheilffordd dan ei wynt, sbonciodd allan o'r modur, llamu i fyny rhes o risiau'r stesion a diflannu drwy'r drws. Un o'r golygfeydd teledu mwya rhyfeddol i mi weld yn fy holl fywyd oedd y ffilm a ddarlledwyd ar newyddion chwech y Nos Iau cynt yn dangos cannoedd o blant bach Ysgol Gynradd Denham Town yn ymosod ar orsaf heddlu'r gymdogaeth. Pan ymledodd rhywrai'r stori gelwyddog fod prifathro poblogaidd yr ysgol wedi'i arestio ac yn dihoeni yn un o gelloedd yr orsaf, gadawodd cannoedd o ddisgyblion eu hystafelloedd dosbarth a martsio, yn un fflyd, at y polis stesion, gan gasglu cerrig a phastynau ar eu ffordd. Yn dilyn ymosodiad uniongyrchol ar ffrynt yr orsaf – a adawodd chwe phlismon yn dioddef o fân-anafiadau a chwnstables ganol oed yn nyrsio braich wedi'i thorri mewn dau le – trodd y llu o genawon lloerig eu sylw at y rhesaid o geir heddlu wedi'u parcio rownd y cefn, a dinistrio pedwar ohonynt yn llwyr. Ddau gan llath i lawr yr heol o'r orsaf heddlu, roedd tyrfaoedd mawr o bobol i'w gweld, i gyd yn llifo at fwlch bach rhwng dau glawdd. *'Somet'ing done tell me it by the rail line, y'know!'* chwarddodd Devon, gan bwyntio at y traciau yn croesi'r ffordd fawr o'n blaenau. Er peth anfodlonrwydd imi, wnâi'r hen yrrwr tacsi ddim caniatáu i mi neidio i ffwrdd yng ngheg y lôn drol gul yn arwain i stadiwm fach gywasgedig *Railway Oval* . . . Mynnodd ei fod o'n fy nanfon yr holl ffordd nes o'n i wedi mynd drwy'r tyrnsteils yn ddiogel.

Islaw, ar ymyl y llinell hanner ffordd, roedd capten JDF a swyddog heddlu yn rhannu jôc â dyrnaid o filwyr yn cario reifflau a chyda plismyn mewn festiau gwrth-fwledi. Yr eiliad y galwodd y reffarî y ddau gapten ynghyd, gwahanodd y ddwy garfan. Martsiodd y soldiwrs tuag at y terasau. A cherddodd y plismyn i'r cyfeiriad arall. 'Duwcs, mygiad o de berwedig a *Mars Bar* fasa'n dda, Ifas,' dywedais wrthyf fi fy hun. Yr eiliad nesaf, cerddodd gŵr ifanc â hanner tunnell o gashiws ar ei ben, llond hambwrdd o ddiodydd yn ei ddwylo a *spliff* enfawr yn ei geg, heibio fy sedd uchel. Felly, bodlonais ar gnau a charton o sug mango.

O fois mawr, roedd chwaraewyr Wadadah yn rhyfeddol o giwt. Yn enwedig y *dread* cawraidd â'r wyneb dideimlad. Dwn i'm sawl gwaith y mygodd o ymosodiad yn ystod chwarter awr cynta'r gêm. Ar ôl dioddef deng munud cyfan o bwysau di-ball, llwyddodd Wadadah i wrthymosod. Ysgubodd eu rhif wyth nhw ar draws y maes, gwau ei ffordd i ymyl y cwrt cosbi a phinbwyntio pas gelfydd i'r rhif unarddeg mawr moel. Mewn un symudiad chwim, stopiodd y saethwr yn stond, troi i wynebu'r bêl, a thra'n pirowetio ar ei goes chwith, preimio'i dde i ergydio. 'THWFF!' cyfarfu ei droed â'r bêl gan ei gyrru hi'n sgrechian fel taflegryn ar ei hynt sicr i gefn y rhwyd. Ond o safbwynt tîm Wadadah, daeth tro trychinebus ar bethau. Ar yr eiliad olaf un gwyrodd y bêl i fyny, trawo'r croesfar a thrybedian allan o'r stadiwm. Funud yn ddiweddarach roedd hi'n swatio'n ddel yng nghongl y rhwyd yr ochr arall i'r maes.

Un gôl i ddim i Tivoli. Fel bywyd, mae pêl-droed yn gallu bod yn greulon ar y naw weithiau.

Mi wyddwn yn sicr na fyddai *Uncle* Eddie Seaga, *raison d'étre*, aelod seneddol a llywydd clwb pêl-droed y dreflan, byth yn colli'r un o gemau cartref Tivoli. Er fy mod yn ystyried Arweinydd yr Wrthblaid ar yr ynys yn ddihiryn anfad, is na bol neidr, treuliais y rhan fwyaf o'r hanner-amser yn edrych o 'nghwmpas yn ofer, yn y gobaith o gael cip arno. Nid bob dydd mae rhywun yn cael cyfle i weld ei *bête noire* yn y cnawd.

Mae hi'n ddyddiau caled yn nhreflan yr hen Seaga. Fel pob un arall o gymunedau garsiwn *JLP* Kingston, mae tair blynedd ar ddeg heb nawdd llywodraeth wedi mynd i ddweud yn arw ar y lle. Unwaith roedd Tivoli yn ogoniant i'w thrigolion ac yn achos cenfigen i holl ddioddefwyr *downtown*, ond erbyn heddiw, â'i strydoedd yn dyllog a sbwriel ym mhobman, a'i rhesi di-ben-draw o flociau fflatiau yn prysur ddirywio, dydi TG ddim gwell na gwaeth nag unrhyw un arall o *garrison communities* y brifddinas. Yr unig bethau all ei thrigolion ymfalchïo ynddynt yw: llwyddiant hir dymor C.P.D. Tivoli Gardens, a grym byddin *shottas* y gymuned. Er gwaethaf tlodi, cyfran diweithdra hyd y nen, ac anawsterau cymdeithasol enbyd, o ran grym milwrol, y hi yw'r archbŵer ymhlith getos y brifddinas.

Doedd dim dal yn ôl ar y tîm cartref yn yr ail hanner. Roedden nhw fel dynion wedi'u meddiannu. Gymaint oedd ffyrnigrwydd a chysondeb eu hymosodiadau, prin y cafodd amddiffynnwyr Wadadah gyfle i gnoi'u gwm na chrafu'u ceilliau drwy gydol y tri chwarter awr. Ugain munud i mewn i'r ail hanner, dechreuodd amddiffynfa'r ymwelwyr wegian yn arw. Ddeng munud wedyn, aeth â'i ben iddo'n llwyr. I ddechrau, sgoriodd y boi gwallt *cane-row* glincar o gôl unigolyddol. Lai na munud yn ddiweddarach, ildiodd y *dread* cawraidd gic gosb. Ac i gyflawni pethau, bum munud cyn y chwiban olaf, rhwydodd capten Tivoli y bel â pheniad gwych.

Wrth i mi wylio tîm Tivoli yn offrymu gweddïau o ddiolch

i'r Tad uwchben, cofiais yn sydyn mod wedi anghofio popeth am gyngor taer Mr Royes, i gofio gofyn i'r gyrrwr tacsi ddŵad i fy nôl i yn brydlon am bump o'r gloch. Felly, wedi i mi lwyddo i fylchu rhengoedd yr haid o blant bychain oedd yn rhyfeddu ataf, rhuthrais ymaith mewn panig i chwilio am ffôn.

Ger y clwb cymdeithasol tarais ar laslanc agos-atach yr olwg â *cellie* yn ei law.

'Esgusoda fi, fasat ti'm gystal â gwneud ffafr bach i mi, a galw tacsi i mi ar dy ffôn?' gofynnais iddo.

'*Yuh 'ave 'im number 'pon you?*' holodd y gŵr ifanc. 'Na. Yn ogystal ag anghofio gofyn i'r gyrrwr ddŵad i fy nôl i, anghofiais ofyn iddo am ei gerdyn busnes hefyd.' atebais yn lletchwith.

'*Well nuh, dat goin' be real 'ard, y'know,*' dechreuodd fy narpar waredwr, "*Specially now it start fe get dark. Findin' a cyab driver willin' fe come dung a Tivoli at night it impossible, y'know.*' (Oherwydd yr holl yrwyr cab diniwed sy'n cael eu mwrdro am eu henillion yn yr hanner deheuol o'r ddinas, mae pob un o gwmnïau tacsi Kingston yn boicotio *downtown*.) 'Deall yn iawn,' atebais yn ddigalon.

Chwiliais am blismon. Ond doedd yr un i'w weld yn unman. Yna, es rownd cefn y stand i chwilio am un o swyddogion y clwb. Chefais i ddim lwc yn fan'no chwaith. Cychwynnais fynd i ofyn i dri boi mewn crysau Tivoli oren a du a oedd gennyn nhw fodur. Ond newidiais fy meddwl am nad oeddent yn edrych yn gyfeillgar iawn. Cerddais yn ffwndrus yn ôl a blaen ffrynt y stand hanner dwsin o weithiau, a phenderfynu gael smôc i dawelu fy nerfau ac i roi trefn ar fy meddyliau. Newydd stopio i gynnau fy mhibell oeddwn i, pan ymrithodd angyles brydferth ger fy mron.

'*My brother, the young guy you spoke to a couple of minutes ago, tells me you're looking for a ride to New Kingston,*' medda hi mewn Saesneg safonol.

'Ydw,' atebais yn wyllt.

'*If you're willing to wait here while I go and look for my boy friend and kid brother, I'll take you there.*'

'Ti'n siŵr?'

'Sure. Where is it you want to go to?'

'Wyddost ti am fwyty *Hot-Pot*, ar Altamont Crescent?'

'Opposite the Sunset Inn?'

'Ia, dyna hi.'

'I know it. Wait there. I'll be back in a few minutes.'

Roedd Zack yn ddig iawn wrthyf, am i mi fynd i lawr i Tivoli Gardens ar ben fy hun bach. Doedd Noel a John siop *Dub Vendor* ddim yn hapus iawn chwaith, pan dorrodd Sinbad syn y newydd wrthynt dros y ffôn rywbryd drannoeth. Ond fel Mr Hart, 'Poogie', Mr Campbell, Moses, 'Bertram', ac eraill o fy nghyfeillion Jamaicaidd sy'n deall *runnings* y getos i'r dim, roedd yr angyles – twrnai yng ngwasanaeth un o bartneriaethau cyfreithiol mwya uchel eu bri Duke Street – wrth ei bodd fy mod i wedi mentro i lawr yno; er mawr annifyrrwch i mi, wnaeth hi ddim stopio rhyfeddu at y peth yr holl ffordd i New Kingston.

Dydw i ddim yn ddyn tri chwrs fel arfer. Serch y bol anferth 'ma 'sgen i. Ond, Arglwydd Mawr mi oeddwn i'n llwgu'r nos Sul honno!

'Ready to order, sir?' gofynnodd y weinyddes fach selog â'r ddwy blethen fychan yn sticio allan o dop ei phen fel pâr o gyrn.

'Ydw,' atebais, 'Mi gymera i'r cawl pwmpen plîs, yna'r stiw bîff, a phisyn o bwdin tatws melys a phot mawr o goffi.' Roedd yna gopi Dydd Gwener o'r *Star* – tabloid isel-ael (ond ddim chwarter mor isel-ael â'i gyfatebwyr Prydeinig) yn gorwedd ar y bwrdd lle eisteddai'r staff i gael eu prydau. Ar fy ffordd yn ôl o'r toiledau, gofynnais i'r brif weinyddes a gawn i gip arno.

Dros gyfnod y Nadolig a'r flwyddyn newydd bu nifer fawr o achosion o genod ysgol yn cael eu treisio yn un o ardaloedd mwya garw geto Southside. Ar fore'r trydydd o Ionawr, aeth dirprwyaeth o famau'r merched ifanc i gartref yr *area don* i erfyn am gyfiawnder. O fewn oriau o'u hymweliad, roedd y tri phechadur a ddrwgdybiwyd o gyflawni'r ymosodiadau ciaidd yn ddiogel dan glo yn iard gefn y cadfridog, mewn cytiau ieir wedi'u haddasu'n bwrpasol ar eu cyfer. Drannoeth, yn dilyn llys cangarŵ, darllenais, llusgwyd y treiswyr o'u celloedd cyfyng, ac ar ôl iddynt gael eu curo'n ddidrugaredd a'u slaesio droeon â chyllyll, torrwyd eu coesau a'u breichiau â bariau haearn. Chwech o'r gloch y bore y dydd Iau cynt, yn dilyn bron i bythefnos o gyfyngiad heb ddim ond dŵr a bara sych i'w cynnal, daeth yr Heddlu i'w rhoi mewn caethiwed gwarchodol.

'Faint sydd arna'i i ti?' gofynnais i'r cerbydwr, annodweddiadol o ddi-serch o ddyn tacsi Kingston, pan laniom ym maes parcio'r gwesty.

'*Twenty U.S,*' atebodd, heb sychu'i geg.

'Blydi hel, ti'n jocian!' ebychais mewn syndod.

'*Me not jokin', man. It a twenty U.S.*' cuchiodd y gyrrwr.

'Ond mae hyn'na bron iawn yn chwe gwaith be fyddai'n arfer ei dalu.'

'*Gi' me ten, den.*'

'Mae hynny'n dal i fod deirgwaith y tâl arferol.'

'*Wha' yuh usually pay?*' harthiodd y cerbydwr mawr, gan rythu'n hyll arna'i.

'Cant a hanner, i ddau gant Jamaicaidd.'

'*Chooooo! Gi' me two 'undred Jamaican, den!*' chwyrnodd, gan stwffio homar o law farus dan fy nhrwyn.

Roedd y ffotograff mawr o gi tarw yn gwisgo het galed a gwasgod Jac yr Undeb ar wal y dafarn yn fy ngyrru i'n benwan bob tro y digwyddai fy llygaid drawo arno. Yr un peth hefo'r faner Brydeinig, wedi'i haddurno â llun o'r cwîn yn ifanc, a'r fflag Unol Daleithiau fawr yn hongian uwchben yr optigau. Roeddwn i eisio rhwygo'r blydi ffieiddbethau oddi ar eu bachau a'u malu nhw'n ddarnau mân.

'*People of low mentality will never get around to hequality . . .*'
    I-Roy – "*Black Man Time*"

Gallwn ddweud o'r ffordd oedd o'n syllu'n arna i bob munud bod y Sais boliog, wyneb piws, â bathodyn catrodol ar boced brest ei flaser nefi blw, yn ysu i dynnu sgwrs â mi. Yr union eiliad y gorffennais adrodd hanes y penwythnos wrth Mr Royes, cythrodd amdana'i.

'Over here with your job?' holodd 'Tebot Piws', gan wenu'n ffals.

'Nage, yma ar ymweliad diwilliannol ydw i,' atebais yn sychlyd.

'Culture, my arse! You won't find much culture here,' chwarddodd y Sais yn sbeitlyd, *'These bloody people don't know the meaning of the word.'*

'Paid â malu cachu! Mae'r lle'n gorlifo ag o,' coethais.

'Your definition of culture is obviously totally different to mine,' haerodd fy nghymydog annymunol. Ar hynny, dechreuodd y taro go iawn.

Rywsut neu'i gilydd, hanner ffordd drwy'r ffrae groch rhyngddom, cododd enw'r Gwir Anrhydeddus Marcus Mosiah Garvey ei ben. *'God alone knows what came over the Jamaican Government, elevating Marcus Gravy* (dyma'n union sut y dwedodd y pen dafad gyfenw fy arwr mawr drwy gydol gweddill y cweryl), *who was, to all intents and purposes, nothing but a downright swindler and common crook, to the rank of National Hero, I don't know!'* rhefrodd Jac Sais, gan chwerthin yn goeglyd.

*   *   *

'Look to Africa and the crowning of a Black King – He shall be the redeemer.'

Marcus Mosiah Garvey.

Ganwyd Marcus Garvey, gweithredwr iawnderau du pwysica'r Ugeinfed Ganrif, yn nhref arfordirol fechan St Ann's Bay ar yr 17fed o Awst, 1887. Pen-saer maen oedd ei dad tawedog o dras Marŵnaidd, Marcus yr hynaf. A chogyddes/gwraig tŷ oedd Sarah, ei fam. Oherwydd amodau byw caled, Marcus yr ieuengaf a'i chwaer Indiana oedd yr unig ddau o'u hun ar ddeg o blant i oroesi plentyndod . . . Roedd Marcus yr hynaf yn ŵr darllengar dros ben ac yn berchen ar lyfrgell helaeth. Treuliai bron bob eiliad o'i amser hamdden prin â'i ben mewn cyfrol gyfreithiol. Diolch i'w astudiaeth fanwl o'r gyfraith, daeth i fod yn dipyn o arbenigwr ar y pwnc.

Dyn hunan-addysgiedig, fel ei dad, oedd Marcus Garvey. Yn fuan wedi iddo ddechrau mynychu'r ysgol fach aeth i'r arfer o gario geiriadur hefo fo i bobman, ac i ddysgu deg gair newydd ohono bob dydd. Ac yntau'n dal i fynychu'r ysgol eilradd, dechreuodd Marcus fwrw prentisiaeth yn swyddfa argraffu gŵr o'r enw Alfred Burrows, ei dad bedydd. Pan oedd yn bedair ar ddeg oed aeth ei rieni i drafferthion ariannol difrifol, felly fe'i gorfodwyd i ddechrau gweithio'n llawn amser. Wedi dwy flynedd syrffedus yn swyddfa dawel Burrows, trawyd y llanc gan ysfa anorchfygol i grwydro. Felly, ym 1906, ymddiswyddodd a symud i Kingston i gychwyn ar swydd ym mhencadlys cwmni argraffu mawr o'r enw *P.A. Benjamin & Sons*, lle daeth dan ddylanwad Dr Robert Love – y gwrth-wladychwr o'r Bahamas a ddysgodd Marcus ei sgiliau areithio unigryw. Mewn llai na blwyddyn o ymuno â'r ffyrm, fe wnaed y gŵr ifanc o St Ann's Bay yn fforman ac yn uwchargraffydd.

Yn 1907, dinistriwyd rhannau helaeth o Kingston gan ddaeargryn anferthol. Collodd 800 o drigolion y ddinas eu bywydau a llosgwyd miloedd o adeiladau gan stormydd tân. Mewn protest yn erbyn y chwyddiant rhemp a ganlynodd y drychineb, galwodd Undeb Argraffwyr yr ynys am streic. Er mawr ddicter perchnogion *Benjamin & Sons*, cerddodd Marcus allan â'i gydweithwyr, peth hollol annisgwyl ac anarferol i fforman ei wneud y dyddiau hynny. Wedi i'r anghydfod ddod i ben sacwyd Garvey, ac fe'i flaclistwyd. Heb unrhyw obaith o ddarganfod swydd gyda chwmni preifat, aeth i weithio i swyddfa argraffu o eiddo'r Llywodraeth.

Yn 1909, wedi tair blynedd hir o grafu a chynilo'i arian, gwireddodd Marcus ei freuddwyd mawr a sefydlu papur newydd, y *Garvey's Watchman*. Ond dim ond am ychydig fisoedd y bu mewn cylchrediad. Yn hwyr yn yr haf aeth Garvey i straffîg ariannol difrifol, ac aeth y *Watchman* yn ffradach. Yn

1910, mewn ymdrech i geisio gwell dyfodol iddo'i hun, byrddiodd y gŵr ifanc stemar yn hwylio am Costa Rica, a mynd i weithio fel cofnodwr amser ar un o blanhigfeydd bananas yr *United Fruit Company*. Ond ar ôl mis neu ddau, wedi'i ffieiddio'n llwyr gan ddull annynol y cwmni Americanaidd o drin eu llafurlu du – â chyfran fawr ohonynt yn Jamaicaid – ymddiswyddodd mewn diflastod. Treuliodd y ddwy flynedd ganlynol yn crwydro Canolbarth a De America yn astudio amodau gwaith llafurwyr camlas Panama, gweithwyr meysydd tybaco Nicaragwa, a meinars cloddfeydd mwynau Ecwador, Feneswela a Cholombia.

I Lundain yr aeth nesaf. Yn 1912, cofrestrodd fel myfyriwr cyfraith yng Ngholeg Birbank. Pan nad oedd yn astudio, yn traddodi areithiau angerddol o flaen cynulleidfaoedd bach didaro yn Hyde Park, neu'n ymchwilio i hanes cyfandir Affrica yn llyfrgelloedd y brifddinas, fe anelai hi am Dŷ'r Cyffredin i wrando ar ei arwr mawr, Lloyd George, yn traethu.

Rywbryd yn yr Hydref, cafodd Marcus swydd gyda'r *African Times & Oriental Review*; cylchgrawn radicalaidd Eifftiwr dyngarol o'r enw Mohammed Ali Duze. Cyfnodolyn â gweledigaeth hynod oedd yr *African Times*, y cylchgrawn cyntaf i bregethu am y budd mawr a ddeuai i ran trigolion Affrica o sefydlu mudiad Pan-Affricanaidd cryf ar y cyfandir. Ym mis Gorffennaf, 1914, dychwelodd y Proffwyd i Jamaica â llond ei ben o syniadau chwyldroadol. Ar y cyntaf o Awst, 1914 – diwrnod gwaredigaeth – â'r amcan o ddiweddu anffafriaeth a therfynu egsbloetiaith o'i frodyr du, sefydlodd yr *Universal Negro Improvement Association*. Roedd yn ysu i ymledu neges ei fudiad a derbyn cefnogaeth ariannol iddo, ac yn 1916 cychwynodd ar daith hir o gwmpas yr Unol Daleithiau.

'I know of no boundary where the Negro is concerned. The whole world is my province until Africa is free.'

Ar y nawfed o Fai, 1916, byr amser ar ôl iddo gyrraedd Efrog Newydd, rhoddodd Garvey ddarlith i lond neuadd o ddeallusion Harlem. Wedyn aeth o amgylch dinasoedd taleithiau gogleddol a deheuol y wlad yn areithio'n erbyn hiliaeth gan ledaenu neges yr *Universal Negro Improvement Association*. Yn ystod ei siwrne faith, crwydrodd Moses Du Jamaica gyfanswm o 38 o daleithiau.

Erbyn 1920, roedd tair miliwn o bobol ddu America yn aelodau cyflawn o'r mudiad, ac amryw ohonynt yn gyfranddalwyr. Ar anterth poblogrwydd yr *UNIA*, roedd pedair miliwn o aelodau mewn dros 40 o wledydd ledled y byd.

Yn 1918, sefydlodd Marcus Garvey bapur newydd addysgiadol y *Negro World*. Neilltuwyd tua hanner ohono i erthyglau hanesyddol yn ymwneud â hanes Affrica a gyrfaoedd dynion fel Toussaint L'Ouverture, Shaka Zulu, Nat Turner, William Gordon a Sam Sharpe. Un o'r pethau mwya difyr am y *Negro World*, oedd gwrthod caniatáu i unrhyw hysbyseb yn ymwneud â sylweddau i wynnu'r croen, neu sythu'r gwallt, ymddangos ynddo.

> *'There is a White Star Line owned by white men, there shall be a Black Star Line owned by black men.'*

Un o freuddwydion mwyaf uchelgeisiol Marcus oedd ffurfio cwmni stemars; *'to repatriate whosoever wishes to return to the motherland, to trade in the interests of the Negro race and to link the black peoples of the world in commercial and industrial endeavours . . .'* Ar ddiwrnod Calan Gaeaf, 1919, prynodd cynrychiolwyr ei fudiad yr S.S.Yarmouth, y cyntaf o'r pedair stemar i hedfan baner coch, du a gwyrdd yr *UNIA* (*'red for the blood of the race nobly shed in the past; black for pride in colour of the skin; green for a promise of a better life in Africa'*). Wedi iddo oruchwilio ailgyfarparu'r llongau, trodd y Moses Du ei sylw at yr ail o fentrau busnes yr *UNIA*, sef *Y Negro Factories Corporation*, cydgasgliad o siopau, bwytai, poptai, golchdai a gweithdai bychan, a sefydlwyd i weinyddu duon Harlem.

'Africa for the Africans – at home and abroad' oedd galwad utgorn Marcus. Math o Seioniaeth ddu oedd ei gred, a'i nod

oedd dychwelyd llwyth colledig Israel i Affrica, gwlad eu cyndeidiau. Ym Mehefin, 1920, gyrrodd Garvey ei ddirprwy, Elie Garcia, i Liberia i gynnal trafodaethau ag aelodau o'r oligarchiaeth lygredig a reolai'r weriniaeth ynghylch trosglwyddo pencadlys yr *UNIA* yno. Dychwelodd Garcia i Efrog Newydd yng nghanol mis Awst gyda'r newyddion cyffrous, bod Dirprwy Arlywydd Barclay wedi'i sicrhau y byddai'n gwneud popeth yn ei allu i gynorthwyo'r cynllwyn uchelgeisiol. Rhoddodd Marcus gychwyn ar bethau ar unwaith. Yn fuan yn 1921, er mwyn arloesi'r ffordd i sefydlu treflannau i'r 20,000 o aelodau a flysiai am gael dychwelyd gartref, gyrrwyd cenhadaeth fawr o arbenigwyr du i'r wlad, yn adeiladwyr, fferyllwyr, syrfewyr, ac amaethwyr. Gyrrwyd llongaid o ddefnydd adeiladu, offer peiriannol, a chorfflu o weithwyr i'r weriniaeth, er mwyn sefydlu gwersylloedd dros dro i'r cyntaf o'r dychweledigion awyddus.

Ym mis Awst, 1921, cychwynnodd Garvey gronfa ymgyrchu – yr *African Redemption Fund* – i godi arian i waredu Affrica o drefedigaethwyr gwyn. Am resymau amlwg, cythruddwyd holl lywodraethau cenhedloedd gwladfaol Ewrop gan hyn, ac aeth Prydain a Ffrainc ati'n syth bin i ddwyn pwysau ar reolwyr Liberia i atal yr *UNIA* rhag sefydlu yno. Yn raddol, dygodd tair blynedd o ddylanwadu trwm y Saeson a'r Ffrancwyr ffrwyth. Ar y 30ain o Fehefin, 1924, gyrrodd yr Arlywydd King rybudd i holl gwmnïau stemars rhyngwladol y byd yn eu hysbysu na châi'r un llong ag aelodau o'r *UNIA* ar ei bwrdd lanio ym mhorthladdoedd y weriniaeth. Ddiwrnodau'n ddiweddarach, allgludwyd holl arbenigwyr ac adeiladwyr gwersylloedd yr UNIA o'r wlad.

'One God, One Aim, One Destiny'" – arwyddair yr *UNIA*

Â gweithgareddau'r Proffwyd Garvey yn llenwi duon yr Unol Daleithiau â balchder, chwyddodd aelodaeth yr *UNIA* yn sylweddol yn 1920. Yn ystod ralïau'r mudiad yn y Liberty Hall yng nghalon Harlem – canai gynulleidfaoedd anferthol

'Ethiopia, Thou Land of My Fathers', anthem fawreddog y sefydliad, cyn eistedd i lawr i wrando'n eiddgar ar ei swyddogion yn cyhoeddi cynlluniau uchelgeisiol eu harweinydd. Yna codai Marcus Garvey ar ei draed ymysg cymeradwyaeth fyddarol a chymryd y podiwm. Areithiau grymus, hynod o wreddiol y stwcyn bychan o blwyf St.Ann's oedd yr uchafbwynt.

Yn amlwg, yn un o wledydd mwya hiliol y byd, doedd dim llawer o gapteiniaid llong du ar gael yn America deddfau *Jim Crow* y 1920au. Gorfodwyd Marcus i ddibynnu ar capteiniaid gwyn di-brofiad i redeg ei stemars. Yn sgil diffygion chwerthinllyd y bwngleriaid o gapteiniaid a gyflogodd y cwmni, collodd y *Black Star Line* domen o gontractau o fewn dim. Ar ddechrau'r 20iau, dechreuodd menter forwrol yr *UNIA* ddioddef colledion erchyll.

Mewn ymgais ofer i geisio atal y llif cyllidol, gorchmynnodd Garvey ei weithwyr i bostio taflenni i'w gefnogwyr yn gofyn iddynt brynu stoc yn yr *S.S. Phyllis Wheatley*. Ond doedd y llong ddim yn eiddo i'r *UNIA* pan yrrwyd y taflenni, a dim ond trafod ei phrynu hi oedd cynrychiolwyr y mudiad ar y pryd. Roedd y weithred nâif, anfwriadol o anonest hon, yn fêl ar fysedd gelynion niferus Marcus Garvey. Wedi iddynt dderbyn llythyrau cwyn dirifedi yn holi ai'r mudiad oedd gwir berchnogion cyfreithlon y stemar, penderfynodd Adran Fasnach America ddod ag achos llys yn erbyn Garvey am; *'using the mails to defraud in the promotion of the Black Star Line and the Universal Negro Improvement Association.'*

Yn ystod y cyfnod o broblemau cyfreithiol ofnadwy a ganlynodd, ymosododd Marcus yn chwyrn ar un o'i elynion pennaf, sef Erlynydd Sirol Gwyddelig talaith Efrog Newydd, gŵr o'r enw Kilroe. Roedd Kilroe wedi bod yn ddraenen yn ystlys yr *UNIA* reit ers y cychwyn. Erbyn gwanwyn 1921 roedd Garvey wedi cael llond bol arno. Wedi iddo'i gyhuddo'n gyhoeddus o'i boenydio'n dragywydd, ag o 'geisio gwasgaru'r defaid drwy daro'r bugail', llusgwyd Garvey o flaen ei well ar gyhuddiad o enllib. Yn sgil ymateb blaenorol Llywodraeth Liberia a ffiasgo'r *Black Star Line* ac, collodd Marcus a'i fudiad gyfran sylweddol o'u cefnogaeth.

Mewn iaith sydd, tan gymharol ddiweddar, yn nodweddu athroniaeth wleidyddol hiliol ac adweithiol America, gwarthnodwyd Marcus Mosiah Garvey – fel W. W. Du Bois, James W. Johnson, Paul Robeson, ac ugeiniau o'r ymladdwyr rhyddid dewr a ddilynodd hwy – o fod yn danseiliwr ac o fod yn euog o ymledu comiwnyddiaeth. Yn Ionawr, 1922, arestiwyd y Moses Du a dygwyd cyhuddiadau o osgoi talu treth incwm a defnyddio'r post i dwyllo'r cyhoedd yn ei erbyn. Afraid dweud, cafwyd Garvey yn euog, ac fe'i dedfrydwyd i bum mlynedd o garchar. '*We had no monetary considerations, or reward before us, but the good that we could do to the race, for this, and succeeding generations.*' oedd ei ddatganiad terfynol ar ddiwedd yr achos.

Ar ddiwedd Awst, symudwyd Garvey o Atlanta i Garchar Tombs, Efrog Newydd. Diolch i aelodau cyffredin o'r *UNIA*, a fombardiodd yr Arlywydd Coolidge â deisebau o'i blaid, ar Fedi'r 10fed, 1925, fe'i rhyddhawyd ar fechnïaeth o 15,000 o ddoleri. Wedi ysbaid fer yn y De – ar wyliau â'i ail wraig, dychwelodd Marcus i Efrog Newydd i baratoi ei apêl.

Ar y 18fed o Dachwedd, 1927, daeth hunllef y Moses Du a dwy flynedd o ddadlau cyfreithiol i ben. Roedd Garvey wedi treulio'r rhan fwyaf o 1925 a '26 yn cynnal cyfarfodydd; yn deisyfu Cynghrair y Cenhedloedd ar faterion Affricanaidd ac yn crwydro Canolbarth America yn ceisio atgyfodi diddordeb pobol groenddu'r rhanbarth yng ngweithgareddau'r *UNIA* . . . Ond roedd Adran Mewnfudiad America wedi bod yn gweithio'n ddiwyd ar gynllwyn anghyfreithlon i'w alltudio o'r wlad gan honni ei fod yn 'estron annymunol'. Erbyn y cyntaf o Ragfyr, roedd y trefniadau wedi'u cwblhau. Drannoeth, fe'i hebryngwyd gan fintai o swyddogion arfog yr Adran i New Orleans, ac fe'i rhoddwyd ar fwrdd yr *S.S. Saramacca* ar ei hynt i Jamaica.

Yn fuan ym 1927 dechreuodd ymyrryd mewn

gwleidyddiaeth leol, gan gynnig ei hun fel ymgeisydd am sedd wag ar y *Kingston & St Andrew's Corporation*. Ond dair wythnos cyn yr etholiad fe'i carcharwyd ar gyhuddiad o ddirmyg llys, wedi iddo ymosod yn ffyrnig ar system gyfreithiol yr ynys. Er iddo ennill y bleidlais, cyhoeddodd y gorfforaeth ddinesig y sedd yn wag oblegid ei fod yn gaeth ar ddydd y lecsiwn. Cawsant andros o ail pan gynhaliwyd is-etholiad ychydig o wythnosau'n ddiweddarach. Roedd traed Garvey'n rhydd erbyn hyn ac fe'i henillodd â mwyafrif llethol. Penderfynodd gynnig ei hun fel ymgeisydd am sêdd ar Gorff Deddfwriaeth y wlad. Ond cafodd grasfa gan ei wrthwynebydd. Yn fuan wedi hyn, yn dilyn tanseilio'i gynlluniau i gychwyn plaid boliticaidd newydd sbon yn ei famwlad – *y Jamaican People's Party* – gan wleidyddion pryd golau yr ynys, trôdd y Moses Du ei gefn ar Jamaica am y tro olaf. Yn 1933, mudodd i Lundain lle bu farw mewn tlodi enbyd ar y degfed o Fehefin, 1940.

Os byth y cafodd dyn diniwed ei erlid a'i ddifrïo heb achos, yr Anrhydeddus Marcus Mosiah Garvey oedd y gŵr hwnnw – yr oll am iddo feithrin hunan-barch yng nghalonnau cyngaethweision America ac India'r Gorllewin, a'u dysgu i ymfalchïo yn y ffaith bod eu croen yn ddu. Yn hollol groes i gyhuddiadau ei wrthwynebwyr Americanaidd, ni dderbyniodd y Moses Du erioed yr un ddime goch o fentrau busnes yr *UNIA*. Ac ni werthfawrogwyd mohono o gwbwl, nes i fudiad Black Power America'r 60au fenthyca rhai o'i ddelfrydau a Rastaffariaid Jamaica ei fabwysiadu fel eu prif broffwyd.

> '*If the white man has the idea of a white God, let him worship his God as he desires.*
> *If the yellow man's God is of his race, let him worship his God as he sees fit. We, as Negroes, have found a new ideal… we shall worship our God through the spectacles of Ethiopia.*'
>
> – Marcus Garvey

* * *

'Y Gŵr a Gafodd y Weledigaeth', chwedl Capleton, yn figamydd, ia?

'Paid â siarad trwy dy din!' 'sgyrnygais yn gas,

'Mae gennyf dwn i'm faint o fywgraffiadau'r gŵr adref, pob un wedi'i ysgrifennu gan academydd uchel ei barch, a dydy'r un ohonynt yn cyfeirio at Garvey fel bigamydd. Ac o ran ei fod o'n dwyllwr a chrwc – mae'n well i ti gadw ffrwyn ar dy hen dafod budr 'na! Bu farw'r creadur heb yr un ffadan beni i'w enw. P'un bynnag, pwy uffern wyt ti i sarhau Arwyr Cenedlaethol Jamaica?' chwyrnais.

'I'll have you know that I've lived here for almost twenty years,' chwyrnodd Jac Sais yn ôl.

'Mae'n hen bryd i ti ei ffwcio hi'n ôl o ble doist ti felly!' hisiais yn wyneb, wedi'i biclo mewn diod, y sglyfaeth, cyn codi ar fy nhraed, gweiddi 'nos dawch' ar Mr Royes a'i brasgamu hi am y drws cyn i bethau droi'n wirioneddol hyll.

Gorweddais ar fy nghefn ar y gwely a chwilio'r nenfwd am y pâr o gecos a'i cropiai liw dydd. I ble y diflannent wedi iddi dywyllu? synfyfyriais. Er imi chwilio bob twll a chornel o'r llofft a'r bathrwm sawl gwaith, allwn i'n fy myw â dod o hyd i'r petha bach selog wedi iddi nosi. Mae yna bump ar hugain o wahanol fathau o fadfallod yn Jamaica, yn cynnwys tylwyth bychan o igwanaod, chwe throedfedd o hyd, sy'n byw ar lethrau'r Hellshire Hills. Tan i heliwr lleol ddod ar draws un ohonynt yn 1990, roedd gwasanaethau cadwraeth yr ynys yn ystyried bod yr Igwana Jamaicaidd wedi darfod ers hanner canrif.

Chwarter i ddeg clywn ddrysau ceir yn clepian. Cwsmeriaid lleol y bar yn dechrau landio. Doeddwn i ddim wedi gweld yr un o fy nghyfeillion o *uptown* ers Nos Iau. Penderfynais fynd draw atynt am ychydig beintiau a sgwrs. Ond erbyn i mi straffaglu ar fy nhraed, estyn dillad glân a chyrraedd y bathrwm, roeddwn i wedi newid fy meddwl. Yn dilyn dau ddiwrnod cyfan ar fy nhraed roeddwn wedi blino'n lân. Bron iawn ar syrthio. Felly tynnais amdanaf a disgyn i'r gwely.

Newydd ddechrau darllen o'n i, pan glywais ryw dwrw rymblo uchel, tebyg iawn i drên yn agosáu yn y pellter, ychydig i'r gogledd o'r gwesty. Mewn ennyd roedd y gwely'n cordeddu, y bariau byrgler trwm yn dawnsio ar eu colynnau, y waliau'n crynu a chloch y ffôn yn tincial yn isel. Eiliad neu ddau'n ddiweddarach aeth pobman yn ddistaw fel y bedd. Cyn i'r ôl-gryniad ·anochel drawo, cipiais fy mhibell o dop y cwpwrdd-ochr-gwely a brysio i'w thanio, cyn gorwedd yn ôl yn ostyngedig i aros fy nhynged. Fy nhâl haeddiannol am dresmasu ar dir sanctaidd Gwersyll *Nyahbinghi* Scott's Pass. Ond ddigwyddodd dim byd. Doedd Duw dig y Locsmyn ddim eisio achosi distryw a marwolaeth, yn ôl pob tebyg, dim ond dangos ei ddannedd. Traean gorllewinol ynys Jamaica a drawyd gan y daeargryn, 3.7 ar raddfa *Richter*. Plwyf Portland, ei ganolbwynt, a gafodd hi waethaf. Diolch i'r drefn, heblaw am gorddi cydwybod un Cymro syn yn ystafell saith y *Mayfair*, ni niweidiwyd yr un enaid ganddo.

Y Seithfed Diwrnod

'For the poor people you mek a suffer
All the blood money that mek you richer
Oh! Mr Heartless, your end it a go bitter – shall be bitter
For the youths you pay fe do the murder
All the decompose body found inna gutter
Oh! Mr Heartless, 'member yuh fe pay fe it . . ."
    Anthony B – *'Mr Heartless'*

Fel arwydd o ddiolch iddo am ei hebrwng o amgylch y brifddinas am bythefnos gyfan heb yr un gair o rwgnach, roedd fy nghyfaill Paul Coote wedi cyflwyno Zack â *ghetto-blaster* fawr. Penderfynais innau wneud rhywbeth tebyg. Ar ein ffordd yn ôl o Port Kaiser y bore cynt, gofynnais iddo a oedd o angen unrhyw declyn neilltuol i'w dŷ. Fe'i prynwn yn anrheg iddo, dwedais, os nad oedd o'n wirion o ddrud.

'You know wha' yuh sayin' yesterday mornin', 'bout buyin' me a gif' fe me house?' meddai Zack, gan chwarae â'i locs yn hunanymwybodol. *'Well me been t'inkin' 'ard in bed las' night . . . an' me mek a decision.'*

'Be s'gen ti'i ffansi?' holais, gan ddisgwyl iddo ofyn am rywbeth call fel tegell trydan, haearn smwddio, neu set o sosbenni.

'Me woulda like one a dem new wide screen TV.' dwedodd yn gynhyrfus, *'It would be good fe watchin' music show an' wildlife programme.'*

'Zack, alla i ddim fforddio prynu un o'r rheina i ti. Sbïa ar y prisiau, neno'r Tad, maen nhw i gyd yn costio dros wyth gan punt!'

Ag wyneb fel iâr ar y glaw, trodd fy nghyfaill ei gefn ar y rhengoedd o delifisions sgrîn lydan a cherddodd draw at y rhesi o setiau maint canolig. Ond doedd ei galon o ddim ynddi o gwbwl. Cefais fflach o ysbrydoliaeth.

'Hei, Zack. Sut fasa hi 'taswn i'n talu'r blaendal ar un o'r pethau mawr 'na? Fasa ti'n gallu fforddio'r taliadau misol?'

'*Yes, man! Me could a afford dat. It would be no problem at all.*' atebodd, gan sirioli yn y man.

'Reit ta, dangosa di i mi pa un wyt ti'n ffansïo, a mi âi i ofyn i'r ferch tu ôl i'r ddesg dalu faint sydd raid i mi roi i lawr arni.' Mae'n rhaid i mi gyfaddef, roedd y blaendal, sef £140, yn uwch o dipyn na'r swm o'n i wedi bwriadu ei wario. Ond dyna fo, unwaith 'dan ni ar yr hen ddaear 'ma, ynde? A does na'm poced yn y goben wen, meddan nhw i mi. Wedi i mi dalu'r ernes â 'ngherdyn Access trymlwythog, gadewais Zack a'r ferch ifanc annymunol i daclo pentwr o ffurflenni, a mynd allan i'r stryd am smôc.

Fel gwas y neidr, byr iawn yw einioes sengl *Dancehall*. Unwaith mae hi wedi gwerthu allan yn siopau arbenigol Llundain – o fewn awr neu ddwy, weithiau – mae hi wedi mynd am byth; eithriad i ddisg saith modfedd gyfoes gael ei hail-wasgu draw yn Jamaica. Yr unig ffordd i gael eich dwylo arni wedyn yw drwy brynu copi gan ddeliwr recordiau *Reggae* aill-law. A mi fasa'n well gen i dorri fy llaw dde i ffwrdd na rhoi arian ym mhoced un o'r siarcod hynny.

Erbyn i restr fisol Mawrth 1997 *Dub Vendor* gyrraedd Pentre Poeth, ac i minnau gael cyfle i ffonio Noel â'm harcheb, roedd 'toriadau' Anthony B, Terror Fabulous, Singing Melody a Ghost o rythm 'Tempo' label 'Fat Eyes' wedi gwerthu allan yn llwyr. Er imi chwilio a chwalu siopau ail-law Llundain am ei chwaer-fersiynau, chefais i ddim hyd yn oed gwynt o'r un ohonynt. Wrth imi wylio General Lee yn gwatwar un o fuchod cysegredig hunanbwysig cerddoriaeth Jamaica, fe'm hysbrydolwyd i ofyn i 'Fatta' a oedd ganddo fo a 'Bulby,' perchnogion 'Fat Eyes' unrhyw fwriad o ail-ryddhau y senglau hynny yr oeddwn i wedi bod yn chwilio mor galed amdanynt. Bum munud yn ddiweddarach roedd copi o bob un ohonynt yn fy machau. I mi roedden nhw werth mwy na holl drysorau'r India i gyd.

Wrth i mi gael smôc sydyn cyn dilyn Zack trwy ddrws siop *Techniques* ar Orange Street, digwyddodd fy llygaid daro ar boster *dancehall* lliwgar. *'In proud conjunction with ZEEKS, and our main sponsor, GUINNESS,* darllenai llinell gyntaf yr hysbys. Y 'Tad' Zeeks yn cael y flaenoriaeth ar un o'r cwmnïau diodydd mwya yn yr holl fyd! Be' ddiawl nesa!

* * *

'Seh long time gone it was political war – PNP an' Labourite
But now, seh Jungleman an' Rema dem a par (cymdeithasu)
Matches Lane an' Garden unite . . .'
　　Mikey General – *'See Dem a Come.'*

Disodlwyd 'Cow', *area don* cyntaf cilfach *PNP* fechan Matches Lane gan ei ddyn llaw dde, 'Early Bird'. Yn ofni am ei fywyd, ffodd 'Cow' i Efrog Newydd, lle aeth ati i gynllwynio dialedd. Ond ni fu 'Early Bird' yn teyrnasu'n hir. O fewn dyddiau iddo ddod i rym fe'i saethwyd yn gelain gan ddau o hengsmyn ffyddlon ei ragflaenydd. Â'i gyn-garnelyn yn ddiogel dan y dorchen, dychwelodd 'Cow' gartref yn llon. Ond o fewn oriau iddo lanio ym maes awyr Kingston fe'i saethwyd gan un o ddynion brawd bach 'Early Bird, sef Donald 'Zeeks' Phipps.

Pan losgwyd 'Jim Brown', cadfridog poblogaidd geto Tivoli Gardens, yn golsyn yn ei gell yn y *General Penitentiary* ym 1992, fe'i holynwyd gan ei fab 22ain mlwydd oed, 'Jah T'. Flwyddyn wedyn, pympiwyd 'Jah T' â bwledi o wn rhyw saethwr anhysbys ar gornel stryd yn Denham Town. Llenwyd sgidiau'r ymadawedig gan ei frawd bach, 'Dudus'.

'From uptown to downtown, inna every shopper's fair
All a the people from down in the ghetto was there
And dem a set up road block, burnin' fire,'cause dem just nah care
Revolutionary soldier takin' over 'cause dem just nah fear
And dem a bawl out Zeeks! And dem a call out Zeeks!
The man who made the history in the streets . . .'
　　Coco Tea & Louie Culture – *'Zeeks.'*

143

Yn ogystal â dŵad â heddwch parhaol a rhyw lun o drefn i'w cymunedau, mae gan 'Zeeks' a 'Dudus' yr enw o fod yn gymwynaswyr mawr; yn ariannu dwsinau o fentrau busnes bach lleol, cyflenwi'r holl ysgolion dan eu hadenydd ag offer addysgol a gwerslyfrau, talu ffioedd ysgol a dilladu cannoedd o blant bach amddifad, a rhoi cymorth ariannol hael i lu o deuluoedd tlawd ac un rhiant. Mi gaiff myrdd o ddifrïwyr y 'Tad' Zeeks a'r 'Arlywydd' Dudus ddweud be' leician nhw amdanynt, ond mae'r ddau ddyn caled yma wedi gwneud mwy o lawer i breswylwyr difreintiedig Gorllewin Kingston yn ystod y ddwy flynedd diwethaf nag y gwnaeth gwleidyddion barus, llygredig a hunanol y ddinas mewn dros ddeugain mlynedd. Am y tro cyntaf yn neng mlynedd ar hugain eu bodolaeth, mae trigolion treflannau Tivoli Gardens a Matches Lane yn byw mewn heddwch a chytgord perffaith.

Yn fuan un bore, ryw wythnos neu ddwy cyn y Nadolig, 1998, cerddodd tri rafin ifanc o Southside i mewn i siop gelfi cegin yng nghyffiniau'r Parêd, gan esgus mai rhai o ddynion 'Zeeks' oeddent yn dilyn gorchymyn gan y bos, a mynnu arian amddiffyn gan y perchennog. Pan ddaeth newydd o'r tro gwael hwn i glustiau'r prif 'Spangler', gwylltiodd yn ulw a brysio allan i chwilio am gyflawnwyr y drygioni.

Diolch i'w rwydwaith o glustiau a llygadau, chafodd 'Zeeks' ddim trafferth darganfod hunaniaeth y tri dihiryn o Southside. Ar ôl rhoi coblyn o grasfa iddynt, danfonodd y don a'i ddynion y cnafon i'r *Central Police Station*. Ond er mawr syndod 'Zeeks', y fo a'i lefftenant blaenllaw, dyn ifanc o'r enw David Thompson, a gafodd eu harestio. Gadawyd i'r tri chnaf o Southside fynd gartref yn ddigerydd.

Pan ymledodd y newyddion syfrdanol bod *don* poblogaidd Matthews Lane dan glo, aeth miloedd ar filoedd i'r orsaf heddlu i gynnal protestiadau swnllyd tu allan i'w gell. Roedd pethau'n weddol drefnus a heddychlon cyn i rywun ledu stori bod yr Heddlu wedi llofruddio'r prif 'Spangler' yn ei gell. Aeth y gwerinos yn wallgo bost a dechrau malu ffenestri siopau, dwyn nwyddau, llosgi ceir a bysys a chodi rhwystrau ar draws holl strydoedd yr ardal.

'Well me nah look fe sorry, nah beg no pity
But if dem dis the (peace) programme, man will lock the city
Well equal rights an' justice 'ave fe be
Even the baby a come out, wheah deh 'pon titty
Me gran'pa come out, an' me old granny
Fe fight fe the man wha' stan' for unity . . .'

Parodd y terfysg difrifol a ganlynodd arestio 'Amddiffynnwr y Tlawd' Matches Lane am dri diwrnod cyfan. Lladdwyd tri phrotestiwr, anafwyd dwsinau o filwyr a phlismyn, a llosgwyd cannoedd o siopau a cherbydau. Ar un pwynt yn ystod ail ddiwrnod y gwarchae, aeth pethau cynddrwg nes gwysio tair o hofrenyddion y fyddin. Ond o fewn eiliadau, difrodwyd un ohonynt gan fwledi o wn cêl-saethwr yn cuddio gerllaw, a chawsant orchymyn i ddychwelyd i'w gorsaf ar unwaith.

Ar drydydd diwrnod y terfysg, daeth dirprwyaeth o swyddogion yr Heddlu a'r Fyddin, y Prif Weinidog a hannner dwsin o aelodau blaenllaw y cabinet at ei gilydd i bendroni. Ar ôl oriau maith o ddadlau, penderfynasant nad oedd dim amdani ond gollwng 'Zeeks' yn rhydd ar fechnïaeth.

Gohiriwyd yr achos o ymosod a churo ac o geisio llofruddio a ddygodd yr Heddlu yn erbyn Donald Phipps, wedi i'r tri dihiryn o Southside fethu â dod i'r llys yn Half Way Tree i roi tystiolaeth am y trydydd tro yn olynol. Er gwaetha holl erfyn yr heddlu a'r erlynydd, methwyd yn glir â pherswadio'r tri chribddeiliwr llawn ofn i barhau â'u cyhuddiadau yn erbyn bos y *Spanglers*.

I ddathlu rhyddhau'r don bach moel, 46 mlwydd oed, cynhyrchwyd crys-T arbennig wedi'i addurno â'r geiriau *'ZEEKS; DEFENDER OF THE POOR'*, a chynhaliwyd dawns fawr ym Matches Lane â'r system sain boblogaidd, *Stone Love*, a'r *DJs* Bounty Killer a Baby Cham yn cyflenwi'r gerddoriaeth. Ac yn ystod yr wythnosau dilynol lleisiwyd myrdd o senglau *dancehall* a *roots* yn canu clodydd arwr mawr gorthrymedig Jamaica.

* * *

Roedd ci a gast esgyrnog yn byw yn iard *Dynamic Sounds*, stiwdio hynaf Jamaica. Bob tro y galwai Zack a minnau heibio byddwn yn trwynblymio i'r ddau fin sbwriel a safai ar bwys y *pressing plant*, ac ymbalfalu ynddynt am weddillion prydau bwyd. Wedi i mi ddŵad o hyd i domen mawr o sbarion fe'u rhannwn yn ddau dwmpath cyfartal, eu llwytho mewn cartonau polystyren, a'u cyflwyno i'r ddau gi bach diolchgar. Daeth y tri ohonom yn fêts mynwesol. Bnawn Llun, pan oedd fy nau gyfaill cynol a minnau'n cadw reiat ar bwys cwt y porthor, sticiodd ei breswyliwr syn ei ben rownd y gornel a syllu arna i'n dosturiol. 'Allwch chi ddim dweud wrtha'i be 'di enwau'r ddau gi bach 'ma?' gwaeddais arno. *'Dogs,'* atebodd yn swta, gan rythu'n hurt arna i fel pe bawn yn wallgofddyn.

Drannoeth, byddai Cleeve, perchennog siop recordiau, yn y dre ar un o'i dripiau prynu stoc. Pan ddatgelodd Zack fod y Trinidadiad yn dipyn o boen yn tin, gyda thuedd i ddili-dalio mewn canolfan ddosbarthu recordiau am dair neu bedair awr, penderfynais na fyddwn yn mynd gyda nhw. Cawn ddiwrnod i'r brenin. Diwrnod cyfan i mi fy hun.

'Chicken merry, hawk deh near,' - hen ddihareb Jamaicaidd.

Â 'nhafod yn gignoeth wedi platiaid o gyrri gafr tanllyd y *Grog Shoppe*, cerddais i lawr Waterloo Road yn llon ac ysgafnfryd. Ger goleuadau traffig cyffordd South Avenue, arafodd salŵn mawr moethus wrth fy ochr. Wrth i mi droi i edrych i mewn i'r car, brathodd pen llafnyn melynddu drwy'i ffenestr ffrynt. Gan feddwl mai dieithriaid eisio cyfeiriadau oedd yn y modur, camais at ddrws y teithiwr, pan gwrddais â *'Watch yuh step, whitey!'* bygythiol. Stopiais yn stond. *'Yah 'ear me?'* holodd y *brownman* ifanc, â hen wên goeglyd ar ei wep fach anghynnes. *'You a fassy 'ole* (twll din) *whitey. And yuh cyaan deny it!'* hisiodd yn wenwynig, chwinciad cyn i'r goleuadau droi'n wyrdd gan orfodi'r dreifar i yrru i ffwrdd am New Kingston. Syllais fel llo ar y car yn mynd ar ei hynt. Ac yno fûm i am hydoedd, nes trodd y loes felltigedig yn gynddaredd.

''Dolig diwethaf, arhosais mewn llond tŷ o ffrindiau ger Montreal,' meddai Saceus, corrach atgas o Ganada a weithiai i *Citybank*, 'Wel mi gawsom amser gwerth chweil! Roedd perchennog y tŷ wedi morol am lond hosan bach o anrhegion i bawb, wyddost ti. Ymhlith fy mhresantau i oedd paced o gondoms a *willie warmer!*' chwarddodd.

Yn cwffio ysfa gryf i floeddio, 'Wel doeddat ti'n hen fastard bach lwcus!' yn wyneb bochdew y crinc, gwenais yn wanllyd arno.

'Dwi'n gadael Jamaica Sadwrn nesa, 'sti, i ddechrau ar swydd newydd yn Toronto yr wythnos wedyn,' dwedodd drachefn. 'Dyrchafiad.' broliodd, gan gocio sgleinio medal ddychmygol ar ei frest. 'Dwi'n mynd i feddwi'n gaib heno 'ma. Mae'r bois a minnau am fynd i glwb *go-go* yn hwyrach ymlaen. 'Sgen ti ffansi dŵad hefo ni?'

'Dim diolch. 'Dydy petha' fel 'na ddim at fy nant i,' atebais. Er cymaint dwi'n caru'r rhyw arall, mae'r syniad o eistedd yn cegrythu ar ferched noeth yn gwneud giamocs yn waeth nag anathema gennyf. Dwi fel Zack yn hynny o beth (pan dwyllod Capten Sinbad, Ossie Thomas a Paul Coote anfoddog o i fynd hefo nhw i glwb *go-go* un noswaith, flynyddoedd ynghynt, cydiodd Zack mewn cadair, ei throi i wynebu'r drws ac eistedd â'i gefn at y llwyfan!).

'Ond mae'r genod yn syfrdanol o hyfryd, 'sti. Ac maen nhw'n tynnu pob un cerpyn i ffwrdd.'

'Dim ots gen i. 'Sgen i ddim mymryn o ddiddordeb.'

Y Nawfed Dydd

'All these years of manipulation takin' a strain on our nation
All these years inna degredation has got us inna pure frustration
The mothers are cryin' and their children are dyin'
There ain't no food to eat, fire in the streets . . .'
  Prince Malachi – *'The Righteous Way'*

Wrth i mi gychwyn cerdded i wylfa Mr Campbell a Michael, galwodd Barbara, fy hen howsgipar annwyl o Vineyard Town, arna'i o'r golchdy bychan ger y gegin; *'Elwyn, honey! Dem shirt you a put in a the laundry the other day a ready, darlin'.'* Pan ddychwelais i'm hystafell i'w hongian yn y wardrob, er dicter mawr imi, sylwais fod y cwbwl ohonynt yn staenau mawr oren drostynt!

Roedd caetsh colomennod Michael yn wag. 'Duwcs, lle mae'r ddwy golomen wedi mynd, Mr Campbell?' holais fy ffrind.

"Member you sayin' yesterday,' meddai, *''ow seein' a bird inna cage always mek yuh feel sad? Well soon as you go off wid Zack, Edwin, Michael a open up the cage. The man pigeon 'im,'im still aroun'. 'Im was sittin' 'pon the hotel roof few minute ago. But the 'ooman pigeon, she gone. Disappear. Soon as Mikey open the cage – WHOOSH! And we nah see her since.'*

Pan oeddwn i'n trio fy ngorau glas i berswadio Mr Campbell sinigaidd bod ni'n rasio colomennod yng Nghymru, linc-di-lonciodd Moses i fyny'r ffordd. Oeddwn i'n brysur y noswaith honno? holodd. Nac oeddwn, am wn i. Os felly, fe alwai heibio i fy nôl i tua'r pump 'ma, a mynd â mi i weld ei deulu a'i gyfeillion yn Denham Town.

Roedd cefn noeth y stwcyn bychan yn eistedd ar bwys drws gweithdy Jack Sowah wedi'i gris-groesi â chreithiau *macheté* dirifedi. Teimlwn fy nghoesau'n gwanhau wrth i mi edrych arno.

'Esgusodwch fi, ydi Mr Sowah i mewn?' gofynnais i du ôl y

pen tarw eilliedig o fy mlaen.

'*Yuh speakin' a 'im.*' brathodd llais fel ffeil frasddant yn rhathellu dur yn ôl.

'Mae'n ddrwg gen i'ch poeni, Mr Sowah, ond 'sgennych chi ddim o'r fath beth â thapiau fideo o'r Rebel Salute?' gofynnais yn fy llais mwya gwasaidd.

'*Mek I tell you sump'm, boss, no videoman allow fe film dat show, y'know. TV company alone 'ave exclusive rights fe it. But me 'ave a whole heap a other show fe choose from.*' datganodd y dyn caled, gan godi ar ei draed a throi rownd yn ara deg. '*Step inside a me workshop deh,*' gorchmynnodd. Reodd ei wyneb a'i frest mor greithiog â'i gefn.

Dychwelodd dewin y cymysgwr lluniau o'r bar, potelaid o Red Stripe yn ei law a spliff maint-teuluol yn mygu'n braf yn ei geg, a 'ngorchymyn i eistedd.

'*Right den boss, wha' kinda cyassette a interes' yuh?*' coethodd y *videoman* bach garw, gan eistedd mewn cadair dro a chwifio'i fraich dros y silffoedd o'i flaen, pob un yn llwythog gan filoedd o focsys casét wedi'u labelu mewn llawysgrifen traed brain.

'Unrhyw argymhellion? Wedi'r cyfan, y chi di'r arbenigwr,' llyfais din.

Ar ôl tri chwarter awr o wylio samplau byr o gynnwys degau o dapiau, dewisais '*Junior Reid's Birthday Bash*'. Wedi iddo slotio'r tâp yng nghrombil un o'r peiriannau recordio o'i flaen, coethodd Jack Sowah orchymyn annealladwy dros ei ysgwydd. Ac mewn fflach ymddangosodd llanc, yr un ffunud â Bounty Killer yn ei ddyddiau ieuengach, trwy'r llenni a rannai'r gweithdy'n ddau a mynd ati i ffidlan â therfynellau rhywbeth tebyg iawn i fwyhäwr sain. '*It a go tek a lickle while fe mek a copy a dis, y'know. Come check me in 'bout 'alf an hour.*' rhoddodd y glaslanc heglog ar ddeall i mi.

Wel am wyneb ar y diawl! Dwy fil o ddoleri (£32) am un tâp fideo! Blydi hel! Mi faswn i'n cael pedwar ohonyn nhw am y pris yna gan *Dub Vendor*. 'Mae'n ddrwg iawn gennyf, Mr Sowah, ond dwi'n gweld dwy fil o ddoleri am un tap fideo allan o bob rheswm,' hysbysais y dyn bach, 'Mae hynna bron i bedwar gwaith be faswn i'n ei dalu am un adref.'

"Ow much you pay inna Inglan, den'?'

'Saith cant Jamaicaidd.'

'Eh? Cyaan be true!'

'Wir Dduw ichi rŵan.'

'Wheh you a get dem from?'

'Dub Vendor.'

'Cho! Dem mus' a mad!'

Ymhen hir a hwyr, ar ôl dadlau a thaeru, ildiodd y *videoman* bach garw. *'Gi' me eight 'undred den!'* coethodd yn flin.

Wnes i ddim darganfod, nes i mi chwarae'r fideo un noswaith, wythnos gwta wedi i mi gyrraedd adref, bod y tâp a brynais gan Jack Sowah yn gasét pedair awr. Wedi'i recordio ar *long play, slow play,* neu beth bynnag 'dach i'n ei alw o. A'i fod o wedi'i brosesu yn y fformat Americanaidd, sydd wrth gwrs yn hollol anghydweddol â'n peiriannau fideo ni. Yn ffodus, mae gen i fêt yn ardal Porthmadog, trwsiwr telifisions gyda'r gorau, a lwyddodd i drawsnewid y casét i'r fformat Ewropeaidd. Felly, yn y diwedd roeddwn i'n meddu ar dri thâp fideo teirawr! Chwarae teg iddo fo – a chywilydd mawr imi – doedd yr hen Jack ddim wedi trio fy nhwyllo wedi'r cyfan.

Ar balmentydd Spanish Town oedd yr hen brydydd, I-Roy, yn arfer bwrw'i flinder bob nos cyn syrthio i gwsg tragwyddol bum mlynedd yn ôl. A chysgu allan ar strydoedd Kingston garw oedd Ernest Wilson, un hanner o'r deuawd *Ska* poblogaidd, y Clarendonians, a lleisiwr degau o senglau solo godidog i *Channel One* a Coxson Dodd yn y 1970au, cyn ei farwolaeth y llynedd. Jackie Bernard a'i frawd bach Lloyd, Junior Byles, yr hen ganwr *Roots* difesur o ddylanwadol . . . pe bai'n rhaid imi, gallwn nodi enwau cyfarwydd dros ddwsin sy'n treulio'u dyddiau yn tyrchu am fwyd ym miniau sbwriel y brifddinas a'u nosweithiau'n huno dan y sêr. A ddwywaith hynny o hen gantorion a *DJs* sy'n trigo mewn cytiau ac yn byw ar obaith yn unig. Yn wahanol iawn i'r bydoedd roc a phop, lle mae'r gwobrwyon ariannol bob tro yn gymesur â llwyddiant bondigrybwyll, nid oes modd cymharu gwobrwyon hen gerddorion Jamaica â'u gorchest. Mae misdimanars lladronllyd y mwyafrif o'u hen gynhyrchwyr – ei *deducers*, fel y'u gelwir – a'u *damagers* – fel y gelwir eu rheolwyr – wedi gwneud yn saff o hynny. Am bob artist Jamaicaidd sydd wedi llwyddo i ennill clod a rhoi 'chydig o arian yn y banc, mae ugain arall yn brwydro'n enbyd i fyw – bois fel Ranking Trevor, er enghraifft, yr hwn y digwyddais daro arno yn siop recordiau *Super Star Records* Beverley Riley ar Slipe Road, wedi i mi adael gweithdy Jack Sowah.

Er iddo drawo brig siartiau Jamaica dro ar ôl tro yng nghanol y 70au, methodd Ranking Trevor ag ymuno â Big Youth, U-Roy, I-Roy, Prince Far I, Prince Jazzbo, Trinity, a'r gweddill, yn y brif gynghrair. Fel U-Brown, Ranking Dread, Jah Thomas, Ranking Joe, General Trees, Ranking Toyan, a'u cyfoedion, bardd ail gynghrair fu o trwy gydol ei yrfa faith. Fel o'n i'n pwyso ar gownter *Super Star Records* cerddodd Trevor drwy'r drws. Wedi iddo roi ei hen fag cynfas rhacslyd i lawr, estynnodd gopi o'i sengl newydd ohono, a chan ofyn iddo roi tro iddi, ei chyflwyno i'r *youthman*, cynddeiriogol o surbwch, tu ôl i'r trofwrdd. Mae'n gas gen i ddweud hyn; ond drwy ryw drugaredd ni fu'n rhaid i mi ddioddef llawer o barablu syrffedus a hen ffasiwn yr hen stwcyn o DdJ o Waterhouse yn y dillad wedi'u gwisgo dat yr edau. O fewn llai na hanner munud o gychwyn y ddisg, 'sgubodd y troellwr hi oddi ar y dec, ei stwffio'n ôl yn ei chlawr a'i thaflu ar draws y cownter i gyfeiriad ei lleisiwr.

"*Ow 'bout me leave . . . seh ten copy wid yuh? Me nah waan no money upfront, y'know. Me 'ave it after dem a sell.'* awgrymodd yr hen DdJ. Heb yngan gair o'i ben, ysgwydodd y troellwr ei ben a dangos ei ddiflastod amlwg gan grychu'i drwyn a gwneud ceg sur. Â golwg hollol dorcalonnus ar ei wyneb, gafaelodd Ranking Trevor yn y record, codi'i fag cynfas a'i chychwyn hi am y drws, cyn troi'n ôl a chynnig y sengl yn anrheg i mi. Sut allwn i wrthod? Er ei bod hi'n un o'r senglau Jamaicaidd gwaethaf i mi glywed yn fy mywyd, faswn i ddim yn ei gwerthu hi am unrhyw bris yn y byd.

Er i Moses ei sicrhau sawl gwaith y byddai'n berffaith saff â fo yn y car, gwrthododd y dyn tacsi yn daer a mynd â ni i Denham Town. Fe'n gollyngodd yn Crossroads ac awgrymu'n bod ni'n ceisio cael gafael ar yrrwr *robot* (tacsi annhrwyddedig). Wnâi'r gyrrwr *robot* ifanc o Bull Bay ddim mentro mynd â ni yno chwaith. Fe'n gollyngodd o flaen y *Ward Theatre*, lle'r oedd mintai o blismyn â gynnau awtomatig yn cadw golwg ar bethau.

Pan ddechreuwyd ar y gwaith o droi Kingston yn ddinas fodern yng nghanol y bedwaredd ganrif ar bymtheg, rhoddwyd gorchymyn i'r cynllunwyr i adael y Parêd – hen faes drilio'r Fyddin Brydeinig – yn union fel ag yr oedd o. Yn ogystal â bod yn gartref i farchnad fawr brysur, *higglers* dirifedi, byddin o ddynion hancart a'u mulod a *hustlers* rhif y gwlith, y Parêd yw lleoliad terminws bws a safle tacsis prysura Kingston. A'r fynedfa i Barc William Grant, lle'r oedd Moses yn mynd â mi i gwrdd â'i gariad.

Mae gan bob un o bedwar o giatiau Parc William Grant ei dwr o bobol ei hun. Y digartref a phobol o'u coeau sy'n tynnu o gwmpas mynediad East Queen Street, Rastaffariaid ar bwys porth Orange Street, a phuteiniaid o'r ddau ryw o amgylch giatia Lower King Street. Aeth Moses a minnau i mewn trwy fynediad Upper King Street, lle mae'r 'crotches' lladron benywaidd perig bywyd sy'n cuddio'u hysbail yn eu blwmars, yn ymgynnull i gadw golwg am ysglyfaeth.

Dynion a merched yn piso fel defaid tu ôl i lwyni, sbwriel a llanast ymhobman; puteindra, lladrata a gwerthu a chymryd crac cocên yn gyffredin; ac ymosodiadau rhywiol, trywaniadau a thrais yn ddigwyddiadau bob dydd. Mae Parc William Grant yn bell o fod yn baradwys ddaearol – ond dyma'r unig le lle gall *sufferahs*, o bob cwr o *downtown*, fynd i gymdeithasu heb boeni am gyfyngiadau llwythyddiaeth wleidyddol. Er gwaetha'i ddiefligrwydd, mae rhyw andros o swyn a hud yn perthyn iddo.

Erbyn i ni fynd am dro o amgylch y parc, edmygu cerfluniau Norman Manley, Alexander Bustamante, y diddymwr, Edward Johnson, a'r cyn-*Garveyite* a roddodd ei enw i'r lle, a threulio sbelan yng nghwmni Veronica, cariad fy mêt, roedd hi fel bol buwch. Ac yn amser i'r hen Moses fynd i nôl bagiad o berlysiau gan ei gyflenwr, medda' fo.

'*Try not mek it o'vious. Look to yuh right, dung deh,*' sibrydodd fy nghyfaill, wrth i ni gerdded heibio topia' Luke Lane, hen gynefin garwach na garw Prince Buster. Craffais i'r gwyll, i lawr ali cul, rhwng dwy resaid o flociau tenement uchel. Byrddau trestl a golau tortshis, criwiau o lanciau'n pwyso'n erbyn waliau'n ddioglyd . . . pobl yn mynd a dŵad . . . a thomen o fagiau sbwriel du . . .

'*Unno see't?*'

'Mae'n ddrwg gennyf Moses, ond dwi'm yn gweld un dim anghyffredin.'

'*See all dem big black bag deh 'bout?*'

'Ydw.'

'*Dem all full a 'erb. Dat a bigges' 'erbs market a town. An' see all dem tough lookin' yout' loaftin' all 'bout the place?*'

'Gwelaf.'

'*Well dem a look-out man.*'

'Fydd y copars yn dwyn cyrch ar y lle weithiau?'

'*Nuh, man. Nevah, so me can remember,*' datgelodd fy mêt, '*Seem to me dem get pay fe leave it alone.*'

Fel mae hi ryfedda, drannoeth disgynnodd llond gwlad o blismyn ar y lle ac arestio pob copa walltog yn y cyffiniau!

Er bod y dros fil o werthwyr ffrwythau a llysiau o bob twll a chornel o'r ynys sy'n tyrru i *Coronation Market* am bump bob bore wedi hel eu paciau a'i throi hi tua thre ers dros ddwyawr, roedd yr awyr o amgylch marchnad fwya'r brifddinas yn dal i fod yn dew â sawrau nytmeg, teim, garlleg, a phupur Jamaica.

'*Dis big buildin' right in front a we, it a the ol' coal market.*' meddai Moses, wrth i ni gerdded drwy fwd a phyllau dŵr Darling Street ar flaenau'n traed. '*Yuh see dat tall concrete block*

dem a build on top a it? Dat a wheh me go ev'ry evelin' after work, fe
buy a big bagga 'erb.'

Er i mi bwffian fel het ar fy mhibell, roedd yr oglau
'sgarthion diawledig a lenwai'r hen farchnad lo yn gwneud imi
gyfogi. Am falch oeddwn i pan gyrhaeddom res o risiau concrid
a dechrau dringo tu hwynt i'w gyrraedd afiach. Daethom at
landin cul, dan ei sang â merched yn sgwrsio a thyrrau o blant
bychain yn chwarae'n ddiwyd. Ond o 'ngweld i, llaesodd
wynebau'r hen blantos i gyd. A'r eiliad nesa trodd y lle'n fedlam
llwyr. Rhai yn oernadu fel cathod, eraill yn beichio crïo, a'r lleill
yn cwympo i'r llawr mewn llewyg, neu'n rhedeg yma a thraw
yn sgrechian am eu mamau. Welais i erioed y ffasiwn beth yn fy
mywyd. 'Sori . . . sori am hyn,' mwmiais yn chwithig droeon
wrth gamu fy ffordd ar hyd y landin yn ofalus, rhag ofn i mi
sathru coes neu fraich fach wantan. Erbyn i mi lwyddo i
gyrraedd y twll mawr yn y wal ym mhen pellaf y coridor hir,
roedd yr *herbalist* anweledig a drigai'r ochr arall iddi wrthi'n
gwthio cwdyn plastig o berlysiau trwy fwlch bach yn y rhwyll
dur a'i diogelai rhag popeth ond bwledi.

Ar Tower Street, dyma alw heibio dau rym bar yn eiddo i
blismyn cyflogedig – un yn gwnstabl a'r llall yn sarjant. Yn
ennill dros un a hanner gwaith isafswm cyflog cyfreithlon y
wlad. Oes angen i mi ddweud mwy?

'Y'see dat street deh, secon' one 'pon we right,' meddai Moses yn
ddigynnwrf, wedi iddo orffen piso. *'Dat a Matthews Lane –
Matches Lane, we call it – wheh the big man, Fadda Zeeks, live.'*

'Fasa hi'n iawn i ni fynd am dro ar ei hyd hi?' holais yn
eiddgar.

'If yuh waan,' daeth yr ateb o'r tywyllwch.

'Southside, yr ardal oedden ni'n troedio trwyddi gynna, mi
ddarllenais yn y "Gleaner" y dydd o'r blaen bod hi wedi cefnu
ar y *JLP* a throi'n deyrngar i'r *PNP*.' dywedais wrth fy ffrind,
wrth i ni droedio maenoriaeth, distaw fel y bedd, y Tad Zeeks.

'No. Still a JLP. Still Labourite.'

'A'r ardal i'r chwith i ni?'

'*Dat a JLP too. Above dem rooftop deah, yuh inna Tivoli.*'

'Felly dyma'r oll sydd 'na o Matches Lane? Yr un stryd gul yma.'

'*Yeh, but it long, y'know. It a go all a the way up a Beeston Street, back a Orange Street.*'

'Ydy, ond mae hi wedi'i amgylchynu'n llwyr gan ardaloedd *Labourite*. Mae hi fel rhyw ruban bach oren yng nghanol môr mawr o wyrdd. Mae'n siŵr ei bod hi'n hunllef lwyr, ceisio amddiffyn y lle 'ma ar adeg rhyfel.'

'*No. Matches Lane man tuff, y'know. Tuff! Very, very, tuff!*' atebodd y dyn bach, gan guro'i frest esgyrnog yn galed.

Yr unig le yng Ngorllewin Kingston nad oedd wiw i Moses fynd yn agos iddo, medda' fo, oedd geto cadarn PNP Hannah Town.

'Pam hynny?' gofynnais. Am nad oedd ei chadfridog wedi arwyddo cytundeb heddwch *Bring Back the Peace* 1998, esboniodd.

'Beth am y treflannau sy'n benna'n Sosialaidd? Jungle, Waterhouse a Trench Town?'

Dim problem o gwbl.

'Y rhannau *PNP* o Rema a'r hanner ucha' o Rose Town?'

Yr un peth.

Roedd hi'n ddu fel y fagddu ym mhobman ar ein taith drwy rannau ymylol Tivoli Gardens, Rema a Jones Town. Welais i fawr ddim, heblaw am amlinellau tai ac adeiladau, ac ambell gysgod yn brysio heibio. Newidiodd pethau'n llwyr wrth i ni gyrraedd canol Denham Town, sydd wedi'i oleuo'n gymharol dda.

'No batty man, no funny man, no sodomite coulda ever deh 'pon
wi corner
Pure ghetto yout' siddung an' a hol' up one vibe, chalice dem a
light 'pon the corner
Dat mean if a guy ever violate, den 'im woulda never see another
night 'pon the corner
No boy coulda ever try molest no 13 year old 'pon the corner

*No guy coulda ever try fe pick the don bills-fold 'pon
the corner . . .'*
Mega Banton & Delly Ranks – *"Pon We Corner.'*

Yn y cysgodion ar dopia Chesnut Lane, roedd hanner dwsin o
lanciau yn eistedd ar ben wal yn rhannu *spliff*. Wrth i ni fynd
heibio ŋhw, clywais un ohonynt yn yngan y gair *white* mewn
llais syn. Digwyddodd yr un peth yng ngheg Regent Street, lôn
Moses. Hanner can llath i lawr y stryd, trawsom ar hen fachgen
yn gyrru praidd mawr o eifr i'r 'parc'. Ac ychydig ymhellach
ymlaen, criw o hen stejars yn chwarae dominos ar y palmant, a
dwy ddynes ifanc yn cael trin eu gwallt yng nghanol y ffordd.

'Moses, pam nad yw'r holl dai yma wedi eu cwblhau?'
holais, gan syllu o fy nghwmpas ym mhob man.

'*Dem been like dis from long, long, time, y'know. From when Mr
Manley start come into power. Housin' scheme jus' 'bout fe get
complete when Mr Seaga a lose the Election,'* eglurodd.

'Felly, cyn gynted ag y cymerodd Mr Manley y llyw,
rhoddwyd y gorau i weithio ar yr holl gynlluniau tai oedd yn
cael eu hadeiladu mewn ardaloedd *JLP* ar unwaith, a sianelwyd
yr arian i gymunedau *PNP*?' gofynnais, er mwyn bod yn gwbl
siŵr o'm pethau.

'*Dat right, man!*' ebychodd y dyn bach, gan stopio'n stond a
phwyntio at y pella o'r bocsys concrid bychain o'n blaenau. '*Dat
'ouse deah, dat a wheh me live,'* cyhoeddodd. '*Me done buy it. Me
own it, y'know,'* datganodd â balchder, cyn cydio yn fy mraich a
'nhywys tuag at ddrws ei dŷ.

Dwy gadair bren wedi gweld dyddiau gwell, bwrdd coffi
top gwydr, teledu lliw rhad â llun fel storm eira, a *what-not*
simsan, cwbl amddifad o ornaments.

'Duwcs, lle braf gen ti!' sylwebais yn galonnog.

'*Yes, man!*' cytunodd y perchennog, gan guro fy nghefn yn
galed mewn diolch. Y munud hwnnw daeth twrw traed bach yn
rhedeg i lawr y grisia o du draw i'r llen o rhubanau plastig
amryliw yn gwahanu'r gegin o'r lolfa. '*It a me elder daughter*

pickney. She 'ave t'ree,' gwenodd yr hen Foses o glust i glust wrth syllu'n garuaidd ar ei ddau wyres dlws a'u mwrddrwg o frawd bach.

Roedd y genethod, dwy o bethau bach selog o gwmpas wyth a deg oed, yn ôl reit. Ysgydwont law â mi a fy nghyfarch â *'good evelin'* bach swil. Ond roedd y bachgen pedair oed yn crynu a sgrechian crio mewn ofn. Plygais ar fy ngliniau a cheisio'i gysuro. Ond gwnaeth hynny o'n saith gwaith gwaeth.

'It a yuh skin colour. 'Cept 'pon TV, 'im nevah seen a whiteman before,' chwarddodd Taid, gan gwmanu a chodi'i ŵyr bach ofnus i fyny yn ei freichiau. *'Yuh know sump'm? Yuh behavin' like a big baby,'* pryfociodd y crwtyn, a ddechreuodd wenu a dŵad at ei hun yn ara deg. *"Dis one father, 'im a don y'know. An' the two lickle gyaal dem,'* meddai Taid, gan droi ataf a dangos ei ddiflastod at y ffaith drwy dynnu wyneb y diawl. Allith Moses ddim dioddef unrhyw fath o *badmanism.* Na gynnau – 'tŵls Satan', fel fydd o wastad yn cyfeirio atynt – chwaith.

'Don, ia?' gofynnais yn syn.

'Yeah, man. Yuh ever hear a man call Bread (nid ei lysenw cywir), *one a de Denham Town rankin'?'* sibrydodd fy nghyfaill yn fy nghlust, gan gadw llygad gochelgar ar y cyrten plastig gorliwgar ym mhen pella'r ystafell, rhag ofn i fam y plant gerdded drwodd. Nodiais fy mhen yn gadarnhaol. *'Well dis guy Bread nuh,'im a dese t'ree pickney father, y'know.'*

'Iesgob annwyl!'

'Yes, man! Me nah lie!'

'A minnau newydd ypsetio'i fab!' jociais.

'Yuh safe! Nah worry yuhself,' chwarddodd y dyn bach, *'Right about now, Bread 'im over a Inglan'. Deah a London town, takin' care a some business.'*

Erbyn i ni ddychwelyd i'r tŷ â mynydd o gyw iâr jyrc a llond powlen fawr o reis a phys, roedd clamp o ferch hynaf wengar fy mêt wedi ymddangos, ei phen yn llawn o rolyrs, a'i brawd bach, Phillip yn dŵad i lawr y grisiau. Pan ymrithiodd y creadur sombïaidd drwy'r cyrten plastig, ei soseri o lygaid mawr gweigion bron â neidio allan o'i ben, cefais sioc ar fy hyd. Cefais sioc fwy byth pan ddatgelodd ei dad mai *obeahman* oedd yn gyfrifol am droi'r creadur – cyn-joci llwyddiannus a thrydanwr cymwys – yn llanastr corfforol ag oedran meddyliol fawr hŷn na'r hogyn bach yn swatio'n dynn tu ôl i goesau'i daid.

'Any person who, to effect any fraudulent or unlawful purpose, or to frighten somebody, or to gain, pretends to use any occult means, or pretends to possess any supernatural power or knowledge, is liable to imprisonment with, or without, hard labour for a period not exceeding 12 months. When convicted, the accused may also receive a flogging . . .'

Dyfyniad o Ddeddf *Obeah* a *Myalism Jamaica.*

Mae miloedd o offeiriaid *obeah* – disgynyddion uniongyrchol i ddynion hysbys Affrica – yn Jamaica. Cyfartaledd o dri ym mhob cymuned, yn ôl y sôn. Ym mhlwyfi Portland, St Mary a St Thomas mae'r gorau i'w cael; y rhai sydd â galw mawr am eu gwasanaethau, y rhai sy'n denu Jamaicaidd alltud o bedwar ban byd ac yn ennill chwech, saith, ac wyth miliwn doler JA yr wythnos. Yn ôl yr hen gred Ashanti, mae gan bob bod dynol ddau enaid. Yn dilyn marwolaeth mae un yn mynd yn syth i'r nefoedd, ond mae'r llall, yr *obayi*, neu ysbryd maleisgar, yn aros ar y ddaear. Gadewch lonydd iddyn nhw, meddai'r sôn, a wnaiff y *duppies* daeargaeth yma ddim niwed i chi. Dim ond pan mae *obeahman* yn mynd i'r afael â hwynt maen nhw'n troi yn greaduriaid drygionus. Er bod ymarfer y gelfyddyd ddu yn dal i fod yn anghyfreithlon yn Jamaica, does yr un dyn hysbys yn y wlad wedi cael ei erlyn ers dros ddeng mlynedd, bellach.

Yn ogystal â meddu ar y gallu a'r wybodaeth i gocsio dypis i weithredu er budd, neu anfantais, bodau dynol, ac i chwalu hud dynion *obeah* eraill, mae *obeahman* tra medrus yn gallu 'dwyn cysgod' person, hynny yw, dal ei ysbryd yn nhir neb, hanner ffordd rhwng byw a marw. Pan fo hyn yn digwydd, yr unig un sydd ganddo obaith o adennill cysgod y sombi, a thrwy hynny rhyddhau'r truan o grafangau'r swynwr, yw'r *myalman* – dyn hysbys da, fel petai. 'Dach chi di'ch witsio? Pum trochiad mewn bath yn cynnwys gwaed colomen, plu ceiliog, llwch esgyrn a hanner dwsin o olewau cyfrinachol – yn hysbys i'r *obeahman* yn unig – ac fe dorrir yr hud yn ddi-lol. I rwystro tyst dros yr erlyniad rhag tystiolaethu yn eich erbyn mewn achos llys, rhoddwch lyffant â'i geg wedi'i selio'n dynn â chlo clap tu allan i ddrws swyddfa'r barnwr a ddywed o'r un gair o'i ben yn eich erbyn. Gwell byth, os sugnwch nytmeg, neu damaid o leim, yn ystod yr achos, cewch adael y llys yn gwbl ddi-gosb. 'Dach chi'n cael trafferth cael fisa i'r Unol Daleithiau? Yn ysu i briodas eich ffrind gorau chwalu, er mwyn i chi gael eich hen ddwylo budr ar ei wraig brydferth? Neu'n gyw-gangster sy'n awyddus i fod yn anorchfygol, fel 'Dudus' a 'Zeeks'? Gwnewch apwyntiad i weld *obeahman* ac fe wireddir eich dymuniadau. Yn ffiaidd gan y Rastaffariaid ac yn destun gwawd i drigolion 'soffistigedig' *uptown*, i'r Jamaiciaid gwledig ac i'r dioddefwyr dinesig a orfodir i dreulio'u bywydau mewn trefi cytiau, mae *obeah* yn taro ar y drwg a'r da.

'*Moses deh, 'im seh yuh a helectrician, like me,*' meddai Phillip yn betrus, gan eistedd i lawr gyferbyn â mi a helpu'i hun i damaid o gyw iâr.

'Na, wedi camgymryd mae o. Leinsman ydw i . . . neu'n hytrach, oeddwn i.'

'*Oh,*' dwedodd, gan syllu'n ddifynegiant arnaf.

"*Til me get sick me use fe work all over Jamaica, y'know. May Pen, Negril, Clarendon, Mo' Bay . . .*' meddai, yn wyllt y tro hwn, '*An' 'fore dat me a jockey. A whole heap a big race me win . . .*' Heb drafferth aros i orffen y frawddeg, cododd Phillip ar ei draed a rhuthro i ffwrdd.

"*Im sick, y'know,*' dwedodd Hortense, ei chwaer fawr, gan ysgwyd ei phen yn drist.

'*Yeah. Sick, sick, man. 'Im real sick,*' adleisiodd ei thad, gan godi'i law at ei ben a gwneud ystum sgriwio â'i fynegfys.

'Be' ddigwyddodd iddo, 'dwch? Cael chwalfa nerfol wnaeth y creadur?' holais.

'*No. Obeahman steal 'im shadow.*' atebodd Hortense. "*Im 'ave 'im eye 'pon dis young gyaal,*' eglurodd Moses, '*an' 'im bes' frien' 'ave 'im eye 'pon her too. So fe stop Phillip link up wid her, 'im frien' 'im go a obeahman 'an get 'im fe steal Phillip shadow. 'Im was jealous, y'know. 'Cause Phillip use be a good lookin' boy.*'

Y munud hwnnw brathodd Phillip cynhyrfus drwy'r cyrten plastig, ei hafflau'n llawn o rosedau, medalau, capiau a chrysau joci, a llyfrau lloffion yn cynnwys llond gwlad o ffotograffau ohono fo â pherchnogion ceffylau rasio gwengar. Y rhan fwyaf wedi'u tynnu ym mhrif gae rasys Jamaica, Caymanas Park.

Ar ôl hercian a baglu trwy ali dywyll bitsh, a straffaglu dros lun o ffens oedd yn amgáu gardd gefn gyfyng fy nghyfaill, troesom i'r chwith a cherdded ar hyd llwybr bach tyllog, rhwng dwy resaid o furiau uchel wedi'u gwneud o sinc. Stopiodd Moses yn stond wrth ddrws melyn a rhoi andros o floedd. Mewn fflach, taflwyd y ddôr ar agor ac fe gamodd y tri ohonom i iard gefn brysur 'Joiner'.

Wrth i mi gerdded draw at y cwt mawr pilerog ym mhen draw'r ardd, lle'r oedd Moses yn sgwrsio â dau ddyn canol oed, ymddangosodd dwy eneth fach yn llusgo llond drymiau plastig mawrion o ddŵr yfed ar eu holau o ganol clwstwr o balmwydd coco.

'Sut 'dach chi heno, genod?' gofynnais iddynt.

'*Fine, thank you sir. How are you?*' oedd yr ymateb cwrtais.

'*Yes! Greetin's. Pleased to meet you. Welcome to Denham Town,*' meddai'r gwneuthurwr dodrefn. Roedd hi'n amlwg o'r holl siafins ar ei ddillad a'r bensel saer dew wedi'i gwthio trwy wallt ei ben mai hwn oedd 'Joiner'.

'*Yes, man! Respec'!*' eiliodd 'Coco', dyn bychan, pen hollol foel, â gwên barhaol ar ei wyneb. Roedd gweithdy ein gwesteiwr yn llawn dop o amrywiaeth mawr o ddarnau deniadol o ddodrefn wedi'u gwneud o bren prydferth y goeden *blue mahoe*. A dyma eistedd i lawr ar yr hen gadeiriau a'r stolion i aros am Phillip, oedd wedi cael ei yrru i'r bar rownd y gornel i nôl diodydd i ni.

Gwnaeth Phillip druan lanast go iawn o'r ordor gyntaf. Roedd fy mhoteli o Heineken i yn 'boeth', yn hytrach nag oer, *Guinness* Moses a *Red Stripe* Joiner yn oer, yn hytrach nag yn 'boeth', ac roedd Coco wedi cael cwrw du Gwyddelig yn hytrach na'r stowt lleol, *Dragon Stout!* Pan ddychwelodd Phillip o'r bar â'r archeb iawn, trawyd hen dâp system sain yn y chwaraewr casétiau a daeth y cwpanau cymun a'r mariwana allan. Er mwyn imi gael golwg agos ar bethau, codais a mynd i sefyll wrth ysgwydd Moses.

> *'Gi' me the Sinsemilla, the Ki-ki, the Ice, the Cambodia*
> *Gi' me the Lamb's Bread an' mek me run dat red!*
> *Let me stuff up me chalwa* (cetyn dwr), *me telephone*
> *chalwa wid Sinsemilla*
> *An' trod an' blow ganja smoke an' mek Babylon choke!*
> *An' chant seh; Dis yah Sinsemilla was not found in a cave*
> *Sinsemilla was found on King Solomon's grave*
> *Sinsemellia make I brave*
> *Sinsemilla open up my eyes an' mek me realize*
> *dat FIRE 'AVE FE BLAZE! . . .'*
> D.Y.C.R. a Natural Black – *'Healing of the Nation.'*

'First t'ing yuh do, you pull off the kutchie (y gwpan dal baco) . . . *like so.'* meddai'r dyn bychan yn addysgiadol, *'Den you pull out the rubber seal . . . an' pour col' water inna the coconut – 'bout t'ree quarter a the way up. Seen?'*

'Ydw.'

'Den after you finish put the water in, unno stuff the seal back inna the 'ole, den yuh ram the kutchie dung 'ard 'pon top a it – mek sure it real tight. Den you tek out the hose . . . an' blow t'rough it . . .'ard . . . fe mek sure dat it nah block up. Den, after yuh finish mek sure the hose it a clean, yuh fill up the kutchie . . . all the way up a the brim . . . wid high grade. If pure high grade too strong fe you, yuh can mix it up wid shag.'

161

'Ac yna i ffwrdd â ni!'

'*No, man! It nah ready yet! 'Fore you blaze up the chalice unno 'ave fe bless it. Seh a few words a t'anks an' praise to the Mos' High,'* bloeddiodd Coco o du mewn y cwt.

Wedi i'r tri hen gyfaill godi'u *chalices* tua'r nefoedd a llafarganu ychydig o eiriau o fawl i'r Diddanydd, daeth yn amser i'w fflamio. Ymhen hanner munud o'u cynnau, roedd pawb a phopeth o gwmpas y cwt wedi diflannu'n llwyr mewn cymylau mawr o fwg persawrus. Fe'm synnwyd i weld cyn lleied o amser gymerodd hi i smygwyr *high grade* rhonc fel Coco a Saer syrthio dan ddylanwad y perlysiau. O fewn chwarter awr iddynt gymryd eu pwff cyntaf, roedd y ddau'n gorweddian yn llipa yn eu cadeiriau, fel pâr o bypedau mawr, di-linyn. A'r hen Foses? Doedd o ddim tamaid gwaeth. Roedd o fel dyn wedi'i weindio. Yn cydganu â'r miwsig ac yn dawnsio'n ei unfan. Bob tro y cyfeiriai un o'r *DJs* ar y tâp at y Goruchaf, stopiai'n stond, a chyda gwên fawr dddantrwth ar ei wyneb, bloeddio '*Jah Rastafari!*' i'r entrychion.

'*Here, me 'ave a lickle gif' fe yuh,*' meddai Saer yn swil, pan ddaeth yn amser mynd adref. '*Coco mek it fe yuh dis mornin'.*' mwmiodd, wrth iddo'n hebrwng at y ddôr. Agorais y cwdyn ar fy union a sbïo oddi mewn.

'*Coconut chalice*, myn diawl i!' ebychais, wedi cynhyrfu'n lân.

'*Yes, man!*' chwarddodd Moses, '*Every time yuh a go lick it, yuh mus' 'member all a yuh frien' dem dung a Denham Town.*' 'Taswn i wedi cael fy nghyflwyno â'r allwedd i ddinas Kingston, neu P.J. Patterson wedi fy anrhydeddu â'r teitl 'Arwr Cenedlaethol Jamaica', faswn i ddim wedi bod fymryn yn hapusach. Am eiliad, bu 'nheimladau bron â mynd yn drech na mi.

Yn fusnes bawaidd ar y diawl, yn beth uffernol o ddiraddiol i'r ferch, ac yn sarhaus i'r ddau berson, os oes un peth sydd gas gen i, yw merched ifainc o'r getos yn defnyddio'i prydferthwch, eu rhywioldeb a'u hieuenctid i drio hudo hen ddynion fel fi oddi ar y llwybr cul er mwyn arian. Choeliech chi ddim faint o weithiau mae'r peth wedi digwydd imi dros y pedair blynedd diwethaf. Ar ein ffordd yn ôl i gartref Moses, arhosom am funud i sgwrsio â dwy bishyn ifanc yn trin gwallt cyfaill iddynt ar y palmant, union gyferbyn â gweddillion dau dŷ wedi'u llosgi'n gols gan fomiau petrol criw o ddrwgweithredwyr o Rema.

'*Where yuh from?*' holodd yr hyna'r olwg â gwallt byr wedi'i lifo'n frown.

'Cymru.'

'*How yuh like Denham Town?*'

'Wrth fy modd yma.'

'*Yuh nah t'ink me pretty?*' gofynnodd yr hudoles, gan roi ei llaw ar waelod fy nghefn.

'Ydw, prydferth iawn.'

'*Maybe we coulda go a town one night.*' awgrymodd, gan lithro llaw dan odre fy nghrys a mynd ati i fwytho fy nghefn yn y modd mwya erotig.

'Mmmm,' mwmiais.

'*So when yuh comin' dung again?*' holodd wedyn, gan fy mesmereiddio â'i dau lygad mawr brown.

'Dwi'm yn siŵr.'

'*Tomorrow night?*' holodd.

'Na, allai ddim nos fory. Dwi'n mynd i Portmore i wylio gêm bêl-droed.'

'*Friday, den.*'

'Dwi'm yn gwybod wir!' atebais, cyn tynnu fy hun yn rhydd o'i gafael a rhuthro ymaith i fyny'r stryd. 'O Moses bach!' erfynais wrth fynd, a chan gydio'n dynn ym mraich fy ffrind, 'Dos a fi o 'ma, wir Dduw, cyn i mi golli arnaf fi fy hun yn lân!' Mae gan hyd yn oed moesolwr cadarn ei derfynau, wyddoch chi.

Yr Wythfed Diwrnod

'Tell me 'ow yuh feel when yuh 'ave yuh meal
An' know some people out 'pon street cyaan find food fe eat
A hungry man is a hangry man!
Me did a tell yuh inna me song from nineteen how-long . . .'
Bounty Killer & Richie Stephens – *'Outcry.'*

Hanner awr ar ôl gadael y gwesty roeddwn i'n ôl yng nghanol hwrli bwrli'r Parêd. Gweld ein bod ni yn y cyffiniau, faswn i'n leicio galw heibio *Randy's*? holodd Zack. A phicio i *Pablo's* ar ôl bod yn *Techniques*? 'Baswn wir!' atebais. 'Hynny yw, os ydi amser yn caniatáu,' ychwanegais â llond fy ngheg o ddŵr glas.

Y fi, myn diawl i, llo cors o Ben Llŷn, mab fenga Tomi a Casi Ifas 'Tan-y-Ffordd', Lôn Uchaf, Morfa Nefyn, yn sefyll yn yr oruwchystafell lle torrodd Augustus Pablo ei ddannedd cerddorol ddeng mlynedd ar hugain ynghynt. Ble lleisiodd y Wailers *'Duppy Conqueror'* ym 1971 a Black Uhuru'u trac cyntaf un ym 1974. A ble recordiwyd sengl *'Cuban Blockade'* ddeifiol y trombonydd athrylithgar, Don Drummond Roedd y peth yn anghredadwy, siŵr Dduw.

Storfa yn cynnwys ugeiniau o filoedd o hen senglau yn dyddio'n ôl i'r 70au cynnar, a chynt, yw stiwdio *Randy's* ers rhai blynyddoedd bellach. O bosib ers 1978, pan ffodd ei pherchennog, y diweddar Vincent *'Randy'* Chin, a'i deulu i Efrog Newydd ble sefydlont VP, cwmni cynhyrchu a dosbarthu recordiau Jamaicaidd mwya'r byd. Wrth gerdded i lawr y grisiau, plymiais fy llaw i un o fy maich o fagia plastig. Copi dilychwin o *'Ring Craft'* y ddeuawd lleisiol, Earth & Stone ar label *Crazy Joe*, *'Something'* gan I-Roy ar label *Impact*, copi, union fel newydd, o *'Burning Fire'* y diweddar Joe Higgs ar imprint *Success*, a fersiwn *white label* o *'Pop-a-Top'* y DJ Andy Capp . . . trysorau celfyddyd, 'ta be! A dim ond deugain ceiniog yr un. Ffracsiwn o'u gwerth yn Lloegr.

Wrth gerdded ar hyd Orange Street wrth gwt Zack, stopiodd cawr ifanc yn ei unfan, tynnu'i sigarét o'i geg a syllu'n fileinig arna i. Profiad anesmwyth iawn. A phan o'n i'n tynnu llun o arwydd difyr a ddarllenai STRICK NO PISS!, ar wal frics, cerddodd criw o lanciau allan o rym bar cyfagos a rhythu fel diawliaid arna'i.

'Sut foi oedd'r hen Duke Reid, Winston? Oedd o gymaint o fastard ag mae Skully'n dweud?'

'Dibynnu ar ei hwylia fo. Weithiau roedd o'n uffern o gês a'r boi gorau yn y byd. Ond ar adegau eraill mi fyddai'n sarrug, pigog a di-hiwmor,' dadlennodd perchennog boliog *Techniques*.

'Roedd Reid yn berffeithiwr heb ei fath, 'sti,' cyhoeddodd Winston, gan lenwi'r pot coffi, 'Arferai gadw gwn twelf bôr mawr yn ei stiwdio. Dwi'n cofio un tro, doedd o ddim yn hapus o gwbl hefo'r ffordd oedd yr hen 'Tin-Leg', y drymiwr, yn chwarae, felly dyma fo'n estyn ei wn a thanio ergyd i'r nenfwd reit uwch ei ben o. Cyn iddo gael cyfle i danio'r faril arall, taflodd 'Tin Leg' druan ei ddrymffyn i'r neilltu a'i bomio hi i lawr y grisiau, allan i'r stryd. A ddaeth o ddim yn ôl tan hwyr drannoeth!'

Mi es innau i chwilenna ymhlith y pentyrrau mawrion o albymau cloriau a senglau 'sbrychlyd oedd wedi'u stacio rywsut-rywsut ar hyd yr ystafell gefn. Er syndod a llawenydd mawr, yn un rhan o'r ystafell roedd tomennydd o hen recordiau *Soul* yn dyddio'n ôl i'r *'days of Soul when Neil Armstrong discovered the moon,'* chwedl I-Roy.

'Dwn i'm be' goblyn sy'n mynd i ddŵad o'r hen hogyn Elwyn gwirion 'ma, Tomi, yr oll sydd ar ei feddwl o ydi miwsig pobol dduon!'

Roedd hi'n iawn hefyd, yr hen greadures. Dyna'r oll oedd ar fy meddwl i, o fore gwyn tan nos. Ers pan oedd fy llygaid i lle mae fy mhen-gliniau i heddiw, chwedl Barrington Levy. Ac felly dwi'n dal i fod o hyd. Ac felly fydda i, gobeithio, nes rhown nhw fi o dan y dywarchen. Peidiwch â gofyn i mi sut ddechreuodd o, beth a gyneuodd y tân. Yr oll dwi'n wybod yw, ei fod, fel fy nghasineb tanbaid tuag at hiliaeth a hilwyr wedi bod hefo mi ers dyddiau Ysgol Nefyn, pan gefais fy nhrawmateiddio gan luniau newyddion o bobol dduon Americanaidd yn cael eu curo'n ddidrugaredd gan blismyn gwyn. Ac ers pan glywais Paul Robeson yn canu *'Ol' Man River'* am y tro cyntaf a Ray Charles yn hysbysu'r byd bod ganddo ddynes, *'way 'cross town'*, oedd yn ffeind iawn, iawn, wrtho.

Roedd yna senglau yno na wyddwn am eu bodolaeth, a recordiau hirion nad oeddwn wedi'u gweld ers pan werthais fy nghasgliad *Soul* anferthol i ariannu fy syched anniwall am recordiau Reggae. Record hir *'At Filmore West'* y sacsoffonydd diweddar o Texas, King Curtis. Oedais funud i drio cofio'i rysáit am *'Memphis Soul Stew'* – hanner llond cwpan de o fâs, pedwar llond llwy fwrdd o gitâr Memphis, pinsiad o organ drydan, pwys o ddrymiau *fatback* a hanner peint o gyrn, os oeddwn i'n cofio'n iawn. Yna *'Queen of Soul'* Etta James, *'Two Steps From the Blues'* Bobby Bland, *'The Iceman Cometh'* Jerry Butler a *'Bound to Happen'* William Bell. Roedd pob un wan jac yn glasur. Yn gopïau gwreiddiol hefyd. A heblaw am y cloriau, mewn cyflwr gwerth chweil. Ar ôl eu rhoi nhw o'r neilltu, yn gyffro i gyd es ati i gloddio gwythïen arall. Ond yna, sylweddolais fy mod i'n gwneud coblyn o gamgymeriad. Doedd wiw i mi ddechrau casglu recordiau *Soul* eto. Mi fyddai'n ormod o lawer o dreth ar ein cyfrif banc. Roeddwn yn gwario gormod o beth diawl, rhwng £150-£200, ar recordiau bob mis fel yr oedd hi. Felly, heblaw am hen LP o amryw artistiaid hynafol – *'Soul Christmas'* ar label *Atco*, rhoddais y cwbwl yn ôl lle y'u cefais.

Wedi i mi orffen tyrchu trwy ddau lond bocs cardbord mawr o hen senglau sefydlydd siop *Rockers International*, sef yr athrylith ymadawedig, Augustus Pablo, es â 'netholiad at y cownter a gofyn i'w frawd Garth, chwarae pwt byr o bob un i mi (mae'n hawdd iawn prynu cath mewn cwd mewn siopau *Reggae*, yn aml iawn mae'r label anghywir wedi'i lynu i'r record, neu mae'n llawn o sŵn hisian annifyr). O fewn dim, cerddodd y criw o lanciau a fu'n rhythu'n hyll arna'i allan ar y stryd i mewn i'r siop a ffurfio'u hunain yn gylch bach tynn o 'nghwmpas.

Doedd dim amdani ond ymostwng yn dawel i fy ffawd. Roeddwn ar fin dechrau gwagio fy mhocedi, pan wthiodd Zack dig ei ffordd trwy'r cylch o ddihirod.

'*Me done know all a yuh a t'ief from when yuh come in!*' meddai'n gas, '*Dat why me been watchin' yuh carefully. 'Dis yah whiteman a me breddah, y'know.*' aeth ymlaen. '*Unno know wheh 'im a tarry las' night?*' holodd, gan syllu i wynebau'r llanciau naill ar ôl y llall, '*Deah a Denham Town, flexin' wid Bread family. Listen, mek I gi' yuh lickle warnin', my yout's. Me seh, if unnu touch dis yah whiteman yuh inna big, big, trouble. It nah matter wheh you a go run an' 'ide, Bread an' 'im breddren a go find yuh an' a fix yuh good!*' gwaeddodd. '*Yah 'ear me now?*' bloeddiodd dros y siop ar ben hynny. Nodiodd y llanciau'u pennau'n lloaidd, trodd Garth y sain yn ôl i fyny a gollyngais innau ochenaid o ryddhad. Martsiodd y mygwyr rhwystredig allan heb yngan gair o'u pennau. Roedd yn dda gen i weld nad oedd 'na'm golwg o'r 'ffernols yn unman awr yn hwyrach wrth i ni adael y siop.

Yn yr *Imperial Kish-inn*. '*LOVE THE FISHES OF THE SEA, THE ANIMALS OF THE EARTH AND BIRDS OF THE AIR – DON'T EAT THEM*' darllenai'r faner fawr yn hongian dros gownter y bwyty cysurus, oedd yn llawn dop o Rastaffariaid o bob oedran yn claddu plateidiau mawr o fwyd llysieuol.

Wrth i mi gerdded heibio drws ffrynt adran werthu recordiau *Tuff Gong*, clywais rywun y tu mewn yn gweiddi fy enw. Pwy oedd yno ond Carl, un o'r *Bobo Dreads* a gyddeithiodd â ni o'r *Rebel Salute*. Sôn am groeso. Roedd hi o'r pwys mwya mod i'n dal 'Poogie', gwneuthurwr stampars *Tuff Gong*, i drefnu lifft i gem bêl-droed yn Portmore cyn iddo gychwyn adref yn brydlon am ddau o'r gloch. Felly gofynnais iddo fy esgusodi. '*Wheh dat deh whiteman come from?*' clywais un o gyfeillion Carl yn gofyn iddo fel o'n i'n cychwyn brasgamu am y *pressing plant*. '*Inglan',*' atebodd y Bobo tal. '*Inglan'? A lie yuh a tell! Boy, me a tell you, seem to me like 'im nah 'ave nothin' inna 'im name Inglan'.'* ebychodd ei gyfaill. *'Eh? 'Ow you mean nuh?'* rhochodd Carl. *'Yuh nah see 'ow 'im unnerstan' patwa so?'* daeth yr atebiad. *'Bombo claat!'* rhegodd y llanc dan chwerthin, *'Is jus' like inna Jamaica 'im born an' grow!'* Dyna ichi be' dwi'n ei alw'n homar o anrhydedd.

* * *

Me go – dwi'n mynd!
Me a go – rydwyf yn mynd
Me a go go – rwyf i am fynd
Me done go – mi fûm
Y ferf 'mynd', yn yr iaith Jamaicaidd.

Ar ddechrau'r 70au, blwyddyn neu ddwy cyn i *Reggae* droi'n gyfan gwbl ddiwylliannol, defnyddiai'r rhan fwyaf o'r DJs cynnar rhyw dwang Americanaidd chwydlyd i leisio'u recordiau. Diolch i Dduw, aeth yr arferiad diraddiol yma'n angof gyda dyfodiad miwsig ymwybodol, ac fe ddaeth iaith *patois* ddifyr, ddyfeisgar a chynnil gwerin bobl y wlad i fri.

Lobscows ieithyddol sydd, fel miwsig *Dancehall*, yn esblygu'n barhaol yw *patois*. Cymysgedd o Saesneg adeg caethiwed, geiriau Affricanaidd a Sbaenaidd, bratiaith y geto a slang y Rastaffariaid. Ers canol y 1970au, pan fwriont din yr iaith Saesneg dros ei phen, drwy newid rhagddodiaid pob math o eiriau (fel yn achos *liv[ded]icate, outer[inter]national, down[op]pressor,* ac *over[under]stand,* ac ati), gan ychwanegu'r rhagenw I hollbwysig i nifer o eiriau'r iaith â chynodiadau hunanol, neu negyddol, iddynt *(i[u]niversal ac i[u]nity, i[con]tinually, i[en]durance, acg i[o]fficially),* mae dylanwad y Locsmyn ar *patois* wedi lleihau gymaint dros y blynyddoedd i'r graddau nad yw'n bodoli bellach. Erbyn hyn, sêr ifainc byd y *Dancehall* sy'n cyflenwi'r rhan fwyaf o'r hanner llond geiriadur o eiriau newydd sy'n gwthio'u ffordd bob mis i'r iaith bob dydd.

Ynghyd ag arferiad y Jamaicaid i anwybyddu grymuseiriau,

enwau lluosog, rhagenwau ac ôl-ddodiaid, ac i ollwng eu ŵau, haitshis a llythrennau t ar bob llaw (a'u hail-cyflwyno mewn llefydd gwbl annisgwyl; o flaen y geiriau *(h)actor, (h)onions* a *(h)enemies,* er enghraifft). A'u tuedd ddoniol i drawslythrennu ar antur (fel yn achos *film – flim, ask – aks, desk – deks, violence – voilence,* ac ati), nid yw'n syndod bod yr anghyfarwydd, y diddychymyg a'r diog yn cael gymaint o drafferth deall yr iaith. Yn wahanol i'r Gymraeg, am nad yw'r iaith Jamaicaidd – sy'n drysorfa o idiomau a gwirebau diddorol – wedi'i ffrwyno gan reolau gramadegol llym, gan gyfyngiadau cystrawennol a chan reolau sillafu, cewch ei siarad a'i hysgrifennu fel y mynnoch. Tan yn gymharol ddiweddar iaith lafar yn unig oedd *patwa,* ond erbyn heddiw mae wedi datblygu i fod yn iaith ysgrifenedig hefyd.

* * *

Ym mhencadlys Beres Hammond daethom ar draws y canwr Glen Ricks, a ddefnyddiodd ei fariton chwerwfelys i leisio llond trol o ganeuon serch hyfryd i labeli Capten Sinbad, 'Fattis' Burrell, Sly a Robbie, Bobby Digital, a myrdd o gynhyrchwyr eraill, tua degawd yn ôl. Go brin y bydd o'n mynychu'r un stiwdio yn y dyfodol agos. Yn gaeth i grac cocên ers i fiwsig *dancehall* cyfrifiadurol fynd allan o ffasiwn yng nghanol y 90au, roedd o'n edrych fel angau eildwym.

Os achosodd colli poblogrwydd i Glen Ricks droi at gyffuriau, sut fasa fo wedi dod i ben â thrasiedi go iawn? Beth fasa fo wedi'i wneud 'tasa fo, fel Paul Elliott, wedi gweld dau o'i frodyr ieuengach yn cael eu saethu'n farw reit o flaen ei lygaid un gyda'r nos? Ac wedi bod yn dyst i lofruddiaeth ei fam pan ailymwelodd yr un ddau *shotta* ffiaidd â'i gartref ddwy flynedd wedyn?

'Tell me what yuh views when you watch the news? . . .' Gwnaeth criw newyddion *TVJ* apêl ar y genedl am gadair olwyn ail-law i ferch fach methedig ffermwr Rastaffaraidd tlawd o blwyf St

Catherine. Gwyliais luniau ingol o'r hen fachgen yn llwyo cawl i geg lafoeriog ei eneth fach dlws. Dangoswyd lluniau gwefreiddiol o'r tad a'r ferch yn derbyn cadair olwyn drydan, newydd sbon danlli, gan ryw gymwynaswr anhysbys o Kingston ar newyddion pump TVJ nos Fercher. Ond pylu wnaeth fy ngorfoledd pan ddangoswyd lluniau o gynhebrwng 'One-ey', y mwya enwog o dair mil o blant y stryd Kingston, ac fe'm llethwyd gan hwrdd o dristwch.

Cyn dangos lluniau torcalonnus o'i gyfoedion dilety yn cario arch fechan y bachgen stryd ungoes at y bedd, rhedodd y cwmni teledu hen ffilm archifol o'r crwtyn yn DJ-io, nerth esgyrn ei ben, ar bwys yr hen glocdwr yn Half Way Tree Square. Bounty Killer oedd arwr mawr 'One-ey'. DJ, fel ei eilun Rodney Price o Riverton City, oedd o am fod pan dyfai i fyny, dywedodd wrth y newyddiadurwr, gan wenu fel cath. Ond nid felly y bu. Wrth wneud ei ffordd ar draws un o strydoedd prysur New Kingston ar Ionawr y 15fed, fe'i pladurwyd gan lorri gymalog ac fe'i lladdwyd yn y fan a'r lle. Wrth i'r sylwebydd ddechrau enwi rhai o'r ugeiniau o wleidyddion, pregethwyr, a chrachach amrywiol a dyrrodd i angladd 'One-ey' i wylo dagrau nionod o flaen y camerâu teledu, codais ar fy nhraed a diffodd y teledu. Hanner awr wedi chwech, bron i'r eiliad, stopiodd Toyota mawr gwyrdd tywyll tu allan i'r dderbynfa. Roedd ei ffenestri wedi'u duo. Llithrodd y ffenestr ochr teithiwr hanner-ffordd i lawr.

'Mr Evans?' gofynnodd llais dwfn o du mewn.

'Mr Edwards?' gofynnais innau'n ôl.

'Ia, neidia i mewn,' meddai llywydd ifanc C.P.D. Naggo Head, yr ardal drws nesa i Braeton yng nghlymdref Greater Portmore.

* * *

Cynllun sgwarog, strydoedd llydain, canolfannau siopa modern, a miloedd ar filoedd o dai blocs bach gwyngalchog wedi'u hamlinellu gan erddi twt . . . croeso i Portmore, plwyf St Catherine. Milton Keynes trofannol – ac iddo enaid. Er i'r

Greater Portmore Development Company gael ei sefydlu cyn belled yn ôl â 1965, yn anterth ymfudo'r tlodion i Kingston, yn 1981 y cychwynnwyd ar y gwaith o ddatblygu 15,000 o gartrefi incwm-canol ar safle'r 27,000 o aceri o gorstir ar odre'r Hellshire Hills. Dros yr ugain mlynedd diwethaf mae tref Portmore wedi tyfu'n aruthrol. Dau ddegawd yn ôl cwta 80,000 o bobol oedd yn byw yno. Erbyn heddiw mae'r ffigwr wedi cynyddu i dros hanner miliwn. Gan fod y mwyafrif llethol o'i thrigolion yn gweithio yn y brifddinas – bymtheg milltir i ffwrdd – mae problemau traffig cythreulig yno. Rhwng chwech a naw o'r gloch y bore a phedwar y prynhawn a saith o'r gloch yr hwyr, mae hi'n fedlam llwyr o fewn cylch deng milltir i'r lle. Mae sôn y bydd Portmore wedi goddiweddyd Kingston fel ardal drefol fwya poblog Jamaica cyn diwedd y degawd presennol. Faint fydd hi os gwn i, cyn i'w chyfradd troseddu ennill y blaen hefyd? Ddim cymaint â hynny, yn ôl datganiad diweddar gan yr Uwch-arolygydd Reneto Decordova Adams, pennaeth carismatig yr anfad *Crime Management Unit*, cyflawnwyr dwn i ddim sawl lladdfa gyfreithlon erchyll.

> '*Dem get me grieve, dem get me grieve*
> *Seven man dem kill an' not even one leave*
> *Seven man dem kill an' dem a talk 'bout a shoot-out*
> *How dem a kill seven man inna one house? . .'*
> Elephant Man & Risto Benjie – '*Get Me Grieve*'

Mae stori'r lladdfa yn rhif 1088, Fifth Seal's Way, Phase 3, New Braeton, yn cychwyn â llofruddiaethau ciaidd Dwight Gibson, heddwas 39 mlwydd oed, a Dennis Betton, swyddog tollau ac ecséis wedi ymddeol, yng ngorsaf heddlu Above Rocks, pentref bychan wyth milltir i'r gogledd-orllewin o Portmore, ar Fawrth y 1af, 2001. Wrth i'r llofruddion adael, defnyddiodd un ohonynt y rifolfer oedd newydd ei gipio o wain Cwnstabl Gibson i anafu dynes ganol oed oedd yn digwydd cerdded heibio ar y pryd.

Naw o'r gloch yr hwyr, 13eg Mawrth, yn unol â'i arfer roedd

Keith Morris, prifathro poblogaidd Ysgol Gynradd Hartlands, Portmore, yn chwarae dominos gyda thri o'i ffrindiau yn ei hoff rym bar yn Old Braeton, pan ruthrodd criw o lanciau arfog i mewn a mynnu arian gan y tafarnwr. Wedi dychryn am ei fywyd, neidiodd Morris ar ei draed a'i gwadnu hi drwy'r drws. Ond fe'i dilynwyd gan un o'r llanciau a, chyda rifolfer y diwedd'ar Cwnstabl Gibson, saethodd y tad i chwech o blant bychain yn gorff. Ar ôl iddynt ysbeilio til y dafarn a gorffen gwagio'i silffoedd o gwrw, prynodd y dihirod fynydd o bysgod wedi'u ffrio a reis a phys o stondin fwyd poeth, a mynd am barti i rif 1088, Fifth Seal's Way – cartref Tamayo Wilson, arweinydd honedig y giang.

Roedd hi'n dywyllwch dudew yn y tŷ bach concrid, dwy lofft, pan gyrhaeddodd dialedd, ar ffurf modurgad o jîps *Pajero y Crime Management Unit*, geg lôn bengaead Fifth Seal's Way am chwarter i bump fore drannoeth. Llithrodd y deg ar hugain o blismyn o'u cerbydau heb smic, ac ar ôl derbyn cyfarwyddyd byr gan yr Uwch-arolygydd Reneto Adams, sleifio tuag at rif 1088, a'i amgylchynu.

Ychydig o funudau wedi pump, dychrynwyd Claude Mills, cymydog Tamayo Wilson a gohebydd â'r *Daily Gleaner*, o'i gwsg gan sŵn saethu. Neidiodd ar ei draed a rhedeg at ffenestr y llofft. Fel oedd o ar fin sbecian drwy'r cyrtens, drwy'r wal denau, o drws nesa, clywodd lais cynhyrfus gwryw ifanc yn yngan y geiriau: *'Officer, officer, me nuh know! Officer, officer, nuh kill me!'* Safodd yn stond, wedi'i ddelwi gan ofn. Toc, clywodd ergydion. Yna, munud neu ddau o ddistawrwydd llethol, a ganlynwyd gan lais uchel yn coethi gorchmynion.

'Whoy! Nah kill me. Mama, dem a go murder me!' llefodd Ronald 'Reagan' Beckford, pymtheng mlwydd oed, eiliadau cyn i ddeuddeg ergyd agos i'w gefn ganu'i gnul. Rhwng pump o'r gloch a deunaw munud i chwech nododd Claude Mills eiriau diwethaf pedwar llanc arall. Yr olaf iddo glywed yn erfyn am ei fywyd oedd Andre 'Gallus' Virgo, ugain oed. *'Help me nuh, breddah. Whoah! Me a beg unno. Nah mek dem kill me!'* ymbiliodd y

gŵr ifanc ar rywun, cyn i rifolfer ei ddienyddiwr goethi'n gas a rhoi taw arno.

Pan fynnodd y plismyn fynediad i rif 1088, Fifth Seal's Way, taniwyd arnynt ugain o weithiau o ffenestri ffrynt y tŷ – meddan nhw. Mae'n rhaid bod y llanciau oddi mewn yn saethwyr difrifol, oherwydd ni ddioddefodd yr un heddwas a gymerodd ran yn y weithred gymaint â sgriffiad. I ble'r aeth yr holl fwledi a saethodd yr *youthmen*? Ni threiddiodd yr un ohonynt na modur na choeden, na mur na ffenestr yr un o'r tai y ddwy ochr i'r stryd. Yn ôl yr heddlu roedd pob un o'r *'Braeton Seven'* yn ddrwgweithredwr adnabyddus. Ond yn rhyfedd iawn doedd gan yr un ohonynt hanes o droseddu. Ac os lladdwyd y saith glaslanc mewn coblyn o ysgarmes ynnau, sut felly bod pob un o'r un ar bymtheg o dyllau bwled i'r pen, neu i'r wyneb, a ganfu'r patholegydd yn ystod ei archwiliadau post-mortem wedi'i gylchu gan hoel deifio mawr? Ym mha fodd y tyllwyd penglogau pump ohonynt gan ergydion o'r tu ôl? A pham na ddefnyddiwyd menig i drin y pedwar gwn llaw tybiedig a ddarganfuwyd yn y tŷ? Ofer yw chwilio am yr atebion yn adroddiad terfynol y Comisiwn Cyfiawnder a wnaeth ymchwiliad swyddogol i'r gyflafan. Gwyngalch oedd o. Doedd hi ddim yn syndod o gwbwl imi pan dorrodd y newydd bod y Comisiwn wedi canfod nad oedd unrhyw fai ar yr Uwcharolygydd Reneto Adams a'i *Crime Management Unit*.

* * *

Roedd hi'n agos ar y naw. Ond Portmore gurodd o un gôl i ddim yn y diwedd.

Fe'n hebryngwyd i lawr y lôn gefn dywyll bitsh yn arwain i gwt sinc Bwyty Pysgod Auntie Lou gan yr o eifr y bwyty yn dychwelyd o grwydr bach cyn amser gwely. Pan eisteddom i lawr o gwmpas bwrdd mawr crwn rhwng dwy hen goeden fango, daeth myn bach selog a phwyso'i ben ar fy nglin i. 'CÂR HOLL BYSGOD Y MÔR, ADAR Y NEFOEDD AC ANIFEILIAID

Y DDAEAR – PAID Â'U BWYTA' cofiais yn sydyn.

Cês ar y naw oedd yr hen Auntie Lou. Llond gwely dwbl o ddynes, ymhell dros oed yr addewid, â dwy fodrwy aur, gymaint â chylchoedd hwla, yn hongian o'i chlustiau meinion. Roedd Patience, ei chwaer fach a'n gweinyddes, yn dipyn o gymeriad hefyd.

''Ow 'bout you an' me go fe a lickle walk after yuh finish your meal, darlin','' awgrymodd, ar ôl sodro plat mawr enamel yn cynnwys pysgodyn rhost, hanner dwsin o *Scotch bonnet peppers*, pentwr o ocra, ac fel mae hi ryfeddaf, pedair crîm cracer, o fy mlaen.

'Mae'n dibynnu a ydi Michael, sy'n rhoi lifft i mi'n ôl i dre, mewn brys i fynd adref neu beidio,' atebais, gan dynnu wyneb cogio-chwantus.

Er imi wneud fy ngorau glas i'w lywio i gyfeiriad miwsig, â fy mhum cwmnïwr i gyd yn gyn-bêl-droedwyr lled-broffesiynol, glynu at y 'gêm fendigedig' wnaeth y sgwrsio ôl-giniawol. Nid bod gymaint â hynny o ots gen i, a bod yn onest. Dwi'n ddyn ffwtbol mawr fy hun. Neu mi o'n i, cyn i deledu '*Sky*' ddwyn enaid y gêm, cyn i glybiau pêl-droed Prydain fynd yn gaeth i'r byd masnach a chyn i'w chwaraewyr maldodus droi'n hŵrs crafangus. P'run bynnag, chwarter i ddeg, ffarweliom â'n dwy hen westeiwraig hwyliog a'i throi hi tua thref.

Ganllath i fyny'r lôn o ble gollyngom 'Poogie' a Charlie, arafodd Michael y car a phrynu dau lond corn papur o gnau cashiw gan *vendor* ifanc.

'Wyt ti mewn brys i fynd adref, Mr Ifas?' holodd y gwerthwr peiriannau tymheru boliog, gan roi arwydd i'r llanc ifanc i gadw'r newid.

'Duwcs, na 'dw,' atebais yn synfyfyriol, wrth syllu ar lifoleuadau carchar Fort Augusta yn pefrio ar Mosquito Point.

'Dwi eisio picio i dŷ Tony Rebel am funud ar y ffordd adref. Fyddan ni ddim yno'n hir iawn, 'sti,' meddai, cyn tywallt afalans o gashiws i'w geg.

'Tŷ Tony Rebel!' ebychais, bron â thagu ar gegaid o gnau.

'Ia. Mae 'mrawd a minnau'n drefnwyr sioeau *dancehall*,' cyhoeddodd cyn dadfachu'i ffôn symudol o'i felt a'i daflu ar fy nglin i.

'Pwysa'i fwtwn "cof" o,' gorchmynnodd Michael. Mi wnes, a daeth rhif ffôn Bounty Killer i'r amlwg. 'Dal ati i'w bwyso.' Rhif Ghost oedd y nesa. Yna, daeth rhifau Anthony B, Spragga Benz, Beres Hammond, Elephant Man, Cobra, Sizzla, Buju Banton, Kiprich . . .

'Blydi hel!' ebychais yn gynhyrfus.

'Be' sydd?' holodd Michael, dan wenu'n hunanfoddhaus.

'Ti'n gwybod yn iawn, y diawl.'

'Dyro ganiad iddo fo, ddyn!'

'Ia? Ti'n siŵr rŵan? Ond be' dwi'n mynd i ddweud wrth y boi?'

'Dy fod ti hefo Michael Edwards, brawd Benny, a mi fasat ti'n leicio cael sgwrs fach ag o.'

'Ond be' tasa fo'n dweud wrthai ble i fynd?'

'Wnaiff o ddim! Dydy'r Proffwyd ddim y math yna o ddyn.'

'Na, alla i ddim, 'sti,' dwedais, ar ôl petruso am hydoedd. 'Taswn i ond wedi defnyddio fy mhen rhywfaint, efallai y baswn wedi gallu trefnu cyfarfod ag o.

Ar yr ochr chwith i flaen-gwrt, cwbl amddifad o geir, y garej ar Washington Boulevard, roedd tri motor-beic *Ninja* mawr pwerus yn gorffwys ar eu standiau. Roedd eu perchnogion, tri gŵr ifanc, tal a chydnerth, yn tynnu sgwrs â dwy eneth brydferth yng nghanol y cwrt. Yn lle'i 'nelu hi am un o'r myrdd o bympiau gweigion, fel y basa rhywun call wedi'i wneud, am ryw reswm anesboniadwy (neu'n debygol iawn o ran rhyfyg, neu *machismo*), gyrrodd Michael ffwl sbîd tuag at hwnnw lle'r oedd y bobl ifanc wedi ymgynnull. Bu'r nesaf peth i ddim iddo'u lladd nhw i gyd. 'Tasa'r ddwy ferch ifanc heb lwyddo i lonyddu'u ffansiwyr gwyllt ulw, mi fasa hi wedi bod yn ddrwg ar y naw arno fo.

Hanner ffordd ar hyd stryd fach dywyll, goediog, ar waelod gallt afresymol o serth, arafodd Michael a llywio'r car ar draws yr heol, cyn tynnu at ymyl y palmant o flaen pâr o giatiau haearn uchel wedi'u haddurno a thafodau mawr o dân wedi'u gwneud o ddur. 'FLAMES', enw label recordio Tony Rebel, darllenai'r llythrennau mawrion wedi'u weldio'n sownd i un ohonynt. 'O Bentre Poeth i'r Fflamau,' chwarddais wrthyf fi fy hun, cyn dilyn Michael drwyddynt.

Yr Unfed Diwrnod ar Ddeg

'If Jah is standing by my side
Then why should I be afraid
Of the pestilence that crawleth by night? . .'
Tony Rebel – *'If Jah Is By My Side.'*

'Roedd ardal Treasure Beach yn hyfryd felly?' gofynnodd fy nghwmnïwr difyr.

'Oedd, ardderchog,' atebais, 'Lle gwych iawn, yn enwedig wedi i'n cyfaill Marvin fynd ar afael ag un o'r *crackheads*. Roedden nhw jest â marw o ofn Marvin . . .' Cododd yr efengylydd mawr hoffus â chorff fel bocsiwr pwysedd-trwm, a minnau oddi ar y bwrdd brecwast a mynd allan i'r awyr iach.

Yn rhyfedd iawn, roeddem yn unfryd ar bob un pwnc a drafodwyd. Nes i mi ddigwydd crybwyll fy mod wedi aros noswaith yn ardal Coral Gardens, ac wedi cael fy nhywys o amgylch safle'r *'Coral Gardens Massacre'* gan locsmon bach hynafol o Montego Bay. ''Tasa'r creaduriaid ddim wedi cael eu cam-drin gymaint dros y blynyddoedd, fasa'r gyflafan erchyll 'na byth wedi digwydd,' dywedais yn ddiniwed, wrth dywallt paned ffres i ni'll dau. Ac mewn chwinciad, dyna unfrydedd y pregethwr Batus o bellteroedd plwyf Westmoreland a minnau'n chwalu'n rhacs.

* * *

'Dem a wonder, 'ow we do dis
Dem grow wid hate an' anger, fe Jah prophets
But as we locks get longer heathen heart dem a twist
No spread no propaganda,'cause you can't stop dis . . .'
Sizzla – *'Dem a Wonder.'*

Er iddynt ddefnyddio bob math o ddulliau ffiaidd, methodd llywodraeth cyn-annibyniaeth Jamaica yn glir â difa Rastaffariaeth. Erbyn diwedd y 50au roedd y gwreichion bychain a gyneuodd Archibald Dunkley, Robert Hinds,

Nathaniel Hibbert a Leonard Howell dros ddegawd a hanner ynghynt, wedi tyfu'n dân mawr ysol.

Dygodd y mwyafrif llethol o'r 'brodyr barfog' cynnar eu beichiau o drallod yn stoicaidd, ond collodd rai eu pennau a throi at drais. Un pnawn Iau ym Mehefin 1963, saethodd mintai o Rastaffariaid ardal Montego Bay berchennog garej oedd wedi twyllo un ohonynt o glwt o dir yn farw a llofruddio un o westeion motél fechan, nid nepell o hen orsaf heddlu Coral Gardens. Pan gyrhaeddodd y plismyn, aeth hi'n frwydr ffyrnig a lladdwyd sawl saethwr o'r ddwy ochr. Llwyddodd pedwar o'r Locsmyn i ddianc i elltydd uchel Kempshot Hill. Ond fe'u daliwyd i gyd cyn iddi nosi ac aeth y crocbren â'r pedwar. Ddeng mis yn ddiweddarach, dechreuodd y taro drachefn. Ar Ddydd Iau'r Gofid, 1963, collodd saith Locsmon a dau heddwas eu bywydau yn yr *'Holy Thursday Massacre'*, fel y gelwir y frwydr waedlyd rhwng cannoedd o Rastaffariaid a thorf fawr o blismyn a dorrodd allan ger safle hen blanhigfa Rose Hall ym mhlwyf St James.

'Serious trouble is brewing at Port Morant in St Thomas, owing to a mischievous man whose name is Leonard Howell, leader of this terrible thing they call Rastafari . . .'
Y darpar brif-weinidog *JLP*, Alexander Bustamante.

Roedd Ethiopianyddiaeth yn symbylu crefydd y duon mewn caethiwed yn Jamaica bron ganrif a hanner cyn i Marcus Garvey gychwyn ar ei daith i godi'r hil ddu; ers 1784, i fod yn fanwl gywir, pan sefydlodd George Liele ddau gapel Bedyddwyr yn Kingston. Cyn-gaethwas o Georgia a fanteisiodd ar anhrefn Rhyfel Annibyniaeth America i dorri'i gadwyni a ffoi oedd yntau. Er mwyn dieithrio'i eglwysi newydd oddi wrth addoldai y gorthrymwyr, galwodd ei enwad yn: Yr Eglwys Fatus Ethiopiaidd.

Cyn-Garveyites brwdfrydig oedd Archibald Dunkley a Nathaniel Hibbert. Ychydig wedi i'w harwr fudo i Loegr yn 1933, troesant at Rastaffariaeth gynnar a datblygu i fod ymysg arloeswyr pwysica'r gred. Pan ymosododd yr Eidal ar deyrnas Haile Selassie yn 1935, roeddent ymysg aelodau blaenllaw o'r corff Ethiopiaidd a drefnodd brotestiadau gwrth-Eidalaidd mawr yn Kingston yn hwyrach yn y flwyddyn. Ac ychydig o fisoedd yn ddiweddarach, chwaraeodd y pâr ohonynt rannau blaenllaw mewn paratoi deiseb â miloedd o enwau arni – yn gofyn caniatâd (nas rhoddwyd, wrth gwrs) y Llywodraeth Brydeinig i fil a hanner o wirfoddolwyr Jamaicaidd listio ym myddin *Negus* Ethiopia.

Wedi iddo wneud ei dymor yn y carchar (am ymosod ar blismyn yn ystod ymgyrch y Bugail Bedward ar Kingston yn 1921), dechreuodd Robert Hinds, un arall o sêr arweiniol Rastaffariaeth y 30au, gael gweledigaethau. Un dydd, o ganol coelcerth wenfflam, clywodd lais yn galw arno i fynd allan i arwain ei bobol. Sefydlodd wedyn ei *'King of Kings Mission'*, cwlt crefyddol yn cynnwys dros fil dau gant o ffyddloniaid brwd, oedd â'i ganolfan yng Nghanol Kingston. Diolch i athrawiaethau Marcus Garvey, llyfr chwyldroadol Robert Rogers *'The Holy Piby'*, a *'Royal Parchment Scroll of Black Supremacy'* yr Americanwr du, y Parchedig Pettersburgh, roedd Ethiopianyddiaeth yn Jamaica yn mynd o nerth i nerth erbyn canol y 1920au. Peth digon naturiol oedd o felly i Hinds – fel Joseph Hibbert, Altamont Reid, ac eraill o hyrwyddwyr brwd y cyfnod – ganoli ei ddysgeidiaeth ar deulu brenhinol Ethiopia a'u cysylltiadau Solomonaidd. Bob Ebrill y cyntaf – diwrnod blwyddyn newydd Ethiopia – a'r cyntaf o Awst – Diwrnod Gwaredigaeth – gorymdeithiai'r Proffwyd Hinds a'i ddilynwyr, y dynion i gyd yn gwisgo rhwymynnau braich coch, aur a gwyrdd a'r merched â hancesi gwynion ar eu pennau, y saith milltir i lannau Afon Ferry, ym mhle y bedyddiwyd y newydd-gadwedig yn eu plith yn enw Ymherawdwr Haile Selassie y Cyntaf. Robert Hinds – a fu farw yn 1945 – oedd un o ffigyrau pwysicaf Rastaffariaeth gynnar. Ond er iddo osod seiliau a chanllawiau crefyddol gwerthfawr, doedd o ddim yn ffigwr hanner mor bwysig a diddorol â'r mwyaf dylanwadol o arloeswyr cynnar y crefydd, Leonard Percival Howell.

Yn 1914, mudodd Leonard Howell, mab un ar bymtheg oed pregethwr Batus pentref Crooked River, plwyf Clarendon, i'r Unol Daleithiau, ble cwrddodd â Marcus Garvey, yr arweinydd comiwnyddol du, George Padmore, a rhai o arloeswyr mawr holl-Affricaniaeth gynnar Harlem. Yn fuan yn 1932, fe'i halltudiwyd i Jamaica.

Aeth Howell ati ar unwaith i ledaenu'r gair mai Ras Tafari oedd y Meseia. Erbyn diwedd yr Haf roedd y tân wedi dechrau cydio, yr heddlu yn ei wylio fel barcutiaid, a'r awdurdodau yn agor ei lythyrau. Yn fuan wedi iddo gynnal cyfres o gyfarfodydd ymfflamychol ym mhlwyf St Thomas, cafodd Howell ei arestio ar gyhuddiadau o 'bregethu dysgeidiaeth y Diafol', annog gwrthryfel, a meithrin casineb tuag at frenin Lloegr a Llywodraeth Prydain, ac fe'i dedfrydwyd i ddwy flynedd yn y jêl. Yn ystod ei garchariad cynyddodd nifer ei ganlynwyr yn sylweddol. Ar ôl bwrw'i benyd, aeth Howell yn ôl i'w hen gynefin yn Port Morant, ble ffurfiodd yr *African Salvation Union of Jamaica*. Ond fe'i herlidiwyd o'r ardal gan haid fawr o undebwyr llafur yng nghyflogaeth y planhigfawyr gwyn. Symudodd i Kingston. Ond chafodd o 'mo'r cyfle i sefydlu sylfaen grym yno. Oblegid, sathrodd ar gyrn y gyfraith yn hwyr yn 1934, ac fe'i carcharwyd am yr eildro – am gableddu'n gyhoeddus y tro hwn. Yn ystod yr achos llys proffwydodd gwymp 'Babilon Newydd', sef Prydain.

Ar ddiwedd y 30au, gyda rhoddion ei lu o ddilynwyr, prynodd Howell hen stâd wladychol adfeiliedig o'r enw 'The *Pinnacle*', a safai nid nepell o Sligoville (un o'r treflannau 'rhydd' cyntaf un i'w sefydlu yn Jamaica yn dilyn gwaredigaeth), yn ddwfn yn y gadwyn o fryniau uchel sy'n amgylchynu Kingston a Spanish Town. Erbyn 1940, roedd dros fil a hanner o bobl yn byw o fewn ei muriau.

Roedd Leonard Howell yn diferu carisma, yn ôl y sôn. Pregethu oedd ei gryfder; cymysgedd ffrwydrol o genedlaetholdeb du, chwyldro, a thân a brwmstan Beiblaidd.

Roedd o'n dipyn o ddandi hefyd. Gwisgai siwt dridarn bob amser, y siaced wedi'i haddurno â rhoséd werdd, aur a du (lliwiau'r *U.N.I.A.*). Ac roedd ganddo farf fach dwt. Yr un fath â'r Crist Du yn Addis Ababa.

Comiwn hollol hunangynhaliol oedd *'Pinnacle'*. Magai'r cyltyddion ieir, gwartheg, geifr, mulod a cheffylau, meithrinwyd amrywiaeth mawr o rawnfwydydd a thyfwyd dwsinau o wahanol ffrwythau a llysiau a gâi eu gwerthu ar strydoedd Kingston a Spanish Town. Ond er mor enillfawr oedd yr holl farchnata bwydydd yma, mariwana, cryfach o lawer na'r cyffredin, oedd prif gnwd gwerthu'r camp. Cyn pen dim, roedd ysmygwyr *ganja* o bob cwr o Jamaica yn heidio i gyrion Sligoville i brynu cyflenwadau o'r dail. Pan ddeuai Howell i lawr o'i gartref – a safai ar ben gallt uchel, o'r neilltu i dai'r gweddill o'r cyltyddion – casglai'r oedolion i gyd ynghyd ar glwt mawr o dir gwastad i wrando arno'n pregethu i gyfeiliant siantio a drymio Affricanaidd. Wedi iddo orffen, noswyliai'r merched a phlant. Ond fe arhosai'r dynion am fygyn o *collie weed* (llygriad o enw'r dduwies Hindŵaidd, *Kali*, yw'r hen enw Jamaicaidd yma ar fariwana). Dyma ddechreuad rôl sacramentaidd y dail meddyginiaethol yng ngweithgareddau'r Rastaffariaid.

Ym 1938, ehangwyd Deddf Cyffuriau Peryglus Jamaica i gynnwys mariwana. Yn fuan un bore, ym Mehefin, 1941, disgynnodd cannoedd o heddweision arfog ar 'Pinnacle' a mynd ati i ddifa cnwd canabis y gwersyll. Yn ystod y gwrthdaro, arestiwyd Howell ac fe'i taflwyd i'r carchar. Ar ddiwedd yr achos llys fe'i dedfrydwyd i ddwy flynedd yng ngharchar. Yn ystod ei absenoldeb, rhedwyd y sioe gan ei ddau fab, Monty a Blade â chymorth cyngor o hynafiaid.

Er iddynt roi sawl cynnig ar waredu'r bryniau ger Sligoville o'r cyltyddion trafferthus, chafodd yr Heddlu fawr o hwyl arni.

Ond un bore ym 1954, daeth comiwn Leonard Howell i ben gyda chlec. Ar doriad dydd, daliwyd holl breswylwyr y gwersyll mewn rhwyd ddynol enfawr yn cynnwys cannoedd ar gannoedd o swyddogion cyfraith a threfn. Roedd yr awdurdodau wedi cael llond bol o'r cyltyddion erbyn hyn. Roeddent i chwalu'r camp yn rhacs, a ffaglu popeth. I'r ddalfa yr aeth y 'Gong' ar ei ben, ynghyd â dros 160 o'i ddilynwyr. Gyrrwyd y ddwy fil oedd yn weddill fel gwartheg i'r brifddinas, ble y'u gollyngwyd yn rhydd yn slymiau gorboblog Gorllewin Kingston. Ychydig y gwyddai awdurdodau Jamaica ar y pryd mai y nhw fyddai'n uniongyrchol gyfrifol am ledaenu neges y Rastaffariaid. Yn hytrach na diwreiddio'r ffydd, trawsblannwyd hi ar dir ffrwythlon. Lledaenwyd neges ddyrchafol Howell, bod dyddiau gwell i ddod. Cyn hir, meddent, byddai Llew Juda yn ymweld â'r ynys i dorri cadwyni'r tlodion, cyn eu harwain yn orfoleddus tua chyfeiriad Gwlad yr Addewid.

Yn ôl yr hynny bach sydd 'na o haneswyr Rastaffariaeth, mae arferiad Locsmyn Jamaica o beidio ag eillio a thyfu'u gwallt yn hir a'i adael heb ei gribo, yn deillio o wallt dryslyd offeiriaid llinach Ashanti gwlad Ghana, neu o wallt crychlyd dynion llwyth Oromoro ucheldiroedd Ethiopia. Mae'n haws o lawer gen i gredu mai o Lefiticus 21:5 ('Na wnaent foelni ar eu pennau, ac na eilliant gyrrau eu barfau, ac na thorrant doriadau ar eu cnawd') mae'r arferiad yn tarddu. Leonard Howell a'i ddilynwyr oedd Rastaffariaid cyntaf Jamaica. *Locksmen*, neu *Nyahmen* (ar ôl y Nyahbingi, byddin o rebeliaid gwrth-Brydeinig Uganda'r 30au), oedd enwau trigolion yr ynys ar y brodyr hyd at y 60au. Fel llawer o broto-Rastaffariaid hollol gall Jamaica hanner cyntaf y ganrif ddiwethaf, treuliodd Leonard Howell gyfnod hir yn y seilam. Wedi iddo gael ei ryddhau ar ddiwedd y 50au, agorodd feddygfa ar East Queen Street yn *downtown Kingston*, lle rhoddai driniaeth rad ac am ddim i ddioddefwyr y getos. Bu farw ar ddiwedd y 70au.

Creodd bennawd *Daily Gleaner* y 30fed o Fai, 1955 – '*Large Audience Hears Message From Ethiopia*' – gynnwrf aruthrol ymysg y Rastaffariaid. '*The Emperor is now engaged in building up a*

Merchant Navy . . .' darllenai'r stori newyddion *'the time is not distant when ships from Addis Ababa will be sailing to American ports. There is a distinct possibility that the Emperor's ships will also be visiting Jamaica.'*

Roedd yr arwyddion bod addewidion gweledigaethol Marcus Garvey ar fin cael eu gwireddu yn dechrau trawo'r Rastaffariaid o bob cwr. Fis cwta wedi i neges gudd yr Ymherawdwr ymddangos yn y papurau newydd, glaniodd dirprwyaeth o'r *Ethiopian World Federation* yn Kingston â newydd cyffrous o balas Haile Selassie. Fel arwydd o'i ddiolchgarwch am eu cymorth yn ystod y rhyfel â byddinoedd Mussolini, datganodd llefarydd ar ran y mudiad, roedd y *Negus* wedi penderfynu gwobrwyo pobl ddu'r Gorllewin â 500 acer o'i dir mwyaf ffrwythlon yn ardal Shashamane, yn ucheldiroedd canolog Ethiopia. Pan gyrhaeddodd y stori yma glustiau'r brodyr barfog, cynyddodd ffigyrau aelodaeth y grefydd yn aruthrol, o tua thair mil a hanner o gyn-*Garveyites* penisel i dros ddeuddeng mil o *Nyahmen* gorfoleddus.

Â'r 50au yn tynnu i'w terfyn, dechreuodd rhai o ddeallusion mwya dylanwadol yr ynys fynegi'u cydymdeimlad â'r Rastaffariaid yn nhudalennau'r *Gleaner*, ac fe gondemniodd sawl seneddwr ymddygiad bwystfilaidd yr heddlu yn Nhŷ'r Llywodraeth, 'tasan nhw wedi bod damaid haws. Oherwydd dal i ymddwyn yn ffiaidd tuag at y brodyr wnaeth yr heddlu. Yn 1966, ymosodwyd ar wersyll Ackee Walk y Tywysog Emmanuel Edward ac arestiwyd dros gant o Locsmyn cyn llosgi'r lle'n ulw. Ychydig o wythnosau'n ddiweddarach glaniwyd ar *Rastafarian Movement Recruitment Centre* yr egin-wleidydd o Locsmon, Samuel Brown, ac ar ôl rhoi crasfa sownd iddo, dymchwel ei swyddfa fach bren yn wastad â'r llawr.

Yn fuan ym 1960, dechreuodd tri o athrawon prifysgol mwyaf uchel eu parch Prifysgol India'r Gorllewin ym Mona astudio'r athroniaeth Rastaffaraidd yn fanwl, cyn mynd ati i lunio adroddiad hollgynhwysfawr yn ymwneud â'r grefydd. Dri mis yn ddiweddarach cyflwynodd Dr Lewis, un o benaethiaid y Brifysgol, y gwaith i Norman Manley, Prif Wleidydd Sosialaidd cyn-annibyniaeth y cyfnod, a addawodd gymryd sylw manwl o'i argymhellion chwyldroadol. Dyma dri o'r argymhellion pwysicaf: 'Dylai Llywodraeth Jamaica yrru cennad o Rastaffariaid i Ethiopia yn ddiymdroi, er mwyn ceisio trefnu mewnfudiad o'r crefyddwyr i'r wlad. Dylsent hefyd roi terfyn ar arfer maleisus yr Heddlu o boenydio'r brodyr yn ddibaid. Ac fel arwydd o'u hewyllys da, dylid gwahodd yr Eglwys Ethiopiaidd i sefydlu cangen yn Jamaica heb oedi.' Er mawr ofid i arweinwyr y JLP a'r Heddlu, aeth Manley a'r PNP ati'n ddiymdroi i weithredu'r argymhellion.

Yn Ebrill, 1960, aeth dirprwyaeth o Rastaffariaid i ddinas Addis Ababa am gyfweliad â Haile Selassie ei hun. Er mawr lawenydd i'w tri cynrychiolydd, datganodd Selassie bod drysau Ethiopia'n llydan agored iddynt. Roedd ei ymerodraeth yn ddigon mawr i gynnwys holl Africanwyr alltud y byd.

Y *JLP* oedd yn rhedeg Jamaica erbyn canol 1963. Yn fuan wedi i'r ceidwadwyr ddod i rym, rhoddodd Alexander Bustamante, y Prif Weinidog a chasäwr Rastaffariaid tambaid, wybod i'r Locsmyn nad oedd ei Lywodraeth yn fodlon noddi ymweliad cenhadaeth *'Back-to-Africa'* y mudiad ag Ethiopia. Gorfodwyd y brodyr i ofyn cymorth brawdoliaeth gerddorol yr ynys, a gamodd i'r bwlch ar eu hunion. Yn ystod ail gyfweliad y parti o Rastaffariaid â'r Ymerawdwr, ailadroddodd Selassie ei ymroddiad calonnog i'w hachos gan addo ymweld â Jamaica yn y dyfodol agos.

Coel y Rastaffariaid yw mai y nhw yw Llwyth Colledig Israel. Credant fod gan bob un o ddisgynyddion yr holl bobloedd Affricanaidd a ddygwyd i'r Gorllewin yn nyddiau caethiwed yr hawl i fynnu dychwelyd i'r famwlad ar gost y cenhedloedd Ewropeaidd a gyfranogodd yn y fasnach. Yn ôl daliadau cynnar y crefyddwyr, cosbedigaeth gan Dduw oedd rhoi'r hil ddu dan iau caethiwed am ganrifoedd maith; dull yr Hollalluog o fwrw'i lid arnynt ydoedd, meddent, mewn dialedd am bechodau enbyd yr hil rywbryd yn niwloedd hanes (erbyn

heddiw mae'r goel wirion yma wedi mynd yn angof llwyr).
Cred y cyltyddion mai y nhw yw'r Israeliaid colledig
gwreiddiol yw'r rhesymeg tu cefn i'w hymlyniad llym wrth
ddeddfau dietegol a glanweithdra yr Hen Destament.

Yn ystod misoedd cyntaf 1959, cyrhaeddodd sibrydion
glustiau prif-swyddogion heddlu Kingston bod criw o
Rastaffariaid arfog yn paratoi i godi'n erbyn y Llywodraeth ym
mryniau'r Red Hills. Trefnwyd cyrch brys ar wersyll y
chwyldroadwyr dirgel gan yr Heddlu a chwmni o'r *Royal
Hampshire Regiment* Prydeinig. Lladdwyd dau Sais yn y fan a'r
lle, ac anafwyd tri arall. Drannoeth, cyhoeddwyd bod y wlad
mewn cyflwr o argyfwng a gyrrwyd pob milwr a phlismon
oedd ar gael i chwilota am y llofruddion. Saith niwrnod yn
ddiweddarach daethpwyd ar draws y cwbl ohonynt, yn
cynnwys yr arweinydd – gŵr ifanc o'r enw Reynold Henry, mab
i bregethwr o blwyf Manchester – yn cysgu'n sownd mewn cwt
ym mherfeddion St Catherine. Ar yr 20fed o Fehefin, 1960, yn
dilyn achos hir, fe'u crogwyd un ac oll.

Treuliodd Claudius Henry, tad Reynold, ei ieuenctid yn
Efrog Newydd, ble ymhelodd â chriw o radicaliaid du o
Harlem. Yn 1957, dychwelodd i Kingston, ac ar ôl cael
gweledigaeth o Dduw, sefydlu mudiad o'r enw yr *African
Reformed Church* yno. Honnai Henry'r hynaf mai ef oedd yr un
a eneiniwyd i atgyweirio'r bwlch rhwng Affrica a Jamaica; 'The
Repairer of the Breach' oedd y teitl trawiadol a roddodd i'w hun.
Ar y 7fed o Ionawr, 1959, fe'i carcharwyd am chwe mis am
annog gwrthdaro yn erbyn y Llywodraeth. Yng ngharchar,
penderfynodd ymgymryd â gwrthryfel arfog ac wedi ei ollwng
dechreuodd bentyrru gynnau a ffrwydron ar gyfer y chwyldro
y gobeithiai gychwyn ledled yr ynys ar y dydd olaf o Fedi. Ond
aeth ei gynllun yn ffliwt. Arestiwyd ei fab ac yntau, wedi i'r
heddlu wneud cyrch ar ei eglwys a dod o hyd i gelc mawr o
arfau, yn cynnwys pentwr o ynnau awtomatig, tomennydd o
ddeinameit a thros dair mil o danwyr trydanol. Yng nghanol yr
holl drugareddau rhyfel yma darganfyddwyd cannoedd o

bamffledi chwyldroadol a chopïau o lythyrau oddi wrth y pregethwr milwriaethus at Fidel Castro. Rywbryd yn ystod misoedd cyntaf 1960, cyhuddwyd Henry o annog gwrthryfel, ac fe'i carcharwyd am naw mlynedd.

Yn union fel yr oedd y boblogaeth yn dechrau dangos cefnogi'r Rastaffariaid, diolch i weithgareddau pobl fel Claudius a Reynold Henry, trodd cydymdeimlad y cyhoedd yn gadarn yn eu herbyn. Aeth dau brif bapur newydd yr ynys cyn belled â difenwi'r cwlt fel mudiad terfysgol. Aeth yr heddlu ati i gynyddu'u gwyliadwriaeth a dwysáu'u gweithgareddau gwrth-Rastaffaraidd yn arw. Yng nghanol Mai, 1961, gwnaethant gyrch ar wersyll mawr ar y Spanish Town Road. Aeth yn frwydr waedlyd ac arestiwyd dros naw deg o *dreadlocks*. Yn dilyn y digwyddiad hwn gwnaeth y Llywodraeth ddatganiad yn galw ar y cyhoedd i hysbysu'r heddlu pa bryd bynnag y digwyddent daro ar gynulliad yn cynnwys mwy nag ugain o'r brodyr.

Erbyn y 60au cynnar, roedd Kingston yn berwi ag anheddau Rastaffaraidd. Yn eu hencilfannau, yn ddiogel rhag erledigaeth barhaol gwarchodwyr y *shitstem* Fabilonaidd, treuliai'r Locsmyn ran helaeth o'u hamser yn astudio'r Beibl a hanes Affrica, yn dysgu'r iaith Amhareg a chymryd rhan mewn sesiynau ymresymu maith. Yn hollol groes i goelion gwirion bost cyn-hipis yr hen fyd yma, sy'n credu mai Sant Bob a mariwana yw holl hanfod a diben *Reggae,* nid segurwyr diafael oedd/yw Locsmyn Jamaica, ond crefftwyr hunan-gyflogedig – seiri coed, gwneuthurwyr dodrefn, bricis, seiri maen, mecanigion, ffermwyr, cerddorion, a physgotwyr. Doedd dim dewis arall ganddynt ond 'morol amdanynt eu hunain. Oherwydd ni huriai'r un cyflogwr ŵr barfog, gwyllt yr olwg, â llond ei ben o locs a dicter cyfiawn.

Slymiau torcalonnus Moonlight City, Trench Town a'r Dungle, Gorllewin Kingston, oedd mannau ymsefydlu cyfran helaethaf Rastaffariaid y 60au cynnar. Gwasgodd y gweddill i mewn i gamp sgwatwyr anferth Back O'Wall, cartref i filoedd ar filoedd o *scufflers* (crafwyr bywoliaeth) a dreuliai'u dyddiau yn sborioni yng nghanol y dymp sbwriel dinesig cyfagos ymhlith moch, geifr a heidiau mawr o fwlturiaid. Ychydig cyn y wawr, ar y deuddegfed o Orffennaf, 1966, syrthiodd 250 o blismyn arfog, byddin o lafurwyr a nifer o deirw dur anferthol, ar y dref gytiau orboblog. Yn brydlon am saith, heb unrhyw rybudd, rowliodd y peiriannau i'w plith a dechrau chwalu'u tai sinc yn ulw; tra aeth y teirw dur o gwmpas eu gwaith, rhedodd plismyn yma ac acw yn cynnau tannau. Erbyn iddi nosi, yr oll oedd ar ôl o gymuned Back O' Wall – a ddaliai oddeutu 10,000 o Locsmyn ar y pryd – oedd tunelli o lwch yn dal i fudlosgi.

Ni ddarparodd yr awdurdodau gartrefi dros dro, pentrefi noddfa, nac unrhyw beth arall i'r degau o filoedd o drueiniaid a amddifadwyd. Fe'u gadawyd i 'forol am eu hunain. Aeth wythnosau heibio, wedi i weiddi croch rhai o aelodau mwyaf dylanwadol y gymdeithas eu cywilyddio, cyn i'r Llywodraeth *JLP* oedd mewn grym fynd ati i gynorthwyo'r amddifad. Yn dilyn y digwyddiad yma ymgysylltodd nifer o ffigyrau pwysig eu hunain ag achos y Rastaffariaid. Yn eu mysg, y darpar Brif Weinidog, Michael Manley – oedd yn ymgorfforiad o ddicter a rhwystredigaeth dioddefwyr Jamaica.

'All hail the King of Kings, The Lion of Judah, the Almighty One. Ye shall break every chain again and again.'
Ysgrifen ar un o'r baneri croeso ym Maes Awyr Kingston, Ebrill y 21ain, 1966

Daethant yn lluoedd, 110,000 ohonynt – bron un o bob deunaw o'r boblogaeth. Rhai ar gefn beics, rhai ar droed, eraill mewn cychod, ceir, lorïau, neu fysys. Erbyn amser cinio roedd Maes Awyr Norman Manley yn fwrlwm o ddynoliaeth. Chwarter awr cyn amser glanio awyren yr Ymerawdwr, diflannodd yr haul ac fe dywyllodd yr awyr. Bum munud yn ddiweddarach mi ddechreuodd fwrw'n drwm. Ond yr eiliad yr ymddangosodd yr awyren frenhinol Ethipopiaidd drwy'r cymylau trwchus, peidiodd y glaw. Ac mewn llai na munud roedd y maes awyr yn fôr o heulwen gynnes. *'See how we God a stop the rain!'* bloeddiodd y Rastaffariaid gorfoleddus. Dywedwyd bod rhu fyddarol y dorf pan laniodd yr awyren yn uwch na sŵn taran, yn uwch hyd yn oed na sŵn ffrwydriad anferth'

Roedd yr Ymerawdwr bychan wedi'i syfrdanu gan faint ac ymateb y dorf yn dwyn dail palmwydd, fflagiau Ethiopiaidd, baneri *UNIA* a drymiau o bob lliw a llun. Pan ymddangosodd trwy ddrws yr awyren roedd dagrau'n llenwi'i lygaid. Ofer fu ymdrechion y plismyn a milwyr dirifedi i gorlannu'r dorf er mwyn iddo fo a'i osgordd gael cyrraedd y croeso dinesig swyddogol yn y Stadiwm Genedlaethol yn brydlon erbyn bump. Galwyd ar Mortimer Planno, un o Locsmyn mwyaf uchel eu parch yr ynys ac aelod o genhadaeth *'Back-to-Africa'* y blynyddoedd cynt, i ddod ymlaen. Ar ôl esgyn grisiau'r awyren yn araf a chrymu'i ben yn isel, ysgydwodd yr hen Planno law â'i Dduw, cyn troi i wynebu'r lliaws. Diolch i erfyn angerddol yr henadur parchus cafwyd heddwch a threfn.

> *'We have lived with suffering for so long, that our very souls are hardened to indifference.*
>
> *A nation grows great through economic strength, but it grows even greater through moral excellence . . .'*
>
> – Michael Manley, ychydig cyn Etholiad Cyffredinol 1972.

Ar droad y 70au, daeth i sylw Manley'r ieuengaf fod gan grefydd y Locsmyn ddylanwad cryf iawn ar ieuenctid yr ynys. Oherwydd hyn, dechreuodd gymryd diddordeb mawr yn amcanion, athrawiaethau a thrafferthion y brodyr, ac i ddefnyddio'u hiaith yn ystod ei ymgyrchu etholiadol. Chwe mis cyn Etholiad Cyffredinol cythryblus 1972, teithiodd Mr Manley i Addis Ababa i gyfarfod â'r Ymerawdwr. Er mawr lawenydd y Rastaffariaid, dychwelodd 'Joshua' gartref â chrair cysegredig, y *'Rod of Correction'* Feiblaidd, yr hon a gyflwynwyd iddo gan y *Negus* ei hun ag a ymddangosodd ym mhob un o gyfarfodydd cyn-etholiadol y *PNP* yn ystod 1972. Yn naturiol â symbol mor rymus yn ei feddiant, ochrodd holl Rastaffariaid yr ynys yn unfrydol â'i pherchennog.

* * *

'Rhywle neilltuol fasat ti'n leicio mynd?' gofynnodd Zack imi ddechrau'r wythnos.

'Oes, Port Royal, hen gynefin Harri Morgan.' atebais ar fy union. Mae gen i chwilen am fôr-ladron, yn arbennig yr hen Syr Harri o Lanrhymni, ers pan o'n i'n blentyn.

'Iawn. Mi af â thi yno bnawn Iau, wedi i ni fod ym Maes Awyr Norman Manley. A dy ddiwrnod ti fydd Dydd Gwener i gyd,' cyhoeddodd y Bingiman annwyl.

Prin yr âi diwrnod heibio heb i ryw erchylltra ddigwydd yn ardal Mountain View. Drannoeth ymweliad Zack a minnau â Port Royal, bu brwydr ynnau, ddeuddeg awr o hyd, yn Oakdene Avenue, Vineyard Town; yn y diwedd gyrrwyd un o geir dur y fyddinyn gratsh i wal ffrynt y byngalo bach pren, gan orfodi'r pedwar *shotta* ifanc yn llechu oddi mewn i ddod allan ble cawsant eu saethu'n farw. *Y Norman Manley Highway*, y briffordd i Faes Awyr Rhyngwladol Kingston yw'r ffordd fawr berycla ar yr ynys.

'Tell me what your views when you watch the news
And see the whole a sweet Jamaica turnin' inna danger zone
An' nuff Jamaican deah a foreign seh dem nah like the system
Dem 'fraid, so dem nah come back home
Dem nah like the vibes deh dung a yard, dem rather
                              tan(aros) abroad

Dem prefer live inna the cold
DEM RUN AWAY FROM THE SUNSHINE!
Dem seh police an' bad boy blow too much carbine . . .'
    Bounty Killer – *'Outcry'*.

Newydd ymddeol o'i swydd fel giard rheilffordd ychydig o wythnosau ynghynt oedd Cliffroy Rodney – gŵr gweddw, 65 mlwydd oed, o Clapham. Wedi iddo yntau a dau berthynas iddo orffen llwytho cefn yr hen bic-yp â'r pentwr mawr o nwyddau trydanol oedd yr hen fachgen wedi'u prynu i'w gartref newydd ym mhlwyf St Mary's, i ffwrdd â nhw ar hyd y *Norman Manley Highway* dan ganu. Filltir a hanner o'r maes awyr ymosodwyd arnynt, a saethwyd y tri'n farw.

Roedd mynychwyr gwylnos y dyn canol oed o Eastwood Park Road a lofruddiwyd y nos Lun flaenorol wrth gerdded adref o'i waith, yn methu'n glir â dallt lle oedd ei ferch 22ain mlwydd oed o Lundain. Yn ôl swyddfa ymholiadau'r maes awyr, roedd ei hawyren wedi glanio ers oriau. Cysylltwyd â Heathrow a chadarnhawyd bod y ferch wedi byrddio'r awyren. Ben bore drannoeth darganfyddwyd corff y greadures yn gorwedd ar ochr y ffordd o'r maes awyr â dau dwll bwled yn ei phen.

Does dim byd sicrach, mae'r dynion arfog sy'n anrheithio a llofruddio ymfudwyr Jamaicaidd rif y gwlith ar hyd y *Norman Manley Highway* liw nos yn gwybod yn iawn pa gerbydau i ymosod arnynt. Peidiwch â gofyn pam, ond mae rhywbeth yn dweud wrthyf mai perthnasau'r dychweledigion sy'n rhoi gwybodaeth iddynt. Pwy arall ond ei deulu oedd â chlem faint o'r gloch ac mewn sut fath o gerbyd fyddai Lascelles Gayle, cyn-borthor ysbyty, 67 mlwydd oed, o Lundain, a fwrdrwyd o fewn hanner awr iddo lanio yn y maes awyr un noswaith o Fai y llynedd, yn dychwelyd adref? Ac amser cyrraedd a'r math o gerbyd fyddai'n gyrru Sophia Clark-Brown, ysgrifenyddes, 34 mlwydd oed, o Efrog Newydd, i'w marwolaeth dreisgar ddeufis yn ddiweddarach? O ganlyniad i'r holl ymosod a'r dwyn a'r mwrdro ar y *Norman Manley Highway* yn ystod y blynyddoedd diwethaf, mae cwmni trafnidiaeth *QUEST*, sy'n rhedeg gwasanaeth ôl a blaen i'r maes awyr, wedi gwario ar dri minibys diogel rhag bwledi. Am 3,000 o ddoleri Jamaicaidd (teirgwaith y tâl arferol), cewch eistedd yn ôl ac ymlacio heb orfod poeni am ysbeilwyr a saethwyr nes cyrraedd pen eich taith. Er bod yr Heddlu wedi cynyddu'u gwyliadwriaeth ar y

Norman Manley Highway yn sylweddol yn ystod y ddwy flynedd diwethaf, mae llofruddiaethau yn digwydd arni o hyd.

'*Are you Jamaican, and want to visit your country, but are afraid to do so?*' holodd y papur du Prydeinig, '*The Voice*', ei ddarllenwyr yn ddiweddar.

'Ydw,' atebodd 61% o'r bron i fil a gymerodd ran yn yr arolwg barn. Â dros saithdeg o ddychweledigion diniwed wedi'u lladd ar yr ynys yn ystod y tair blynedd diwethaf, wela'i ddim tamaid o fai arnyn nhw.

Wrth i ni yrru ar hyd y *pallisadoes*, y morglawdd naturiol main, naw milltir o hyd, sy'n troelli allan i'r môr ac yn cysgodi'r ochr wyntog o harbwr Kingston, gwelais *quok* (crëyr trilliw) yn llechu mewn gwern fangrof, crëyr cefnwyrdd yn sefyll ar ben maen mawr, a chrëyr mawr glas yn pendwmpian mewn corslwyn. Filltir neu ddwy cyn y troad i'r maes awyr, hedodd gwalch ieir tlws yn isel ar draws y ffordd. A gwibiodd hebog *kitty-kitty*, â'i holl fryd ar ginio, i gyfeiriad goleudy Plumb Point.

Heblaw am dri chrëyr bach copog yn pigo'n dringar ar hyd fin y dŵr, a hanner dwsin o belicanod di-raen yn synfyfyrio ar hen lanfa bren ar fin cwympo, doedd yr un arwydd o fywyd i'w weld yn unman.

'*Morgan the Pirate – how 'im a die?*' holodd fy nghyfaill, wrth iddo facio'r car dan gysgod coeden *ackee* fawr ar bwys muriau Fort Charles.

'O ddropsi, ym 1688,' atebais.

"*Im bury here, or 'pon 'im estate up a Llanrhymney?*'

'Yn yr hen fynwent, oedd wedi'i lleoli rywle ble mae'r maes awyr yn sefyll.'

'*If you waan, we caan check it 'pon we way back a town.*'

'Rhy hwyr, Zack bach!' gwichiais rhwng bloeddiadau mawr o chwerthin, 'Fe'i llyncwyd gan Ddaeargryn Mawr 1692!'

* * *

*'The sand in the streets rose like the waves of the sea, lifting up
all persons that stood upon it, and immediately started dropping
down into the pits; and at the very same instant a flood of water
rushed in, throwing down all who were in its way; some were seen
catching hold of beams and rafters of houses, others were found in
the sand that appeared when the water was drained away, with
their legs and arms out . . .'*

Rhan o gyfrif llygad dyst i'r Daeargryn Mawr.

Yn nyddiau Harri Morgan, yn ogystal â bod yn un o'r
canolfannau masnachol pwysicaf yn yr holl fyd, roedd Port
Royal yn un o'r cadarnleoedd mwya anoresgynadwy ar wyneb
y ddaear. Os llwyddai llongau rhyfel gelynion Prydain i hwylio
heibio Fort Rupert, Fort Charles a Fort Morgan mewn un darn,
ac i rowndio'r ochr ddwyreiniol o Port Royal yn ddiogel, roedd
gynnau mawr Fort Walker a Fort James yn aros amdanynt. Yn
eu hwynebu, safai amddiffynfa Kingston, yn frith o *twenty-
pounders*. Ac i'r gorllewin, rym tanio arswydus Fort Clarence a
magnelau'r Hellshire Hills. Fort Charles yw'r unig un o bump
hen amddiffynfa'r porthladd sy'n sefyll heddiw. Ysgubwyd y
lleill i'r môr, ynghyd â hanner y dref a thros ddwy fil o'i
dinasyddion, ar Fehefin y 7fed, 1692. Er mawr siom i mi,
methais yn glir â darganfod bedd Lewis Galdye, yr *Huguenot* a:
*'was swallowed up in the Great Earth Quake in the year 1692, & by
the Providence of God, was by another shock thrown up onto the
surface of the Sea, and was miraculously saved by a boat which took
him up'* er i Zack a minnau chwilio hen fynwent St Pedr â chrib
fân. Yn dilyn ei arbediad gwyrthiol, aeth Galdye ymlaen i
wneud ei ffortiwn drwy gludo miloedd o drueiniaid diniwed o
Affrica i Jamaica. O na bai'r 'sglyfaeth ffiaidd wedi boddi y 7fed
o Fehefin hwnnw, ddweda' i.

Erbyn 1657, roedd tref fechan wedi ymddangos ar safle man
gogwyddo llongau'r Llynges Brydeinig. Stordy, can troedfedd a
hanner o hyd, oedd yr adeilad cyntaf i gael ei godi. Yn fuan
wedyn adeiladwyd tai, eglwys, gefail enfawr, hanner dwsin o
dafarndai a llys barn bach pren. Yn 1658, gorchmynnodd y

Comisiynydd William Brayne ei ddynion i godi rhesaid hir o balisadau ar draws y penrhyn, er mwyn cadw anrheithwyr draw. Y *palisadoes* yma yw tarddiad yr enw modern ar y tafod main o dir sy'n ymestyn yr holl ffordd o gylchdro prysur Harbour View i Fort Charles ym mhen pella'r trwyn.

Â'i gwarchodlu morwrol mewn cyflwr truenus, roedd Y Wlad o Ddŵr a Choed yn ysglyfaeth hawdd. Felly, er mwyn gwarchod yr ynys rhag gwrth-ymosodiadau Sbaen, gyrrodd y Llywodraethwr Modyford neges i Tortuga – yr ynys greigiog ger arfordir gogleddol Hispaniola lle'r heidiai môr-ladron y Caribî i orffwys rhwng anrheithiau – yn erfyn am gymorth 'Brodyr yr Arfordir'. Wedi'u hudo gan addewidion Modyford o farchnad i'w hysbail a chyfleusterau i gynnal a thrwsio'u llongau, tyrrodd yr herwlongwyr i Port Royal yn un fflyd. Yn wobr am warchod yr ynys ac ysbeilio masnachlongau Sbaen, cyflwynwyd i'w capteiniaid lythyrau atrais yn cyfreithloni'u hanrheithiau. Yn 1668, bu farw Edward Mansfield, pengapten y môr-ladron, ac fe'i holynwyd gan Harri Morgan. Diolch i'r holl ysbail a ddygodd o a'i ddynion i'r porthladd, datblygodd Port Royal ymhen pum mlynedd yn dref fawr ffyniannus ac yn un o'r llefydd cyfoethocaf ar wyneb y ddaear. Dan oruchwyliaeth y Cymro aeth môr-ladrata Jamaicaidd o nerth i nerth. Erbyn 1670, y flwyddyn pan wnaed ef yn bennaeth ar filisia'r dref, roedd pumed rhan (1,200) ei phoblogaeth yn fôr-ladron.

* * *

'*Where are your wings deh?*
'*Cause I am lookin' at an angel*
'*Ow you so sweet?*
Yuh worth more than royalty . . .'
Turbulence – '*Where Are Your Wings Deh?*'

Wedi i ni gyrraedd diwedd ein tro hamddenol o amgylch bylchfuriau cadarn Fort Charles, aethom am lymaid i'r rym siop fechan yn swatio yng nghanol y cwrt oddi tanom.

Roedd miwsig *Soul* melys yn dod o'r set radio ar ben cownter yr hen stordy powdwr du. Ond doedd neb ar gyfyl y lle i wrando arno. Eisteddodd fy mêt a minnau ar bwys y bar ac aros, ac aros, ac aros. Dechreuodd Zack gael llond bol. *'Yow!'* bloeddiodd, gan dynnu allweddau'i fodur o'i boced a'u defnyddio i waldio'r cownter yn galed. Ymhen eiliadau ymrithiodd angyles ifanc, anhygoel o brydferth, o rywle'n y cefn. Wedi iddi estyn dwy botelaid o *Heineken* oer o'r rhewgell, eisteddodd i lawr gyferbyn â ni.

'Pam bod y radio wedi'i thiwnio i orsaf *Soul*?' gofynnais, mewn ymgais i dorri'r distawrwydd annifyr. Cododd ei hysgwyddau, gystal â dweud, 'dwn i ddim'. 'Ti'm yn leicio miwsig Jamaicaidd, neu rywbeth?' ymdrechais wedyn. Rhoddodd wên fach swil a syllu ar ei sgidiau. Oedd hi wedi bod draw yn Rockfort dros wyliau'r Nadolig, i weld Capleton, Bounty Killer, Baby Cham, a'r gweddill o sêr gŵyl *Saddle to the East*? gofynnodd fy nghyfaill iddi wedyn.

"Doedd hi ddim yn leicio Capleton o gwbl, datgelodd. Roedd gas ganddi o, am ei fod o'n annog ieuenctid yr ynys i losgi'r Beibl, Iesu Grist, ac ati. *'It all a Capleton fault dat dat lickle church, deah a St. Catherine, bunn down last week,'* dwedodd wrthym, â golwg ffyrnig ar ei hwyneb. Ar glywed hyn dechreuodd Zack chwerthin.

'Sister, yuh a Christian? Go a church?' holodd, wedi iddo reoli'i hun.

'Uhuh.' atebodd yr angyles â gan rythu'n heriol arno.

'Me done t'ink so. Come, mek I tell you sum'pm,' traethodd y *dread*, *'I-man use fe go a church as a pickney too. All a de sankeys* (emynau – ar ôl Ira D. Sankey, detholwr caneuon cysegredig a chyhoeddwr y *Sankey Hymnal) me a sing deh, dem all a seh; "Lightnin'! Thunder! Brimstone! Fiyah!" – BOOM! Churchman a preach fire more dan t'ree hundred year 'fore Fire Man born! It nuttin' new. Yuh no see't? Capleton bunn false prophet. 'Im bunn hypocrite, white Jesus, colonialism, poverty, corrupt politician, death without dignity, malnutrition, all dem kinda wickedness deh. An' wha' wrong a dat?'*

Yn Amgueddfa Forwrol Fort Charles, galwodd Zack arna'i. 'Elwyn. Come, look yah so.' meddai, gan bwyntio at rhywbeth yn y câs arddangos o'i flaen. Yno, oedd amrywiaeth eang o offer hualu o ddyddiau caethiwed, yn cynnwys coler ddur wedi'i chylchynu a phigau miniog a phâr o glampiau fferau metel, tua deuddeg pwys yr un. , Fe'm trawyd gan ysfa i daflu cynhwysion y câs i waelod Môr y Caribi.

* * *

'I saw you with your cargo
In the midst of the Atlantic
With my brothers and my sisters
Headin' towards the Western slave markets
And it grieve me so . . .'
   Gregory Isaacs – *'Slavemarket'*

Y Portiwgeaid gychwynnodd y ddefod fwya bwystfilaidd yn holl hanes y byd. Yn y 1440au, pan gipiodd y fforiwr cynnar, Nuno Tristao, longiad o dduon o Orllewin Affrica a'u dwyn ar draws y môr i'w famwlad. Erbyn 1444, roedd arwerthiannau cyhoeddus o Affricanwyr yn cael eu cynnal yn wythnosol ym mhorthladd Lagos, ddeugain milltir i'r de o ddinas Lisbon. Mae'r cadwyni a ddefnyddiwyd i hualu'r caethweision i furiau marchnad ddynol y dref yn dal i hongian yno, ar eu gefynnau gwreiddiol, hyd heddiw.

Coco oedd prif gnwd Jamaica yn ystod ugain mlynedd cyntaf gwladychu'r Saeson. Ond am fod mwy o elw i'w wneud mewn tyfu siwgwr, trodd yr ymsefydlwyr eu cefnau arno yn 1675. Roedd y siwgr cên a ddefnyddiai planwyr cynnar Barbados yn fwy gwydn ac o ansawdd gwell o lawer na'r cên a ddefnyddiai ymsefydlwyr Jamaica. Felly, un o'r pethau cyntaf a wnaeth Syr Thomas Modyford wedi iddo gymryd yr awenau yn 1664, oedd gorchymyn holl berchnogion planhigfeydd yr ynys i ddefnyddio'r un brid o gên â Barbados. Datblygodd diwydiant siwgr Jamaica dros y ganrif ddilynol . . . Er mwyn sicrhau cynnydd, awgrymai Swyddfa'r Trefedigaethau yn Llundain y dylai pob perchennog stâd gadw un llafurwr du i bob acer o dir.

Yng nghanol y ddeunawfed ganrif, yn dilyn galwadau croch gan y mwyaf 'moesol' ymhlith caethfeistri'r wlad am genhadon i droi eu llafurwyr yn Gristnogion, heidiodd cannoedd o bregethwyr Prydeinig i'r ynys. Hyd at 1781, yn ôl cyfraith Prydain, caniatawyd i berchennog stâd gosbi unrhyw gaethwas ystyfnig drwy dorri un ai ei glust neu'i drwyn i ffwrdd; roedd hi'n hollol oddefol iddo hacio'i law, braich, neu goes ymaith hefyd. Derbyniai caethferched Jamaica gosbau mwy 'gwaraidd' na'r rhai a ddosbarthwyd i'r gŵyr – penyd fel hoelio'u clustiau i goeden: y gosb arferol am golli mymryn o fwyd ar lawr, neu dorri dysgl. Ymhen sbel, llwyddodd y cenhadon i roi stop ar yr arteithio enbyd hwn, a daethant yn lladmeryddion huawdl yn erbyn caethiwed. Yn y 1700au diweddar, diolch i ymdrech daer yr efengylwyr, dechreuodd y caethweision gael egwyl ar ddyddiau sanctaidd a chyfnod o wyliau dros y Nadolig a'r flwyddyn newydd. Yn ystod yr ysbeidiau yma creent ddynwarediadau o ddillad eu meistri a'u meistresi, llunient offerynnau cerdd cyntefig a chynhalient gyngherddau a dawnsfeydd yn eu pentrefi.

Nid y Wlad o Ddŵr a Choed oedd targed gwreiddiol y fyddin fawr a adawodd harbwr Portsmouth mewn 38 o longau rhyfel ar ddiwedd 1654, ond Santo Domingo, prifddinas Hispaniola. Cynllun uchelgeisiol Oliver Cromwell oedd chwalu gafael y Sbaenwyr ar fasnach India'r Gorllewin, gan atal y llif o aur ac arian o Pheriw a Mecsico a ganiatâi iddynt gynnal eu holl ryfeloedd . . .

Trechodd y Sbaenwyr y Prydeinwyr yn ddidrafferth. Penderfynodd Admiral Penn a'r Cadfridog Venables geisio achub ychydig o hunan-barch a rhoi cynnig ar feddiannu ynys gymharol ddiamddiffyn Jamaica.

Dau bysgotwr crwbanod du oedd y cyntaf i weld llynges Cromwell yn hwylio tua Montego Bay ar fore'r 10fed o Fai,

1655. Heglont hi am y lan heb oedi a rasio i rybuddio'u meistr. Dyn oedrannus, gwael a musgrell o'r enw Ramirez de Arrellano oedd llywodraethwr Sbaenaidd Jamaica ar y pryd. Dim ond 180 o filwyr a phum canon bregus oedd gan yr hen fachgen at ei wasanaeth . . . Llofnododd Llywodraethwr Arellano ddogfen ymostyngiad ar y 12fed o Fai. Ond yn lle gadael yr ynys erbyn y 23ain o Fai, fel yr oedd wedi addo gwneud, ffodd i waelodion plwyf St Elizabeth a chynnal rhyfel gerila effeithiol am dros saith wythnos. Ar y 1af o Orffennaf, â'u rhengoedd yn teneuo'n arw, penderfynodd y Sbaenwr ildio. Drannoeth, ynghyd â gweddillion ei fyddin fechan, martsiodd y cyn-Lywodraethwr i Caguaya, byrddio'r *Spanish Main* a hwylio i ffwrdd i gyfeiriad Ciwba.

Cyn gadael Jamaica, dosbarthodd y Sbaenwyr ddrylliau ymhlith eu caethweision, yna'u rhyddhau ym mherfeddwlad fynyddig yr ynys â'r gorchymyn i erlid y goresgynwyr. Gobaith mawr y Sbaenwyr oedd cael dychwelyd i'r ynys yn y man, a chyda chymorth miloedd o filwyr ychwanegol, ei hailfeddiannu. Ond methiant llwyr fu pob un o'u nifer o ymdrechion i'w hadennill. Yn 1658, ffodd Don Cristobal de Ysassi yn ddiymgeledd i orllewin gwyllt y wlad, o ble cynhaliodd ryfel gerila am dair blynedd gyfan, nes i'w gynghreiriaid, y 150 o Farŵns oedd wedi ymgartrefu ym mhlwyf St Catherine, gefnu arno. Wythnos yn ddiweddarach, gorfu i Ysassi ymostwng. Yn 1670, yn ôl amodau Cytundeb Madrid, ildiodd Sbaen ei hawliau ar yr ynys am byth.

Mae disgynyddion y caethweision arfog a ffodd i gadernid y Cockpit Country, yr ardal fynyddig, denau'i phoblogaeth, ym mherfeddwlad Jamaica, yn dal i drigo ar y llwyfandir diffaith yng Ngorllewin yr ynys. *Maroons*, llygriad o'r gair Sbaeneg, *cimarron* – y rhai gwyllt, – yw'r enw adnabyddus arnynt. Erbyn diwedd y 1650au roedd rhengoedd y Marŵns wedi'u chwyddo'n sylweddol gan liaws o gaethweision ar ffo. Yn 1657, dechreuasant ymosod ar gartrefi a ffermydd yr ymsefydlwyr gwyn. Methodd y Fyddin Brydeinig wneud dim i'w hatal.

Dioddefasnt golledion trwm yn ystod eu hymgyrchoedd cyson yn eu herbyn. Mae gwreiddiau'r Marŵns yn tarddu o wrthryfel yn erbyn y caethfeistr Selby ym 1673 pan laddodd 200 o gaethweision eu meistr a phymtheg o wynion eraill cyn ffoi i'r bryniau. Ym 1690, treblwyd eu niferoedd, wedi i 400 o gaethweision gwrthryfelgar stad 'Chapleton' ymuno â nhw. Roedd gan Farŵns y Gorllewin rwydwaith cudd-wybodaeth rhagorol. Diolch i'r gweision a'r morynion duon a dendiai ar brif swyddogion y Fyddin Brydeinig, derbynient gyfrifon manwl o'u cynlluniau. Er iddynt wneud cyrchoedd di-rif ar bentrefi uchel yr Anofedig yn ystod chwarter canrif gyntaf y 1700au, gwthiwyd y milwyr yn ôl i lawr y bryniau bron bob tro.

Ym 1739, newidiodd y Saeson dactegau a mynd ati i blagio'r gelyn â 'sgarmesoedd bach cyson. Mewn amser, dechreuodd hyn flino a chael effaith andwyol ar ysbryd yr Affricanwyr rhydd. Ar y cyntaf o Fawrth, 1739, yn ymwybodol bod y llanw'n brysur troi'n eu herbyn, penderfynasant ildio i delerau ac amodau'r cytundeb heddwch a ddrafftiodd pennaeth y Fyddin Brydeinig, Colonel Guthrie.

Yn gyfnewid am yr hawl i gosbi unrhyw aelod o'r llwyth a droseddai, gorchmynnwyd y Rhai Gwyllt i ymatal rhag rhoi lloches i gaethweision ar ffo ac i gynorthwyo'r Fyddin Brydeinig i ddarostwng gwrthgodiadau du. Erbyn 1740, roedd Quao a Kofi, cyd-benaethiaid Marŵns y Blue Mountains, wedi arwyddo cytundebau tebyg. Pan wnaeth arweinwyr yr Anofedig heddwch â'r Saeson, caewyd unig ddrws dihangfa caethweision yr ynys yn glep yn eu hwynebau.

Yn oriau mân Llun y Pasg, 1760, daeth 80 o gaethweision planhigfa 'Frontier' ynghyd i gyflawni cam cyntaf cynllwyn uchelgeisiol i lofruddio Rheolwr yr ynys a dymchwel y Llywodraeth drwy rym arfau. Ar ôl lladd eu meistr a llosgi'i stad yn ulw, gwnaethant eu ffordd i Fort Haldane, ble llofruddiwyd y ceidwad a meddiannu drylliau a chyflenwad mawr o bowdwr a phelenni'r llywodraeth, cyn cyrchu tua'r mewndir. Ar eu ffordd, ffaglwyd stadau 'Esher' a 'Heywood Hall', i ryddhau caethweision. Erbyn iddynt ddiflannu i gyfeiriad de'r ynys, roedd eu niferoedd wedi cynyddu ddeng gwaith drosodd.

Ond wedi i nifer fawr o'u cynghreiriaid Anofnus ymuno â nhw, newidiodd pethau Wedi iddynt glywed bod dau gant o Rai Gwyllt ffyrnig Scott's Hall ymhlith y gelyn, collodd tri-chwarter o'r gwrthryfelwyr galon a dychwelyd i'w cartrefi. Saethwyd eu harweinydd yn gelain gan Farŵn a chyflawnodd y gweddill hunanladdiad yn hytrach na gorfod wynebu diwedd erchyll dan ddwylo ciaidd y gwladychwyr.

Yn ystod y misoedd canlynol, torrodd nifer o ffrwydriadau o wrth-ryfelgarwch allan ar hyd a lled yr ynys Ar orchymyn rheolwr gwaetgar yr ynys, llosgwyd dau o bedwar arweinydd y terfysg yn fyw. Gwthiwyd y lleill i gewyll haearn i'r entrychion uwchben Kingston Parade, ym mhle y'u gadawyd i hongian dan wres berwedig yr haul nes iddynt farw o newyn a syched naw diwrnod yn ddiweddarach. Dros yr wythnosau canlynol cyflawnodd llywodraeth yr ynys nifer o ddeddfau llym yn cyfyngu ar symudiadau caethweision y wlad . . . Gyda chymorth y Maroons, a gadwodd yn ffyddlon at delerau cadoediad 1739 hyd at 1795 (blwyddyn cychwyn 'Ail Ryfel y Marŵns'), llwyddodd y gwynion i ddiffodd pob un o wrthryfeloedd y 1760au heb fawr o drafferth.

'The Tuesday after Christmas, we shall down our tools and negotiate a wage of 2/6p a day. We must not trouble anybody, nor raise a rebellion. I swear that we shall not burn anywhere , neither shall we fight anyone . . .' cyhoeddodd Sam Sharpe caethwas a phen-diacon yng Nghapel Bedyddwyr Montego Bay un noson o Dachwedd, 1831, mewn cyfarfod gweddi yng nghartref un o'i gyfeillion . . .

Dechreuodd rhywrai ymledu'r neges ymfflamychol: bod Prydain wedi caniatáu rhyddhau caethweision Jamaica ers rhai misoedd, ond bod caethfeistri'r ynys yn gwrthod yn daer a'u rhyddhau. Roedd duon yr ynys i gyd ar bigau'r drain o glywed y newydd. Pan ddaeth y si'n ymwneud â chynllun safiad di-drais Sam Sharpe i glustiau caethweision rhanbarth Cornwall, camddehonglodd eu harweinwyr y neges a mynd ati i baratoi am wrthryfel.

Planhigfeydd *'Dalmyra'* a *'Kensington'* oedd y cyntaf i fynd i fyny mewn fflamau ar yr 28ain o Ragfyr, 1831. Wedi iddynt ffaglu 'Montpelier', gwasgarodd y duon gorfoleddus ar hyd a lled yr ynys, gan ddenu miloedd o'u brodyr i gynghreirio â hwy ar y ffordd. Yn ystod oriau cynnar y gwrthgodiad ymwrthododd dros ddeugain mil o gaethweision â'u gwaith. Cyn hanner nos roedd awyr gorllewin Jamaica yn olau. Ymhen dyddiau roedd pob un o blanhigfeydd plwyfi St James, Hanover, Trelawney, Manchester, Westmoreland, a St Elizabeth yn wenfflam.

Ar y 26ain o Ionawr, daeth bron i fis cyfan o wrthryfel i ben, ar ôl i lu arfog a milisia dan arweinyddiaeth y Cadfridog Syr Willoughby Cotton gorlannu'r bobl ddu.

Dim ond pymtheg o wynion a phedwar o'u cynghreiriaid melynddu a lofruddiwyd trwy gydol 'Rhyfel Sam Sharpe'. Ond collodd cannoedd o dduon eu bywydau yn ystod yr adladd, y mwyafrif llethol ohonynt dan ddwylo'r minteioedd o Rai Gwyllt a fu'n crwydro'r ynys yn tracio a bwtsiera ffoaduriaid. Oherwydd wedi 1739, bradwyr eu pobl eu hunain oeddent. Ar y 23ain o Fawrth, 1823, crogwyd Samuel Sharpe yng nghanol Charles Square, Montego Bay – Sam Sharpe Square, erbyn heddiw.

Llwyddodd Beiblau'r cenhadon i ddychryn rhywfaint ar gaethfeistri Jamaica diwedd y ddeunawfed Ganrif. Diolch i bregethwyr du fel George Lisle, Moses Baker, ac eraill a sefydlodd rwydwaith o ddiaconiaid a phregethwyr cynorthwyol i ymledu neges Duw ar hyd a lled y wlad, daeth holl dduon yr ynys i sylweddoli nad oedd gan y gwynion awdurdod moesol i gaethiwo hil arall. Ym mis Mai, 1832, gyda'r bwriad o gryfhau'r ddadl a'r ymgyrch yn erbyn caethiwed, aeth dirprwyaeth o genhadon o Jamaica i Lundain. Diolch i'r pwysau moesol aruthrol a roddwyd ganddynt ar lywodraeth ryddfrydig y Whigs, pasiwyd Deddf Rhyddfreinio ar yr 28ain o Awst, 1833, a daeth i rym ar y cynyaf o Awst y flwyddyn ganlynol. Talodd y Llywodraeth Brydeinig chwe miliwn a hanner o bunnoedd o 'iawndal' i gaethfeistri Jamaica. Ni thalwyd yr un ffaden beni i'r rhai a ddioddefodd erchyllterau annychmygol y 'fasnach'.

'The hour is at hand, the monster is dying . . .'
William Knibbs, ar doriad Awst y 1af, 1838.

Er i'r Ddeddf Rhyddfreinio ddiddymu caethwasiaeth, yr unig dduon a gafodd eu rhyddhau ar Awst y cyntaf, 1834, oedd plant bach chwe blwydd oed ac iau. Roedd gweddill poblogaeth tras Affricanaidd Jamaica i gychwyn bwrw 'prentisiaeth' ddi-dâl, chwe blynedd o hyd, ar y planhigfeydd. Ond oherwydd y storm o brotest gan y cyhoedd ym Mhrydain, rhoddwyd pen ar y drefn ddwy flynedd yn gynnar. Ar fore gwaredigaeth go iawn, hynny yw, Awst y cyntaf, 1838, gyrrwyd hers, yn cynnwys arch grand yn llawn o efynnau a chadwyni, drwy ganol Spanish Town. Wedi i William Knibbs draddodi araith angerddol o flaen torf anferth o dduon gorfoleddus ar y sgwâr, llosgwyd y hi a'i chynnwys ffiaidd mewn seremoni emosiynol o flaen yr Old King's House.

'The Jamaican story is characteristic of the beastliness of the "true Englishman." – Karl Marx

Parhau wnaeth y gormes ar y bobl dduon ysywaeth. Ac roedd lleisiai'r rhai a geisiai gyfiawnder ar ran eu pobl yn cael eu mygu gan y llywodraeth Saesneg oedd mewn grym ar yr ynys. Dyna fu hanes William Gordon, gŵr a anwyd yn gaethwas yn fab i gaethferch a pherchennog stad ac a ddaeth yn weinidog yr efengyl gydag enwad *Native Baptist* tlodion yr ynys.

Yn 1863 fe'i hetholwyd yn aelod o'r Cynulliad, yn cynrychioli ardal dlawd ym mhlwyf St.Thomas-in-the-East.

Condemniodd lygredd yn yr uchelfannau a chollfarnu ecsbloetiaeth y duon. Y 1862, am iddo gwyno'n swyddogol i'r Llywodraethwr Ayre am amodau byw galarus y werin ddu, collodd Gordon ei benodiadau swyddogol i gyd – fel ustus heddwch, deddfwr, a gwleidydd acaeth ati o ddifrif i ymosod ar y sawl oedd ar fai am helyntion y bobl cyffredin. Yn 1865, gyrrodd Gordon lythyr i'r Swyddfa Drefedigaeth yn Llundain, yn erfyn arnynt i gyflwyno mesurau i ymledu'r etholfraint i drawsdoriad ehangach o lawer o'r boblogaeth; manteisiodd ar y cyfle i gwyno am reolaeth greulon a chaled Llywodraethwr Ayre y cyfnod yr un pryd. Yn yr un flwyddyn, fe'i crogwyd yn sgil Gwrthryfel Bae Morant er nad oedd a wnelo ef ddim â'r terfysg a gychwynnwyd gan un o'i frodyr mwy byrbwyll yn y ffydd, Paul Bogle.

Daeth ddiwedd ar reolaeth yr Ymgynulliad yn Jamaica yn sgil y barbareiddiwch a brofodd y duon wedi'r gwrthryfel hwnnw. Ar yr 22ain o Ragfyr, 1865, daeth system Trefedigaeth y Goron i gymryd ei le.

* * *

Am mai llithro'n araf i'r môr y gwnaethant, mae'r *Salutaceon, Black Dogg, Sugarloaf, Green Dragon,* a'r gweddill o dafarnau niferus Lime Street a Oueen Street a ddiflannodd yn ystod y 'Daeargryn Mawr', yn hollol gyfan, yn ôl yr archaeolegwyr. A'r rhan fwyaf o'r tai, warysau, puteindai, siopau, addoldai a llongau a foddwyd hefyd. Dyna pam mae porthladd Port Royal yn cael ei ystyried yn un o'r safleoedd archaeoleg tanfor pwysicaf yn y byd. Wrth sefyll ar ymyl glanfa bren yn myfyrio am y ddinas goll yn union oddi tanaf, meddyliais am yr holl Gymry – Griffith Jones y saer, John Griffith y crydd, John Jones y badwr, William Davies y gof, Rowland Williams y masnachwr, John Roberts y llongwr (perchennog dwy eneth ddu o'r enw Isabelle a Diana), a'r gweddill – yn gorwedd yn eu beddi dyfrllyd, ugain troedfedd islaw. Meddyliais am gynlluniau Llywodraeth JLP y 60au (ar y cyd â, *'Walt Disney Productions'*) i ddatblygu Port Royal fel parc thema. Ac am fwriad diweddar yr arch-gyfalafwr, Eddie Seaga, i droi harbwr bach distaw'r dref yn borthladd prysur â phob math o gyfleusterau siopa ac adloniant i ddifyrru'r teithwyr capiau basbel a dillad *leeeezure*. Diolch byth fod pob un o'r prosiectau wedi mynd i'r gwellt, cyn i unrhyw niwed gael ei wneud i swyn cyfrin y dref, ystyriais yn hunanol, cyn i dorfeydd o wisgwyr *Adidas* a *Niké* dyrru yno am 'McDonald's' 'Starbuck's' a 'Kentucky Fried Chicken – Buccaneer style!'

'*What kinda fish yuh 'ave?*' gofynnodd Zack i berchennog lled feddw, y 'Seafood Bar' gwyngalchog.

'*Parrot an' Snapper,*' meddai'n freuddwydiol, â gwên fawr hurt.

'*Okay. Me 'ave roast parrot an' vegetable, den,*' penderfynodd fy nghyfaill.

'*And I'll have two crab sandwiches, please,*' dwedais innau.

Roedd yr olygfa o ben to fflat y bwyty'n anhygoel. I'r dwyrain, gwelwn yr holl ffordd i lawr yr arfordir i gyffiniau pentref bychan Poor Man's Corner. Ac i'r gorllewin gallwn weld tref Portmore, yn swatio'n dynn wrth gan milltir sgwâr o fforest dan warchodaeth yr Hellshire Hills. Allwn i weld affliw o ddim i'r de: roedd toeau'r tai ar draws y stryd yn y ffordd. Ond tua'r gogledd, yn gorwedd dan dawch isel o lygredd, ymestynnai Kingston, '*Jah Jah City*' honedig y Proffwyd Capleton. '*Jah Jah city, Jah Jah town, dem a fe turn it inna cowboy town. Bloody city, bloody town, dem a fe turn it inna badman town . . .*' dechreuais lafarganu'n llawen, nes imi gofio'n sydyn bod dydd ymadael gerllaw.

Ar ôl sychu'i dalcen â hances boced fawr goch a thynnu'n galed ar ei sigarét, tolltodd yr hen *redman* jochyn o rym gwyn o hanner potel o *Appleton's* i'w wydr a'i gymysgu â llymaid o lefrith o garton dau beint. Yna, ar ôl patio pen yr eneth fach ddu yn sefyll wrth ei ymyl yn dyner, fe'i llyncodd ar ei dalcen.

Wedyn, gwnaeth union yr un peth, yn union yr un drefn. Roeddwn i wedi fy nghyfareddu'n llwyr gan unig gwsmer arall y bwyty – hen fachgen gwyn, rhyfedd yr olwg, ag wyneb mawr crychlyd a phâr o glustiau eliffantaidd. Allwn i'n fy myw â thynnu fy llygaid oddi arno. Roeddwn wedi gweld tlodion croenwyn Jamaicaidd – neu *redmen*, fel y'u gelwir – o'r blaen yn Treasure Beach, lle mae cymuned fechan o bobol writgoch â llygaid gwyrddion, brychni, a gwallt browngoch (disgynyddion morwyr Albanaidd llongddrylliedig, yn ôl y dyb) yn byw ers dros ganrif a hanner. Er bod *redmen* St Elizabeth yn ymddangos allan o le'n llwyr, doeddan nhw ddim mewn gwirionedd. Roeddent wedi hen ymgynefino â'u hamgylchedd ac wedi cymathu'n ardderchog â'u cyd-wladwyr du. Ond roedd yr hen *redman* clustiog yn y *'Seafood Bar'* fel petai'n wahanol. Er mai Jamaicad oedd o, edrychai ar goll yn lân. Ond beth oedd yn waeth, ymddangosai'n drist dros ben ac wedi blino byw.

Yn canu *'Ting a Ling'* yr Heptones dros y lle, ymddangosodd dyn y bwyty ar dop y grisiau â dau blât yn ei law. Un â 'sgodyn ac amrywiaeth o lysiau arno, a'r llall â mynydd o rywbeth dan haenen o blastig glas. Pan rwygodd ein gweinydd, ag osgo tu hwnt o ddramatig, y plastig i ffwrdd a chyflwyno'r plât i mi, bu bron i mi â disgyn oddi ar fy nghadair. Roedd pob brechdan dros chwe modfedd o uchdwr, ac yn cynnwys cyw iâr, cig mochyn, salad, wyau wedi'u ffrio, nionod, popeth mewn gwirionedd, ac eithrio cranc.

'Blydi hel, Zack! Mae rhywbeth mawr allan o'i le yn fan 'ma!' sylwebais yn ffwndrus, 'Dwi'm yn dallt y peth o gwbl... am ddwy frechdan granc ofynnais i, ynde?'

'*Yuh nah know wha' 'appen?*' holodd fy mêt, gan rowlio chwerthin.

'Dim clem!' ebychais yn ddryslyd. '*Dat man deh, 'im did t'ink you seh club sandwich!*' sbladdariodd, gan boeri cegaid o fwyd dros y bwrdd.

Roeddwn angen tynnu arian o'r banc. Deng mil o ddoleri. Digon i bara tan fore Sadwrn. Felly, ffarweliais â Zack ar bwys

Devon House a chychwyn cerdded i gyfeiriad Half Way Tree. Fel yr oeddwn yn dynesu at y sgwâr, saethodd dau ambiwlans i lawr y ffordd i'r cyfeiriad arall. Eiliad yn ddiweddarach, bomiodd fflyd o gerbydau plismyn heibio, eu seirenau'n canu, a thynnu i mewn i'r safle tacsis, hanner canllath i fyny'r lôn.

'Be' goblyn sydd wedi digwydd yn fan 'ma?' gofynnais i hen fachgen diddannedd â het borc-pei dolciog ar ei ben, wrth wylio dwsinau o blismyn, llym yr olwg, yn chwilio a chwalu popeth a phobman o fewn golwg.

'*Some lickle badman jus' gun policeman dung, 'bout five minute ago,*' atebodd heb edrych arnaf. Gan fy mod ddim eisio ymddangos fel deryn corff, wnes i ddim holi'r hen greadur ymhellach.

Yn annoeth, ac yn groes i'r rheolau (dydi plismyn Kingston ddim i fod i batrolio'r strydoedd ar bennau'u hunain, yn ôl yr hyn a ddarllenais yn y papurau'r bore wedyn), pan ddaeth i sylw'r heddwas fod gyrrwr *robot cab* newydd yrru i mewn i safle tacsis trwyddedig Half Way Tree, aeth ar ei ôl ar droed. Ond fel oedd yr heddwas yn plygu i lawr i ofyn am drwydded yrru'r torrwr cyfraith, disgynnodd ei bistol o'i wain. Gwyrodd i'w godi, ond roedd o'n rhy hwyr. Roedd rhyw ddihiryn wedi achub y blaen arno. Wedi iddo blanu bwled yn ysgwydd y cwnstabl ifanc, rhedodd y drwgweithredwr ymaith heibio'r *'Odeon'* a *'Skateland'*, ac i lawr Constant Spring Road, gan saethu i ganol y torfeydd o siopwyr oedd yn llenwi'r palmentydd. Anafwyd tri pherson i gyd – y plismon, dynes ganol oed o ardal Swallowfields, a dreifar tacsi ifanc o dreflan Whitfield Town. Drwy rhyw lwc, a gofal meddygon a nyrsys Ysbyty Cyhoeddus Kingston, daeth y tri ohonynt trwyddi. Ond llwyddodd y saethwr i ddianc.

Roedd stondin gwerthu hufenau gerllaw. Hufenau harddu o ryw fath. Bwriais olwg dros yr ugeiniau o boteli gwahanol o fy mlaen. '*Fair & White, Reggae Lemon Gel, Omni-Gel, Topiclear, Movate . . .*' 'Be' uffern di'r rhain, dŵad?' pendronais, cyn cydio mewn potyn bychan a dechrau darllen label y cynhwysion ar y cefn. *'Hydro-quinone, cortiscosteroid, glycolic acid . . .'* 'Ych a fi! Ffycin *bleach!'* melltithiais, gan daro'r jar yn ôl a brysio i ffwrdd cyn gynted ag y gallwn.

Y tro cyntaf y gwelais ferch ifanc ddu â gwep fel gratiwr caws, roeddwn i'n meddwl mai rhywun a siomwyd gan gariad oedd wedi taflu asid i'w hwyneb (peth cyffredin iawn yn slymiau'r brifddinas). Roeddwn i'n gwybod yn iawn fod *'bleach'*, fel y gelwir cybolfeydd lladd melanin yn Jamaica, yn gwneud niwed drwg i'r croen, ond nid i'r fath raddau â hyn'na.

Yn ogystal â throi wyneb y defnyddiwr yn graterau byw ac achosi cyfog, diffyg anadl, confylsiynau a deliriwm, mae'r sylwedd *hydro-quinone* – a'r steroidau sydd ynddynt yn gallu bod yn angheuol yn y tymor hir ; maent i gyd, bron iawn, yn cael eu cynhyrchu yn Ewrop, neu Ogledd America. Trist iawn dweud, mae nifer y merched ifanc Jamaicaidd sy'n defnyddio'r cybolfeydd atgas yma wedi cynyddu'n ddychrynllyd yn ystod y pymtheng mlynedd diwethaf – tua'r adeg gyrhaeddodd teledu cebl yr ynys. Cyn iddynt ddisgyn yn gaeth i swynion pydru ymennydd a difa enaid sianelau fel *M.T.V.*, a dechrau gwylio fideos yn delfrydu llwyddiant, ceinder a rhywioldeb merched lledfrown *(brownings)*, doedd dim chwarter cymaint o ferched ifanc y wlad yn cannu'u crwyn, meddan nhw i mi.

Ar ôl tynnu pres o'r banc a phrynu *dutchpot* (crochan coginio traddodiadol) gan Locsmon o Waterhouse y tarais arno'r tu allan i'r Swyddfa Bost, troais hi thua thref. Wrth i mi gerdded ar hyd Hope Road fe'm traflyncwyd gan gwmwl anferth o loÿnnod byw mawr melyn. Estynnais fy nghamera o 'mhoced. Ond erbyn i mi'i dynnu o'i gas, roedd y cwmwl euraidd yn ei siffrwd hi i lawr Waterloo Road. Heibio mynediad y Llysgenhadaeth Almaenaidd, lle'r oedd Evette a Kyeisha, dwy *vendor* ffrwythau o Papine yr oeddwn i'n ffrindiau mawr â nhw, yn noswylio. Biti garw na allwn ildio i'w ceisiadau, a mynd â nhw hefo mi i'r *'Spectrum'* yn hwyrach ymlaen. Ond doedd wiw i mi, rhag ofn i bobl feddwl mai 'hen ddyn budr' oeddwn i, yn talu am noson allan i ddwy eneth un ar bymtheg oed yn gyfnewid am ryw.

'Foolish dog a grin 'im teeth off a butcher.'
hen ddihareb Jamaicaidd.

Pan ddigwyddais grybwyll wrth Zack fore Mawrth, fy mod wedi gwneud trefniadau i fynd i glwb nos yr *'Asylum'* y nos Iau ddilynol, difrifolodd.

'A battyman club, dat.' chwyrnodd, gan ysgwyd ei ben a gwgu. Nac oedd Tad! Os felly, roedd hanner sêr y byd *dancehall* yn wrywgydwyr rhonc. Yn cynnwys Bounty Killer, Elephant Man, Beenie Man a Vybz Cartel. A hanner dynion systemau sain y ddinas ar ben hynny. A'i phêl-droedwyr amlycaf i gyd. A'i gwleidyddion. Ac ambell un o'i *area dons* hefyd. Ond doeddwn i ddim mymryn haws â thaeru. Doedd dim troi o gwbl arno fo. Ac allwn i ddim mentro cael fy nghysylltu â *chi-chi* (fermin) *men*, fel y gelwir gwrywgydwyr yn Jamaica – dim ots pa mor denau neu ddychmygol y cysylltiad.

* * *

'Two t'ings man fe dead inna Jamaica; sexin' bottom an' sellin' cocaine to black people.'
Supercat, y DJ ymfflamychol a gliriwyd o fwrdro'i gyd-gerddor, Nitty Gritty, yn Efrog Newydd ym 1991.

Ers diwedd y 1990au, mae dros ddeugain o wrywgydwyr Jamaicaidd wedi cwrdd â diwedd treisgar dan ddwylo torfeydd dicllon, a dwn i'm faint wedi cael curfâu go sownd, neu'u herlid o'u swyddi a'u cymunedau; yn ddigartref, di-waith, ac wedi'u diarddel gan eu teuluoedd, mae nifer helaeth ohonynt wedi colli arnynt eu hunain ac yn preswylio yn Ysbyty Meddwl Belle Vue. *'Leviticus chapter 20, verse 13, seh; "Any man dat lie down with a nex' man like 'im a lie down wid a woman shall be put to death!"'* bloeddiodd Capleton, i gymeradwyaeth fyddarol, o lwyfan y *Rebel Salute* y penwythnos cynt. Pan gyrhaeddais adref o

Jamaica, un o'r petha cyntaf a wnes i oedd chwilio yn y Beibl am yr adnod a ddyfynnodd y Dyn Tân naw diwrnod ynghynt. A dyna lle'r oedd hi: 'A'r gŵr a orweddo gyd â gŵr fel y gorwedd gyd â gwraig, ffieidd-dra a wnaethant ill dau; lladder hwy yn feirw; eu gwaed fydd arnynt eu hunain.'

Fel yn Barbados, Ciwba, Grenada, St Lucia, Trinidad, Guyana, pymtheg o wledydd y Dwyrain Canol, wyth o Ynysoedd y De, a deuddeg ar hugain o wledydd Affrica, draw yn Jamaica mae cyfunrhywiaeth – pechod y dyn gwyn, fel y'i gelwir – yn anghyfreithlon. Y ddedfryd ar yr euog yw deng mlynedd o garchar â llafur caled. Oherwydd casineb mileinig 80% o boblogaeth y wlad tuag atynt (yn ôl arolwg barn diweddar), does wiw i berson hoyw chwifio'i rywioldeb yn llygad y cyhoedd, neu fe gaiff ei guro, neu waeth. O achos hyn mae hoywon yr ynys yn byw mewn ofn am eu bywydau ac yn gorfod byw dau fywyd, neu os gallant fforddio tocyn awyren, ymfudo i'r Unol Daleithiau fel y gwnaeth Elvis, weitar hoyw yn y *Mayfair*, y llynedd. Rhag tynnu sylw at eu rhywioldeb, prin iawn, os byth, y bydd gwrywgydiwr yn rhoi gwybod i'r heddlu am ymosodiad treisgar arno. Beth fyddai'r diben? Mae'r rheini hyd yn oed yn waeth na'u herlidwyr. Ar ddechrau'r 90au cyhoeddodd Llywodraeth Jamaica fod mesurau ar droed i gyfreithloni perthynas hoyw rhwng oedolion. Ond ddiwrnod neu ddau'n ddiweddarach, yn sgil ymateb ffyrnig y bobl, fe'u gorfodwyd i dynnu'u geiriau'n ôl. Yng nghanol mis Medi, y flwyddyn 2000, yn ystod cynhadledd genedlaethol flynyddol ei blaid, cyhoeddodd P.J. Patterson arweinydd y *PNP* y byddai'n gwneud popeth yn ei allu i sicrhau bod deddfau gwrth-hoyw llym y wlad yn aros ar y llyfr statud.

* * *

'I never dream that the Government so evil
Fe go tek up some homeless people
Ship them to the nex' parish inna vehicle

Roeddwn ar ben fy nigon pan enillodd P.J. Patterson ei etholiad cyntaf yn 1993. Gŵr du, ac aelod o'r *PNP* ar ben hynny, yn Nhŷ'r Llywodraeth o'r diwedd. Doeddwn i fawr feddwl ar y pryd y bydda' fo'n troi allan i fod yn fastard mor anhrugarog ac mor ddi-hid ynghylch helyntion y dioddefwyr. Mewn llawer iawn o ffyrdd, mae'r cythraul wedi bod yn waeth na'i ragflaenwyr goleubryd. Roeddwn i'n arfer pitïo'n arw dros Patterson yn y 1990au, pan fyddai cerddorion Jamaica i gyd yn ei ddifrïo fo bob cyfle posib. Ond ddim rŵan. Does gen i ddim owns o gydymdeimlad na pharch tuag ato erbyn hyn. Diflannodd yr hynny bach oedd gen i wedi imi ddod i glywed am ei gynllwyn ynghyd â Maer a heddlu Montego Bay i gelu 'Digwyddiad Pobl Stryd Montego Bay' 15fed o Orffennaf, 1999.

Roedd y deuddeg heddwas a'r ddwy blismones dan orchymyn pendant i aros nes oedd pethau wedi tawelu rhywfaint cyn iddynt ddechrau ar eu gorchwyl o waredu canol Montego Bay o *street people*; roedd twristiaid bach neis yn ffeindio'u presenoldeb ar y strydoedd yn annymunol, yn ôl y Maer, Hugh Solomon. Erbyn hanner awr wedi dau y bore wedyn, roedd trwmbal lori Cyngor Plwyf St James yn llawn dop o gardotwyr, pobol ddigartref, plant amddifad a phobl dan anfantais feddyliol. Rhwymwyd traed a dwylo y mwya gwrthryfelgar yn eu plith roedd llygaid eraill yn fflamgoch wedi iddynt gael eu chwistrellu â phupur. Â'r gwaith budr wedi'i gwblhau, danfonodd yr heddlu lori'r cyngor i bellteroedd y plwyf nesaf, St Elizabeth, lle dadlwythwyd ei chynnwys dynol dryslyd gerllaw llyn mwd enfawr ar gyrion Santa Cruz am hanner awr wedi tri y bore. Mae'n debyg i ddau ddyn canol oed ffwndrus fynd ar goll yn y tywyllwch dudew a suddo o'r golwg yn y pwll (nid oes hanes ohonynt hyd heddiw), oherwydd pan wnaeth tri o aelodau benywaidd o'r *CMIU*, yr elusen sy'n gofalu am bobl stryd Montego Bay, gyfrif pen y bore wedyn, dim ond tri deg o'r deuddeg ar hugain o'r trueiniaid a herwgipiwyd y gallent ddod o hyd iddynt.

Doedd dim lle i droi yn y dafarn. Roedd hi'n hollol *ram* yno.

'*The usual, Mr Evans sir?*' gofynnodd Mr Royes, wedi i mi lwyddo i gwffio fy ffordd ato.

'Os gwelwch yn dda,' atebais, gan chwilio am wyneb cyfarwydd. Yn ffodus, eiliadau wedyn cododd dwy hen iâr ffroenuchel o'u seddi. Sbonciais ar ben y stôl agosa imi, drws nesa i flonden feddw mewn crys-T â gwddf peryglus o isel. Mi faswn i'n tybio ei bod hi tua'r un oed â mi, ond bod amser, y diawl anwadal iddo, wedi bod yn llawer iawn ffeindiach wrthi hi na mi.

Dechreuodd y bar wagio tua wyth. Erbyn chwarter wedi, dim ond dyrnaid ohonom oedd yn weddill.

'*See the lickle man over deh, 'im with the red face from gettin' too much sun – Geoff 'im name,*' sibrydodd Mr Royes, gan wyro'i ben ac edrych arna'i dros ei sbectol, "*Im come from same country as you.*'

'Duw Annwyl!' ebychais yn syn (o wrando arno'n siarad, mi fasach chi'n taeru mai bonheddwr o Sais oedd o).

'*Yes, man. Me know 'im well. 'Im been comin' here every year since from when me can remember,*' datgelodd y barman yn ddistaw bach.

Pan drodd y dyn bach i wynebu'r ddynes ar y llaw chwith iddo a gofyn iddi; '*Joanne, darling, what time is it? I can't see the clock. I've left my glasses at your sister's house,*' dyma fi'n ateb,

'Ugain munud wedi wyth union,' dywedais yn uchel.

'*Good God!*' ebychodd y dyn bach, gan syllu'n hurt bost arna'i.

'*What did he say, Geoff? Tell me what he said!*' hisiodd dyn siwt rhesen fain yn ei glust.

'*He told me it was twenty past eight – in Welsh,*' meddai'r Cymro, heb unwaith dynnu'i lygaid oddi arnaf.

'Iechyd da. Twll tin pob Sais!' gwaeddais ar draws y bar, cyn cymryd swig o 'nghwrw.

'Iechyd da!' adleisiodd fy nghyd-wladwr yn uchel, gan wenu fel cath.

'What did he just say, Geoff?' holodd y Sais wrth ei ymyl unwaith yn rhagor.

'Arseholes to all Englishmen!' chwarddodd ei fêt, er mawr ddifyrrwch Mr Royes. *'Charming!'* sylwebodd y siwt rhesen fain gyda gwên fawr siriol – chwarae teg iddo.

Byr amser wedi i Geoff a'i wraig Joanne adael am y dderbynfa i ffonio tacsi yn ôl i Port Morant, aeth yn helynt rhyngof fi a boi gwyn lleol. Aelod, tua deugain, o un o deuluoedd cyfoethocaf Kingston. Ei ddal o'n gwneud ystumiau arnaf wnes i, a gwefuso llif o regfeydd mud. Doedd y diawl gwirion ddim yn sylweddoli 'mod i'n ei weld o'n blaen yn y drych tu ôl i'r bar.

'Sut mae'i? Wyt ti eisio gair?' dywedais wrth y boi.

'Fuck off! Go and fuck yourself!' bloeddiodd dros bob man. Yn y diwedd, cododd dau beilot *Air Jamaica* cawraidd o'u seddi ar bwys y piano, a'n gwahanu. Rhuthrodd y llarbad allan wedyn, yn rhegi fel dyn o'i gof.

Wrth edrych ar Peter y gwerthwr tai, dyn bychan sbectolog, llywaeth yr olwg, â hoffter mawr o rym pwnsh angeuol Mr Royes, fasach chi ddim yn meddwl y toddai menyn yn ei geg o. Ond mae edrychiad yn gallu bod yn dwyllodrus. Un noswaith, oddeutu dau fis wedi i mi ddychwelyd gartref, cerddodd Peter i mewn i far y *Mayfair*, sleifio i fyny at Mr Royes a'i chwistrellu yn ei wyneb â chynhwysion can mawr o bupur. Yna, cyn i un o'r cwsmeriaid sylweddoli beth oedd wedi digwydd, waltsiodd hi allan drwy'r drws.

'Peter, 'im lucky 'im still alive y'know,' dywedodd yr hen farman annwyl wrthyf un noson, deg mis wedi'r digwyddiad, *'Followin' the business with the pepper spray, a whole heap a angry people ring me up aksin' me fe 'im 'ome address. Some a dem so mad dem waan fe kill 'im.'* Yn Ward 21, uned ofal sicr seiciatrig Ysbyty

Cyhoeddus mae Peter erbyn hyn. Ychydig wedi'r digwyddiad ffiaidd hefo'r *pepper spray*, aeth oddi ar y cledrau'n llwyr.

Y Deuddegfed Diwrnod

'Ghetto yout', life hard in the streets
You know how much yout' die like dog in the streets
You 'ave fe tough an' conscious, can't soft in the streets
Got to be quick thinkin', fast in the streets . . .'
  Mad Cobra – *'In The Streets'*

Gwleidyddion Gorllewin a Chanol Kington yn taro bargen ag area *dons*, ac ymwneud dynion busnes, heddlu, a swyddogion Tollau ac Ecseis â'r byd troseddol yn troi gwleidyddiaeth, 'cyfraith a threfn', y fasnach gyffuriau, smyglo gynnau, llygredd, ac ati, yn un dryswch mawr o symbiosis drwgweithredol . . . Chwe deg saith y cant o blant ysgol gynradd y brifddinas wedi gweld corff marw, a saith allan o bob deg o'i hoedolion yn nabod rhywun sydd wedi trengi trwy drais. Gwleidyddiaeth yn gosod brawd yn erbyn brawd a chwaer yn erbyn chwaer, hoywon yn cael eu herlid a'u difa fel cŵn cynddeiriog, heddlu'n saethu pobl yn farw, a degau o wleidyddion ofn drwy'u tinau ymweld â'u hetholiadau perig-bywyd. Gyrwyr, â gormod o ofn i rywun ymosod arnynt, yn anwybyddu arwyddion 'Ildiwch' a goleuadau traffig, a dau ddeg pump y cant o wrywod a deg y cant o fenywod Kingston yn cyfaddef iddynt gario cyllell, caib rhew, neu arf tebyg. Bron i 20 o blant bychain wedi eu lladd gan ynnau neu fomiau petrol, mewn cyfnod o wyth mis, diweithdra'n rhemp, y diwydiant amaethyddol a'r diwydiant ymwelwyr mewn cyflwr truenus, a rŵan, cynrychiolwyr llywodraethau Prydain a'r Unol Daleithiau yn dihysbyddu ysbytai ac ysgolion Kingston o nyrsys, meddygon ac athrawon. Y sglyfaethod diegwyddor.

'Nowadays, it ain't safe in the streets
The amount a duppy wheh a mek me 'ead race in the streets
Dem nah show no love, a jus' hate in the streets
'Ave fe watch your head back, can't gaze in the streets
Corruption is a t'ing in the streets

Bigger heads behind the violence in the streets
Dem use pen an' paper fe write the laws in the streets
But a ghetto yout' alone a lie dung inna the streets . . .'

Llofruddiwyd 1,327 o ddinasyddion Jamaica y llynedd, ·05 o'r boblogaeth ('tasa cyfradd llofruddiaeth y wlad yma'n gyfartal ag un JA, mi fyddai 34,500, fwy neu lai, o drigolion gwledydd Prydain yn cael ein mwrdro bob blwyddyn). Dros wyth deg y cant ohonynt yn Kingston. Dioddefwyr ifanc, *ghetto youths* o drefi cytiau'r brifddinas, oedd y mwyafrif.

'Black yout', we are dyin' too young
Ninety nine an' t'ree quarter per cent by gun
We a endangered species, blood nah stop run
Seem like there's no hope for the yout' dung in the slum . . .'

Ar adeg ysgrifennu hyn mae Edward Seaga arweinydd hirhoedlog y *Jamaican Labour Party*, sylfaenydd *garrison community* cyntaf Kingston ac awdur ffenomenon yr *area dons*, yn dathlu'i ddeugeinfed flynedd mewn gwleidyddiaeth. Dyma ŵr a huriodd giang o labystiaid arfog i 'lanhau' ei etholaeth o ddilynwyr yr wrthblaid. Oni bai am hynny, mi fyddai prifddinas Jamaica yn lle saffach o lawer, a bywydau trist ei thrigolion tlotaf yn fwy dedwydd a dymunol o beth wmbredd.

Fis yn unig wedi buddugoliaeth ysgubol y *PNP* yn Etholiad Cyffredinol 1976 – pan gollodd dros bum cant o drigolion yr ynys eu bywydau drwy drais gwleidyddol – roedd economi Jamaica'n rhacs. O ganlyniad, gorfodwyd y Prif Weinidog Michael Manley i alw am gymorth yr *International Monetary Fund*. Bu'n rhaid i'r Prif Weinidog gytuno i bob un o amodau hallt eu benthyciad; dygymod â'r gostyngiad uniongyrchol o 40% yng ngwerth y Ddoler Jamaicaidd oedd y mwyaf poenus ohonynt. Mewn rhwystredigaeth lwyr, dechreuodd Manley droi fwyfwy tuag at Rwsia a Chiwba. Gyda dyledion tramor arswydus, dwsinau o fusnesau'n cau i lawr yn wythnosol, a nifer y di-waith a chostau byw yn cynyddu'n aruthrol, dechreuodd Tsieineaid mentrus Jamaica a duon dosbarth canol y wlad ffoi o'r ynys yn eu miloedd. Yn ystod y 60au, roedd ymhell dros 40,000 o bobol o dras Tsieinïaidd yn trigo yn Jamaica. Erbyn 1980, roedd y ffigwr wedi gostwng i lai na 4,000.

Yng ngwanwyn 1976, mewn ymdrech ddesbrad i geisio arafu'r ffrwydriadau o frwydro gwaedlyd rhwng dau lwyth gwleidyddol Gorllewin Kingston, rhoddwyd y ddinas gyfan mewn stad o argyfwng ac fe sefydlwyd y Gun Court (sef gwersyll-garchar, tebyg iawn i stalag Almaenaidd o ddyddiau'r Ail Ryfel Byd) ar South Park Camp Road. Ym mis Mai, pasiwyd mesur yn rhoi awdurdod i'r Heddlu a'r Fyddin arestio unrhyw berson â gwn neu fwledi yn ei feddiant a'r hawl i'w daflu i'r Gun Court, a'i ddal yno, heb dreial, am amser amhenodol. Ymhen dau fis, roedd dros 600 o *rankings* a'u troedfilwyr yn gaeth o fewn i'w ffensys uchel. Bucky Marshall, arglwydd rhyfel pwysicaf y *PNP* yn eu plith.

Chafodd cyflwyniad y mesurau brys draconaidd a grybwyllwyd uchod fawr ddim effaith ar lefel trais arswydus o uchel 1976. Os rhywbeth, dirywiodd pethau'n sylweddol yn ystod y misoedd wedyn. Yn 1977, yn fuan wedi ymweliad, chwe diwrnod o hyd, Fidel Castro â'r wlad, dociodd llong yn cludo cannoedd o feddygon, addysgwyr ac arbenigwyr technegol Ciwbaidd ym mhorthladd Kingston. Gyda glaniad ei chargo dyngarol roedd ymddieithrio Jamaica oddi wrth yr Unol Daleithiau yn gyflawn. Gyda hyn, gorchymynnodd yr Iancs y *CIA*, gyda George Bush yr Hynaf wrth y llyw, i ddyfeisio cynllwyn i ddymchwel Llywodraeth yr ynys. A sôn bod etholiad yn y gwynt, daeth mintai o swyddogion uchel-radd o'r Heddlu a dyrnaid o'u cyfeillion agos o gangen *MIA (Military Intelligenge Unit)* y *Jamaican Defence Force* at ei gilydd yn gyfrinachol i ddyfeisio cynllun i gael gwared ar rai o *rankings* mwya trafferthus y JLP. Drannoeth y cyfarfod, dechreuodd y plismyn ymledu'r sibrydion o gwmpas; bod y Llywodraeth angen giang o *youthmen* – *JLP*, o ddewis – i warchod un o'u safleoedd adeiladu tai newydd ar gyrion ardal Labourite

Southside, a bod tri chant o ddoleri Americanaidd a gwn awtomatig sgleiniog ynddi i bob un fyddai'n fodlon cyflawni'r gwaith. Erbyn canol mis Rhagfyr roedd tomen o saethwyr JLP wedi dangos diddordeb yn y job. Nithiodd yr Heddlu drwy'u henwau'n ofalus a dewis y pymtheg mwya llofruddiaethus yn eu plith.

Yn oriau mân y bore, y 4ydd o Ionawr, 1978, gyrrwyd un o loriau'r fyddin rownd Gorllewin a Chanol Kingston i godi'r pymtheg gangster. Heb amau dim, byrddiodd y dynion drwg y lori ag i ffwrdd â nhw i Green Bay, safle un o feysydd ymarfer tanio'r *JDF*, i nôl y drylliau. Mae maes ymarfer Green Bay tua chwarter milltir i lawr trac serth reit ar odre traeth bach unig. Wedi cyrraedd y bae, yn ddi-dortsh ac mewn tywyllwch dudew, cychwynnodd y *Labourites* ifanc i lawr y droedffordd gul yn araf deg, mewn un llinell hir. Hanner ffordd i lawr, o du cefn i'r llwyni trwchus o boptu'r llwybr, taniodd wyth peiriant-saethu arnynt o'r tywyllwch. Lladdwyd saith o'r *rankings* yn y fan a'r lle, yn eu plith bum aelod blaenllaw o fintai peryclaf geto Tel Aviv. Llwyddodd y gweddill i ddianc, er bod pob un ohonynt wedi derbyn anafiadau yn y cawlach o gyflafan.

Syfrdanwyd *rankings* Kingston gyfan gan y gyflafan yn Green Bay. Pan ddaethant i ddeall pa mor hepgoradwy oeddent a pha mor hawdd oedd hi i luoedd cyfraith a threfn yr ynys gael gwared arnynt, daeth ofn mawr drostynt a dechreuodd eu hymroddiad ballu. Ar y 5ed o Ionawr, 1978, cyhoeddodd arweinwyr gangiau amlycaf Canol a Gorllewin Kingston gadoediad a gorchymyn eu dynion i fynd ati i ddymchwel y baricedau'n amddiffyn eu cymdogaethau. Ddyddiau'n ddiweddarach, digwyddodd yr amhosibl. Cwrddodd hanner dwsin ohonynt â'i gilydd i gynnal trafodaethau heddwch. Dros y pedwar mis canlynol cynhaliwyd dwsinau o gyfarfodydd cymodi cyfrinachol, yn cynnwys rhai o arweinwyr pwysicaf minteioedd arfog *downtown* cynrychiolwyr eglwysi Jamaica, ambell wleidydd cywir, ac aelodau blaenllaw o Gyngor Iawnderau Dynol y wlad.

Diweddglo mawr trafodaethau heddwch dirifedi chwarter cyntaf 1978 oedd cytundeb pendant a pharhaol. A chafwyd cyngerdd dathlu mawreddog yn National Arena Kingston ar y 22ain o Ebrill, gyda Manley a Seaga a rhai o sêr Reggae mwya'r adeg, artistiaid fel Jacob Miller, Dennis Brown, Culture a'r Wailers, yn bresennol. Ond yn drasig, ddau fis yn ddiweddarach, roedd y cytgord yn rhacs; fe'i chwalwyd yn yfflon wedi i fintai o blismyn ladd un o *rankings* blaenllaw ardal *PNP* Stony Hill – y cyntaf o ddegau o achosion o'r Heddlu yn llofruddio arweinwyr gangiau diwygiedig heb achos a ddigwyddodd yn y deunaw mis a ganlynodd selio'r cyfamod. Y Chwefror dilynol, mwrdrodd yr heddlu Claudie Mossop, un o ffigyrau canolog y cytgord a don pwysicaf oll y JLP, wrth iddo ddychwelyd gartref o gêm bêl droed yn Spanish Town yn yr oriau mân. Drannoeth, pan glywodd Bucky Marshall, *ranking* blaenllaw y *PNP*, y newyddion, sylweddolodd ei fod hi ar ben arno ac fe ffodd am ei fywyd i Efrog Newydd. Ond ymhen dyddiau wedyn, aeth i helynt ar lawr rhyw neuadd ddawns ac fe'i saethwyd. *'No more Tom Shooter, no Bucky Marshall, no Chucky Boo . . .'* chwedl y DJ diweddar, Jah Lloyd.

Roedd diwedd y 70au yn adeg gymharol ddistaw, o ran trais, yn Jamaica. Ond wrth ddynesu at Etholiad Cyffredinol 1980, dechreuodd pobol golli'u pennau'n lân a lefel trais Kingston gynyddu'n arswydus. Fis cyn y lecsiwn, roedd cannoedd o gefnogwyr *JLP* wedi ymgynnull mewn neuadd yn Gold Street, Southside, ar gyfer dawns a drefnwyd i godi arian i ymgyrch etholiadol y blaid asgell dde. Tua deg o'r gloch, â'r dawnsio yn ei anterth, ymosododd haid o gefnogwyr y chwith ar y neuadd a saethu'n ddiwahân i ganol y dorf. Lladdwyd pump ac anafwyd dwsinau. Dair wythnos wedyn, tra'n canfasio mewn pentref ar gyrion y Blue Mountains, saethwyd Roy McGann, un o aelodau seneddol mwya poblogaidd ac uchel ei barch y *PNP*, yn gelain. Ddyddiau'n unig cyn diwrnod y pleidleisio, taniwyd ar fodurgad yn cynnwys y Prif Weinidog Manley. Yn ystod ymgyrchu etholiadol 1980, collodd dros wyth gant o drigolion

Kingston ac wyth aelod ar hugain o'r heddlu eu bywydau.

> *'All over Garden, up inna West, every day people a move*
> *A nuff poor people a suffer, nothin' we a win, everything we lose*
> *Check it out now – Hannah Town, Rema, Jungle, Denham Town,*
> *Tivoli – war confuse*
> *We a fight fe politics an' a follow dem tricks an' cyaan afford*
> *a juice...'*
> Spragga Benz – *'Gwaan Like Fool.'*

'PEACE REIGNS IN KINGSTON, THE VIOLENCE HAS GONE', meddai llinell agoriadol erthygl a ddarllenais yn un o'n papurau Sul ychydig fisoedd yn ôl. Yn Kingston-upon-Thames efallai, neu Kingston-upon-Hull. Oherwydd, os rhywbeth, gwaethygu'n arw mae pethau draw 'na. Nid yn unig y mae cyfradd llofruddiaeth Kingston yn graddol godi bob blwyddyn, ond mae'r achosion o fwrdro'n troi'n fwyfwy mympwyol ac echrydus.

Gwylio'r teledu oedd Darling Thomas, un o ddwsin o famau sengl Shack's Pond, pan giciodd saethwyr Denham Town ddrws ei thŷ bach cyntefig oddi ar ei hinjis. Roedd hi wedi bod yn effro ers oriau. Doedd hi ddim wedi bod yn cysgu'n dda iawn ers llofruddiaeth Livingstone, ei phartner a thad ei thair merch ifanc – Shanik, pymtheg, a Shavel a Shavanese, efeilliaid tair blwydd oed – mewn ffrwgwd *drive-by* yn Half Way Tree ychydig fisoedd ynghynt. Wrth weld dau ddyn mygydog yn rhuthro i mewn i'w chartref, sbonciodd Darling Thomas o'i gwely a chythru heibio iddyn nhw. Ond cyn iddi gael cyfle i seinio rhybudd a galw am gymorth, gwagiodd y ddau saethwr *Labourite* storgelloedd eu gynnau awtomatig i gyrff hanner-effro'i phlant.

Ychydig flynyddoedd yn ôl, meddan nhw i mi, fasa' 'na'r un *shotta*, hyd yn oed y mwya distadl o'r isel rai, yn ymostwng mor uffernol o isel â saethu merched a phlant bychain. Y pryd hynny roedd rhyw gymaint o anrhydedd ymysg saethwyr, fel petai. Ond nid rŵan. Mae pethau wedi newid yn llwyr dros y pum mlynedd diwethaf. Erbyn heddiw mae pawb a phob un, 'ta waeth beth fo'u hoedran a'u rhyw, yn cael eu hystyried i fod yn ysglyfaeth deg ganddynt. *'Dem shoot dung the young, shoot dung the old. Shoot dung the puss an' the dog an' the foal. Outta man pocket dem shoot out bills-fold . . .'* chwedl Capleton. Does gan y saethwr cyffredin – llanc ifanc rhwng 16 a 23 mlwydd oed, erioed wedi derbyn na gofal rhieni nac addysg, ac wedi'i ddwyn i fyny ymhlith gynnau a chieidd-dra ers bore oes – sy'n gweithredu yn Kingston heddiw ddim owns o gydwybod, egwyddor na thosturi.

* * *

Roedd eclips y lloer wedi bod gwta chwe awr ynghynt, tua hanner awr wedi un y bore. Diolch i blagio Julie, Patrick, Willie, Woody, a ffermwr cefnog, meddw gaib o Stony Hill a chanddo bistol wedi ei lwytho dan ei grys, bu'n rhaid i mi fynd allan i faes parcio'r dafarn i'w wylio. Erbyn i ni gael dropyn neu ddau yn y bar wedyn, roedd hi bron iawn yn hanner awr wedi dau arna i'n mynd i'r gwely. A hyd yn oed wedyn, wnes i ddim mynd i gysgu ar fy union. Ar ôl gorffen cofnodi digwyddiadau'r noswaith yn fy llyfr nodiadau, bûm yn gwylio diwedd rhaglen ddogfen gyfareddol am fywyd cynnar fy arwr mawr, Marcus Garvey, ar sianel *CVM*. Mi fasach chi'n meddwl y baswn i'n teimlo'n uffernol o giami a blinedig ar ôl yfed fel peth gwirion a llosgi'r gannwyll bron tan y wawr. Adref yng Nghymru, yn dilyn noswaith mor hegar â honna, mi faswn i'n wael fel ci a llipa fel lleden fwd. Ond yn lle hynny, dyma lle'r oeddwn i, cyn iached â'r gneuen, yn ei llamhidyddio hi i fyny ac i lawr pwll nofio'r *Mayfair* am y cant a milfed tro.

Roedd criw o fwlturiaid John Crow, ugain neu fwy ohonynt, yn pendwmpian ar ganghennau'r goeden *naseberry* fawr gnotiog tu ôl i'r snacbar. Wedi imi sychu fy hun a gwisgo, cerddais i lawr y rhesaid o risiau cerrig yn arwain i'r acer o ardd heb ei thrin oddi tanaf, a sleifio'n ddistaw bach at yr hen sapodila, er mwyn cael golwg agos arnynt. Ers imi weld fy John Crow cyntaf yn Coral Gardens, bron dair wythnos ynghynt, roeddwn wedi bod yn ysu i weld un o'r sborionwyr mawr penfoel yn agos.

> *'John Crow 'im t'ink 'im a dandy-man, but 'im only*
> *'ave so-so feather.'*

Hen ddihareb Jamaicaidd.

'Every John Crow t'ink 'im pickney white' ('gwyn y gwêl y frân ei chyw'), *'John Crow a roast plantain fe 'im'* (dywediad sy'n cyfatebu i'n 'mae hwn-a-hwn yn bwyta gwellt ei wely' ni), *'If you a fly wid John Crow, yuh will nyam* (bwyta) *dead meat'* (os 'dach chi'n cyfeillachu â dihirod, ddaw dim da ohonoch chi). Yn ogystal ag ysbrydoli sawl dihareb a chynrychioli drygioni, hylltod a gwarth yn eu holl weddau amrywiol, mae *John Crow*, fel y *pattoo*, neu'r dylluan, yn cael ei ystyried i fod yn gennad marwolaeth, neu'n aderyn corff. Os glanith yr hen Sionyn ar ben to eich tŷ chi, mae hi wedi tata arnoch chi, neu aelod arall o'ch teulu. Y gred yw, cyn diwedd y dydd bydd Angau a'i Gleddau Glas yn saff o alw heibio.

Â'u plu du bitsh, gyddfau hirfain, wynebau cochion a phennau moel, roedd yr haid o fwlturiaid yn fy ngwylio'n ochelgar yn debyg iawn i gynulliad o hen ymgymerwyr anghynnes, eu hetia silc wedi'u diosg o ran parch, yn llygadu darpar gwsmer. Cymerais gam arall tuag at y rafins pluog, gan ddal i syllu i fyw llygaid y deryn agosa ataf, cythraul o beth mawr hyll â golwg gas gythreulig arno. Yn gwbl annisgwyl imi, wnaeth o na'r un o'i gwmnïwyr ddim symud pluen. Dim ond dal i rythu'n oeraidd arna'i â'u hen lygadau bach sinistr, hanner-agored. Cymerais gam arall tuag at yr hen sapodila, a dyna pryd y'm trawyd y gallai'r *John Crows* gerllaw fy rheibio. Er imi wawdio fy hun am fod mor hurt ac yn gymaint o bansen, allwn i'n fy myw fagu'r plwc i fynd hyd yn oed fodfedd ymhellach. Felly, gan gerdded wysg fy nghefn yn ara bach, enciliais, a mynd am damaid o frecwast.

Roedd Kevin y weitar yn casáu cerddoriaeth *Dancehall* i'r eithaf. Rastaffariaid hefyd. Ac roedd o'n meddwl yn siŵr bod coll mawr arna i. Pwy ond dyn hurt fyddai'n talu arian da i gymryd gwyliau yn Kingston, mynegodd farn onest un bore, a threulio rhan helaeth o'i amser yn cario bocsys trymion yma a thraw ar ben hynny? 'Pwy yn ei iawn bwyll fyddai'n dewis bwrw'i amser hamdden i gyd yn mynychu cymanfaoedd canu a chynadleddau crefyddol?' bu bron iawn i mi ag ateb yn ôl. Ond allwn i ddim. Oherwydd roedd o wastad yn glên, hwyliog a chymwynasgar. 'Beth oedd ganddo ffansi'i wneud wedi iddo adael yr ysgol?' holais un bore. Mynd i weithio fel stiward ar fwrdd llongau teithio, atebodd. Roedd ei ewythr, decmon ar ryw seilam ddŵr anferth o berchnogaeth Americanaidd, am forol am swydd iddo, rhoddodd wybod i mi â'i lygaid mawrion yn pefrio. Cyn gynted ag yr oedd wedi gorffen ysgol, ymhen tua chwe mis, byddai i ffwrdd am y cefnfor. Trist dweud, tri ymweliad diweddarach â Kingston, roedd o'n dal i weini o hyd.

Ar bwys y drws siglo stopiodd Kevin yn stond.

'Hevans!' bloeddiodd dros yr ystafell fwyta brysur, *"Ow yuh like yuh heggs?'* 'Wedi'u gwneud yn reit dda,' gwaeddais yn ôl.

'An' the bacon?'

'Wedi'i wneud yn ysgafn.'

'Okay,' meddai'n siriol, cyn diflannu i ganol gwres anghynnes a chloncian sosbenni yr ystafell goginio.

O ddiffyg rhywbeth i'w wneud wrth aros am fy mrecwast, es am smôc ar y feranda. Erbyn i mi ddychwelyd roedd dau gwpl Indiaidd mewn oed wedi bachu fy mwrdd. Felly es i eistedd ar bwys y grisiau. Drws nesa i lond bwrdd o genhadon Americanaidd. Os gwn i pa un ohonynt oedd berchen ar y llyfr nodiadau hwnnw, yn llawn o gyfeiriadau nawddoglyd at *'dark, shiny faces'* a *'little ebony-coloured bundles of joy'* ffeindiais i ar ben y wal tu allan i'm hystafell y bore o'r blaen? Yr hwn a rwygais yn ddarnau mewn pwl o dempar.

O'r diwedd, landiodd fy mwyd. Wedi'i ddarlosgi, fel arfer.

'Tea or coffee, Hevans?' holodd Kevin y Cristion Gorffwyll yn

siriol, gan sodro'r platiad o boethoffrymau dan fy nhrwyn.

'Pot mawr o goffi, os gweli di'n dda. A dwy sleisen o dost.'

'Lickle more time,' gwenodd y bachgen ysgol yn ddymunol, cyn diflannu i gyfeiriad yr amlosgfa fwyd dan ganu'r hen *spiritual, 'More Oil In My Lamp'*, yn llawen wrth fynd. Roedd y ffordd yr oedd Kevin wastad yn cyfeirio ata i fel 'Hevans' yn gwylltio fy mêt Ralston, y pregethwr mawr o Westmoreland, yn gacwn. Ond doedd o'n poeni'r un affliw arna' i. Roeddwn i'n cweit leicio cael fy nghyfeirio ataf fel 'Nefoedd'.

Wrth falu sleisen o gig gor-grimp yn greision bacwn manion, cofiais yn sydyn bod angen i mi ffonio'r maes awyr bedair awr ar hugain cyn i fy awyren gartref adael. Hen lol wirion, ddiangen. Adref . . . prin oeddwn i wedi meddwl am y lle ers landio'n Kingston. Roedd Ann byth a beunydd yn fy meddwl. A weithia Llywelyn, ein ci â'r gwallt melyn, mawr; sut oedd yr hen greadur bach arthritig erbyn hyn, os gwn i? Ac ambell dro, yn enwedig wrth imi ryfeddu at ryw flodau neilltuol o ogoneddus, ymrithiai Tomi, fy nhad diweddar a garddwr ffanatigaidd gydol ei oes hir, wrth fy ymyl. A dyna, cywilydd dweud, oedd fwy neu lai cyfanswm cyfan fy meddyliau am adref trwy gydol fy ymweliad gwynfydedig.

Fasa hi'n ddichonadwy symud i fyw i Kingston, tybed? Gwyddwn y byddai Ann wrth ei bodd yn lân yno. Gwerthu'r tŷ a phrynu un o'r tai tref bach deniadol yna ar y Waterloo Road. Dwi'n siŵr y byddem yn dygymod rywsut. Dim ond pedair blynedd oedd i fynd nes fyddwn i'n cael fy mhensiwn *MANWEB*. Ond mi fasa'n rhaid i ni gael gwaith. A beth am ddiogelwch? Doedd o'm yn ffaith dra hysbys nad oedd yr un ddinas arall yn y byd – dinas nad oedd mewn rhyfel – mor anniogel? Ond diawl, roedd y fampiriaid gwynion 'na'n ei gwneud hi'n iawn yno. Oedden, siŵr Dduw! Hawdd gallen nhw fod â gwarchodwyr arfog yn gwylio'u tai a'u fflatiau moethus ddydd a nos; mi gaen nhw weld pan ddeuai'r chwyldro hwnnw yr oedd holl gerddorion y wlad yn ei broffwydo – *'when the problems of the poor come an' kick down dem door'*, chwedl Tanya Stephens. A dim ond dros dro oedden nhw yno. Dim ond o amgylch *uptown* – y sector diogel, fel y tybid – oedd y bastards ffiaidd yn cylchdroi. O'r gwely i'r gwaith, o'r gwaith i'r clwb golff, neu westy'r *Mayfair*, ac yna i'r gwely'n ôl. Roedd y brownmyn yr un fath. Faint o flynyddoedd oedd hi hefyd, ers i Willie'r gwerthwr tai a thir fod *downtown* ddiwethaf? Wyth mlynedd, dwi'n meddwl ddwedodd o!

Iesu, mi oedd hi wedi bod yn bythefnos wych. Wel am deimlad gogoneddus oedd cael troi ymhlith pobl o'r un meddylfryd. Ymysg pobl yn rhannu'r un diddordebau. Â phwy allwn i drafod miwsig Jamaicaidd yn ôl yng Nghymru? Pwyso a mesur pethau pwysig fel y *boom riddims* diweddaraf, neu'r toreth o hen senglau *'Xterminator'* Luciano oedd newydd ddod i'r fei? Uffern o neb. Roedd yn rhaid codi'r ffôn a galw Llundain os oeddwn eisio trin pethau felly. Daeth Kevin â'r coffi. Oedais am funud i dollti paned. A'i llyncu ar fy nhalcen. Roedd syched melltigedig arna i. Ar ôl tywallt un arall, cydiais mewn sleisen o dost, a mynd ati'n bell fy meddwl i roi menyn arni, ac wedyn ei thaenu â jam gwafa. Ralston – oedd yn honco bost am jam gwafa. Bob bore, cyn gadael yr ystafell fwyta, âi o amgylch y byrddau'n hel y blychau bach plastig o jam oedd ar ôl. 'Oedd Williams (ei gyfenw) yn syrnâm poblogaidd draw yng Nghymru?' gofynnodd imi'r bore cynt. Oedd, yr ail mwya cyffredin yng ngogledd y wlad, atebais. Oeddwn i'n gwybod bod plwyf o'r enw St David's yn Jamaica yn ôl yn y ddeunawfed ganrif 'ta? holodd wedyn. Oeddwn Tad, yn St Thomas yr oes hon. Roedd tomen o dai maestrefol yn Kingston yn dwyn enwau Cymraeg hefyd, tan yn gymharol ddiweddar. Ac roedd dylanwad fy mamwlad i'w weld bob blwyddyn yn *National Festival Movement Jamaica* – oedd wedi'i seilio ar eisteddfodau Cymreig. Roedd hen waliau cerrig wedi'u codi gan grefftwyr o Gymru ledled plwyfi St Ann's a Trelawney, toeau llechi o siroedd Caernarfon a Meirionnydd yn dal i orchuddio amryw o hen weithfeydd siwgr yr ynys, ac ugeiniau o gerrig beddi o wneuthuriad mêt i mi, Ffred o Lanaelhaearn, yn britho mynwentydd Kingston a Spanish Town. O ia, a gweddillion hen-hen-daid gwraig fferm oeddwn i'n ei hownabod o bentref Llwyndyrys yn gorwedd ym mynwent Eglwys y Plwyf St Andrews yn Half Way Tree.

'Diddorol iawn!' ebychodd y Parchedig Ralston Williams. Roedd y busnes cerrig beddi 'na o wneuthuriad Ffred, yn rhywbeth i ymfalchïo ynddo. Ond doedd y gweddill ddim. Broc môr gwladychiaeth oedd y cwbwl. A staen ffiaidd ar . . .

'Reggae – the music that breaks down all colour and language barriers' meddai arwyddair label *Brickwall* Bobby 'Digital'. Yn union. *'The music fe yuh soul, it not 'bout runnin' down platinum an' gold.'* A cherddoriaeth wedi'i chreu gan bobol go iawn. O'u calonnau a'u heneidiau. I'r werin bobol. Cerddoriaeth â neges iddi. Synau realiti a iawnderau a gwirionedd meddyliais fel yr oeddwn i'n dechrau dychwelyd i'r byd o'm cwmpas yn araf bach. Gan syllu'n hurt ar un o'r cenhadon gwrywaidd dros y ffordd, codais ar fy nhraed a chychwyn mynd i ddal pen rheswm â Mr Campbell a Michael. Rywbryd yn ystod yr amser hir a dreuliais yn cael brecwast synfyfyriol, saethwyd gangster adnabyddus o Back To, a amheuwyd o lofruddio mab un o uwch-farnwyr y ddinas, yn gorff ar bwys ceg isaf y Kingsway.

'Chlywaist ti 'mo'r ergydion?' gofynnodd Mr Campbell wedi'i synnu'n lân. 'Duwcs annwyl, naddo,' atebais, wrth breimio fy nghetyn.

Gwrthododd fy nghais iddo fynd â mi i lawr i Matches Lane i chwilio am 'Zeeks'. Doedd wiw i ni fynd yn bell iawn. Roedd injan yr hen *Doyota* newydd ddechrau chwarae'r diawl, am ryw reswm, datganodd â golwg boenus, ddigamsyniol o ffals, ar ei wyneb. Beth am ymweld â iard y Proffwyd 'ta, draw yn Papine? Na. Rhag ofn i ni gael ein *fire-bunnio*. Judgement Yard Sizzla 'ta?

'No. Me cyaan tek you deh eidder. It too dangerous up a Augus' Town.'

Dim tamaid mwy perig nag oedd hi pan aethom yno y dydd o'r blaen.

'No, Elwyn. *Me done promise Sinbad dat me a go look after yuh good. An' 'im done promise Dub Vendor same way.*' rhoddodd stamp ei awdurdod ar y drafodaeth. Cyn ychwanegu, braidd yn ddibwrpas, '*Anyplace else yuh like me fe tek you?*'

O'r holl *chineymen* a chwaraeodd rannau pwysig yn natblygiad cerddoriaeth Jamaica yn ystod cyfnodau *Ska*, *Rocksteady* a *Reggae*, Joseph ac Ernest Hookim, adawodd y mwya o hoel. Mae sain chwyldroadol label *Channel One* y brodyr yn dal i ddylanwadu ar gerddoriaeth Jamaica heddiw, ddeng mlynedd ar hugain wedi i'r Hookimiaid agor drysau'r stiwdio a adeiladwyd ganddynt yng nghalon geto Maxfield Avenue, Kingston 13, ym 1972.

Gwnaeth Ernest a Jo-Jo stwnsh llwyr o sawl recordiad yn ystod eu hwythnosau cyntaf fel cynhyrchwyr. Ar y micsys hollbwysig oedd y bai. Roeddent yn swnio'n fflat a mwdlyd, fel petaent wedi eu cymysgu â llwy bren. Ond newidiodd pethau'n arw wedi i'r brodyr alw ar Sid Bucknor, peiriannydd sain *Harry J* a *Studio One*, i'w rhoi ar ben ffordd. Diolch i'r cwrs carlam a roddodd Sid i'w gyflogwyr, ymhen dim roedd y disgyblion ifanc yn ddigon 'tebol i gymryd lle'r hen feistr ei hun.

Yr oll oedd y brodyr Hookim ei angen i goroni'r llwyddiant cychwynnol aruthrol a ddaeth i'w rhan â'r senglau ysgubol a leisiodd Delroy Wilson, Horace Andy, Junior Byles, Leroy Smart, y Wailing Souls ac Alton Ellis iddynt, oedd band tŷ go arbennig. Fel y digwyddodd hi roedd Skin, Flesh & Bones, band sesiwn blaenllaw'r ynys, yn digwydd bod yn segur ar y pryd. Felly neidiwyd am y cyfle i'w cipio, ac yna i'w helaethu â chriw o offerynwyr sesiwn gorau'r wlad. Sly a Robbie, 'Barnabas', Lloyd Parkes, 'Tarzan', 'Bo-Peep', 'Wire' Lindo, 'Dougie' Bryan, 'Skully', 'Sticky', 'Ranchie', Ossie Hibbert, 'Deadly Headley', Tommy McCook a Vin Gordon. Dyna beth oedd chwip o garfan o gerddorion. Archfeistri ar eu crefft, pob copa walltog ohonynt. Wedi listiad yr hyglod Revolutionaries, doedd dim atal *Channel*

One. Ymhen dim o dro roedd gan y stiwdio naw sengl yn neg ucha Jamaica.

Mae dwy sain gwbl wahanol gan *Channel One*. Mae gennych sain *rockers* caled, 'crimp fel cracers', chwedl I-Roy, canol y 1970au, a nodweddwyd gan ddrymio 'dwbl' ymosodol ac unigryw 'Sly' Dunbar, ac yna'r sain wasgarog, fygythiol a thrwm honno, yn nofio mewn môr o atsain ac eco, a amlygwyd ar ddiwedd y degawd. Er gwaethaf dylanwad y naill a'r ffaith iddi gael ei dynwared yn helaeth, y sain arall a adawodd yr argraff ddyfnaf ar ei hôl.

Fe'm gorfodwyd i'w gwadnu hi o *Channel One* heb dynnu'r un llun, wedi i hanner dwsin o *rude boys* golwg-berig gerdded dros y ffordd a mynnu arian gennyf am yr hawl i dynnu ffotograffau. Ac wrth i ni dorri ar draws cefnau Maxfield Avenue ar ein ffordd *downtown*, cawsom ein stopio gan yr heddlu am yrru i lawr stryd unffordd yn y cyfeiriad anghywir.

'Ond ddeuddydd yn ôl roedd hon yn lôn ddwy-ffordd! Dwi'n berffaith sicr o'r peth!' ebychodd Zack yn syn.

'Deuddydd yn ôl oedd hynny,' meddai'r plismon hynaf yn dawel, 'Fe'i trowyd yn lôn unffordd bore ddoe.' Cafodd fy mêt ddau ddewis ganddynt; un ai rhoi cil-dwrn o 500$Ja yr un iddyn nhw, neu'r rigmarôl cyfreithiol – ymddangos o flaen y llys, derbyn dirwy drom a thri phwynt ar ei drwydded. Heb betruso dim, dewisodd yr opsiwn cyntaf – â'i deithiwr yn talu'r llwgrwobr!

'*Hey, honey! You waan come tek a walk dung a the dock wid me after yuh finish yuh shoppin'?*' derbynais gynnig gan glamp o stondinwraig ganol oed pan o'n i'n bwrw golwg dros ei gemwaith. A '*Dat deh shirt woulda fit you baby, if yuh come dung the beach wid me fe couple a hour!*' bloeddiodd un arall o fainc gyfagos, fel oeddwn i'n ymdrechu'n ofer i wasgu fy mol *extra-large* i mewn i grys-T faint yn llai. Wrth ymlwybro o amgylch y farchnad grefftau fawr ar Ocean Boulevard yn chwilio am anrheg neu ddwy i Ann, fe'm pledwyd â chynigion anweddus hwyliog o bob cwr. Sylwais, â chalon drom, mai clamp iau o ferched yn tynnu at, neu dros, eu trigain oed oedd pob un o'r menywod hyn Chwerthin nes eu bod yn wan wnaeth stondinwragedd ifanc, handi, y farchnad!

Ar ein ffordd i fyny'r Red Hills, i *Lookout*, lle tynnwyd y ffotograff trawiadol o Zack ar glawr ei albwm *'Lonely Soldier'* . . . daethom ar draws â rhwystr ffordd yr heddlu. Yn rhyfeddol, y cyntaf mewn pythefnos. Mewn chwinciad wedi i mi ddisgyn o'r car, roeddwn wedi fy amgylchynu gan hanner dwsin o blismyn â'u gynnau awtomatig wedi'u hanelu ataf. Wedi iddynt chwilio Zack yn drwyadl, arolygu'i drwydded yrru a chwilio'r car â chrib fân, cawsom ganiatâd i fynd ar ein hynt. Dim ond wedi i ni gyrraedd copa allt serth a throi'n siarp i'r chwith, nes oedden yn edrych union dros y rhwystr ffordd oddi tanom, wnes i sylwi bod tua hanner cant o filwyr yn cuddio tu ôl i'r waliau a'r llwyni o boptu'r ffordd.

Roedd golwg synfyfyriol, fel petai wedi llwyr ymgolli yn rhywbeth, ar Gregory Isaacs pan gerddom i mewn i'w siop recordiau *'African Museum'*. Ymddiheurodd na allai aros am sgwrs a diflannu i'r stiwdio fechan yng nghefn ei siop, gan oedi am eiliad wrth y drws i droi'r golau coch ymlaen a gosod arwydd *'Do Not Disturb; Recording in Progress'*.

Cyffredin iawn oedd yr hanner dwsin o draciau a leisiodd Angela Prince i Syr Coxson yn ystod atgyfodiad ysblennydd *Studio One* yn y 70au diweddare. Ond doedd un dim yn gyffredin ynddi hi, fel person. Roedd hi'n uffern o ddynes raslon ac afieithus. Wedi iddi orffen lapio'r oddeutu dwsin o senglau yr oeddwn i wedi'u dethol mewn dalen o bapur llwyd, ffarweliais â hi a mynd i glwydo ar ganllaw rheilins pren y feranda tu allan. Doedd Zack ddim hefo mi ar y pryd. Roedd o wedi picio i siop i lawr y ffordd i ofyn a allent drwsio'i *cellular*, oedd wedi cael ffit farwol rywbryd yn ystod y nos.

Arglwydd Mawr mi oedd hi'n boeth ar y feranda. Reit yn llygad yr haul. O fewn pum munud i roi fy mhen ôl i lawr roedd fy nghrys-T yn socian ac yn glynu'n dynn i 'nghorff. Byddai'n rhaid i mi wneud rhywbeth am fy mol wedi i mi ddychwelyd adref. Rhoi'r gorau i'r cwrw yn un peth. Ac ymarfer fy nghyhyrau. Reidio fy meic yn amlach. A chael ci ifanc a mynd am dro hefo fo hyd eithafoedd y ddaear. Â mater y bol wedi'i ddatrys yn foddhaol a di-drafferth, piciais i lawr y grisiau i brynu potelaid o *Heineken* oer gan y *vendor* diodydd dros y ffordd.

Yn siomedig, doedd neb adref yn stiwdio newydd Buju Banton ar Red Hills Road. Doedd stiwdio lleisio dyb-plêts *Arrows* ddim yn agored chwaith.

'*Yuh waan go a Tattie's?*' holodd Zack, wrth iddo lywio'r hen Doyota bach ffyddlon rownd cylchdro Three Mile, tu ôl i dancar betrol fawr â dau hogyn bach yn gwneud campa peryglus yn hongian yn ansicr ar ei chefn.

'Fyddai ots gen ti 'tasan ni'n mynd i rywle arall am newid?' deisyfais, 'Bwyty nad yw'n *ital*. Mae'n gywilydd mawr gen i ddweud hyn, ond mi dwi 'di cael fy nhrawo mwya sydyn gan flys melltigedig am gig.'

'Dim problem o gwbl,' chwarddodd fy mêt.

'Ti'n dweud gwir rŵan?' holais.

'Ydw.'

'Achos dwi ddim eisio pechu'n dy erbyn di.

'Na, paid â phoeni dim!' sicrhaodd y *Bingiman*. 'Un peth bach arall, Zack. Os ddown ni ar draws rhywle'n gwerthu leitars,' soniais unwaith yn rhagor, am y cant a milfed tro o fewn awr, 'fasat ti'n meindio stopio? Mae'r bygar yma newydd dynnu'i chwyth olaf.' Cyn gynted gair â gweithred y tro hwn. Mewn amrantiad, roeddwn i'n cerdded ar draws blaengwrt garej ar bwys ceg Omara Road.

'Dau leitar, os gwelwch yn dda.'

'*Wha' dat yuh seh?*' brathodd y ddynes ganol oed tu ôl i'r cownter yn flin.

'Dau leitar, os gwelwch yn dda.' ailadroddais yn araf.

"*Ow yuh mean, two lighter?*'

'Jyst dau leitar,' dwedais drachefn, gan dyrchu fy mhibell o fy mhoced a gwneud ystum ei thanio.

'*Yuh cyaan 'ave jus' two lighter, y'know,*' meddai'r ferch yn ddiamynedd, gan gipio pres petrol un o'r cwsmeriaid yn farus yr un pryd.

'Pam ddim?' holais yn ffwndrus. '*Beca' dem come inna box, an' me cyaan separate dem! Dat why!*' wfftiodd dros y siop.

'Faint sydd mewn bocs, dwedwch?' gofynnais iddi.

'*'Ow yuh 'spec me fe know dat! Yuh t'ink me a siddung an' count dem, or sump'm?*'

'Ond mae gennych chi ryw syniad, debyg. Tri ? Pump? Deg?' ochneidiais.'

'*Bout fifty, me woulda guess.*' atebodd, gan ymestyn dros y cownter a phlycio'r arian parod o ddwrn castell o yrrwr lori heb cyn gymaint a '*t'anks*'.

'Hanner cant?' dwedais wedyn.

'Blydi hel! Mae hynna'n hurt bost!' ebychais.

'Pam 'dach chi'm yn gwerthu nhw fesul un, fel pawb arall?' holais.

'*Beca' dat how we a get dem. It a the same all over Jamaica!*' datganodd y ddynes, gan wgu'n hyll arnaf.

'Na 'dyn Tad! Prynais un y dydd o'r blaen, mewn siop bapurau newydd yn Half Way Tree. A mi brynais un arall yr wythnos cynt, yn archfarchnad Joe Gibbs ar Orange Street.'

'*A lie yuh a tell! No way dem a go sell yuh jus' one a dem!*'

'*'Tasa Duw'n fy lladd i funud yma!*'

'*Okay! A' right! Okay den! Me a go sell yuh one a dem!*' bloeddiodd ar ucha'i hen lais, cyn troi'i chefn arna i am eiliad a chipio bocs o fatsis oddi ar stand arddangos. '*Ow many a dem yuh waan? One? Two? Ten?*' sgrechiodd yn gandryll, gan chwifio bwndeled o fatsis pennau gleision dan fy nhrwyn.

'Waeth i mi fynd â'r bocsiad cyfan ddim,' dywedais yn lletchwith, wrth syllu'n syn ar yr hambwrdd cardbord o leitars plastig yr oeddwn i newydd ei sbotio'n swatio'n ddel ar bwys y til.

Ar ôl cinio blasus mewn bwyty bach cartrefol dros y ffordd a swyddfa Capten Sinbad, cychwynnodd Zack ar y gwaith trist o fynd â mi o amgylch y ddinas i ddweud 'da boch' wrth pawb. Dwi'm yn meddwl i mi orfod cyflawni tasg mor ingol erioed. Junior Reid oedd yr artist diwetha i mi drawo arno. Treuliais chwarter awr yn mynd trwy raciau CDs Sonic Sounds yng nghwmni dymunol y fo a'i frawd bach, 'Grammy'.

'Wela' i di flwyddyn nesa, felly,' meddai'r canwr clên o Waterhouse, pan ddaeth Zack i fy nôl i.

'Ia. Ionawr nesa 'ta,' adleisiodd 'Grammy,' gan ddodi'i law dde agored dros ei galon.

Cwta fis yn ddiweddarach byddai'n stopio curo am byth, wedi i'w pherchennog gael ei saethu'n ei ben wrth gerdded adref o ddawns yn Slaughterhouse, fel y geilw rhai'r dreflan fawr ble drigai'r creadur.

"Member fe gi' my love to yuh wife,' meddai'r hen Zack, cyn rhoi anrheg ffarwel o hanner dwsin o'i hen senglau imi.

'Mi wna 'i,' atebais â chalon drom. Â'r canu'n iach, oedd wedi bod yn pwyso'n drwm arnai ers dechrau'r wythnos, wedi'i gwblhau, cefnais ar y byd a mynd i fy ystafell i orffwys, yr hon oedd, rhwng popeth fel tŷ Jeroboam erbyn hyn.

Hanner ffordd trwy fanylion erchyll rhestr o lofruddiaethau y diwrnod cynt, diffoddais y teledu a thrio cael cyntun.

Chysgais yr un winc. Dim ond troi a throsi am hydoedd. Ar ôl penderfynu, yn dilyn hanner awr o ddyfalu dwys, mai Bounty Killer oedd artist gwadd y noswaith am fod, codais a thyrchu trowsus a chrys-T glân o'r wardrob a mynd am gawod.

'What a stageshow! Me at a stageshow! Me nah flop a stageshow. Me touch the stage an' me bunn flat a stageshow! . . .' moriais siantio *'Stage Show'* hunanglodforus Sizzla dros y bathrwm wrth olchi 'mhen yn egnïol, *"Im an' 'im fat sexy t'ing come too. The deaf, the blind an' the dumb come too. The one- foot man an' the bum come too . . .'*

Cyn cychwyn cerdded i'r dderbynfa i archebu tacsi, rhoddais fy mhen rownd y gornel a sbecian i fyny'r ffordd.

Popeth yn glir. Wedyn, cipdremiais i'r chwith. Clir i lawr fan'no hefyd. Diolch i Dduw. Doeddwn i ddim wedi sôn gair am y *'Spectrum'* wrth fy ffrindiau yn y gwesty. Fasan nhw ond wedi gwneud stŵr mawr, codi bwganod a phwyso arnaf i ofyn i Moses fynd gyda mi. Yr hyn faswn wedi'i wneud ar fy union â phleser mawr, 'tasa'r dyn bach heb fod mor blydi penderfynol o dalu'i ffordd ym *'Mas Camp'* y penwythnos cynt. Er i mi erfyn ac erfyn arno i gadw'i bres yn ei boced a gadael i mi dalu am bopeth, wnâi o ddim. Mynnodd dalu am ei docyn a chodi rownd bob yn ail, a chan hynny dorri'i addewid a'r rheol Jamaicaidd anysgrifenedig honno sy'n dweud mai'r dyn o *foreign* sy'n talu dros bawb a phobun heb fodd mae o'n cadw cwmni â nhw. Dwi'n siŵr, erbyn i ni adael y ddawns, bod yr hen Foses wedi gwario'n agos iawn i 2,000$Ja, ei gyflog cyfan. A'i hanner ar ei ben o wedyn. Arian na allai 'mo'i fforddio'i wastraffu, ac yntau hefo'r holl foliau i'w llenwi a biliau i'w talu.

Mewn dim o amser, roedd 'Turnip' a'i hen fini-bws glas tu allan i'r drws.

'Sut gefais ti dy ffug enw difyr?' holais y dyn ifanc, gan sodro fy hun i lawr wrth ei ymyl.

''Cause me love nyam turnip!' atebodd dan chwerthin, wedi iddo orffen edmygu'r crys-T C.P.D. Naggo's Head oedd gen i amdanaf.

'Pwy oedd yn "chwarae allan" heno?' Beenie Man, Elephant Man, Danny English, Bling Dawg a . . . allwn i ddim cofio pwy oedd y gweddill y munud hwnnw. O ia, ac roedd artist gwadd ar y bil hefyd. Pwy oedd o yn feddwl fydda' fo?

'Bounty?'

Dyna beth oeddwn i'n ei dybio hefyd.

'Neu'r Dyn Tân, efallai?'

'Turnip' bach, pwy ddiawl gaet ti well!'

Roedd o'n cymryd fy mod yn hoff o King Shango felly?

Hoff, ddwedodd o?

A'm hoff senglau ganddo?

Ar y funud, *'Overtime Bomb'*. *'We're standin' 'pon an overtime*

*bomb, any minute now it can cause an explosion. Sittin' 'pon an
overtime bomb, any minute now it can cause a confusion . . .' A 'High
Grade.'*

Iachâd y genedl, myn diawl i! '

'Ia wir, Turnip!'

Ac fe gleciom ddyrnau a chwerthin yr holl ffordd ar hyd
gweddill Mona Road.

Roedd holl diroedd coediog Prifysgol India'r Gorllewin yn
dywyll bitsh a thawel fedd y bedd. A doedd dim cymaint ag
arwydd na phoster yn cyfeirio tuag at y *'Spectrum'* i'w weld yn
unman. Y pesimist yr hyn wyf, suddodd fy nghalon a
dechreuais hel meddyliau bod y sioe wedi'i chanslo'n
ddirybudd. Ond pan drodd Turnip gongl siarp a'i 'nelu hi am
ganol y campws, ac fe welais un o lorïau cario cŵn ffyrnig
cwmni diogelwch *'Sentinel'* a hanner dwsin o gerbydau heddlu
wedi'u parcio'n daclus mewn cilfan ar ochr y ffordd, daeth
teimlad o ryddhad mawr drosta'i a dechreuais gynhyrfu fel
diawl.

Ar ôl cerdded trwy'r gadwyn drwchus o blismyn llygadog
yn sefyll ar draws y ffordd, a chael fy chwilio'n fanwl gan ddau
o ddynion *Sentinel*, crwydrais yn hamddenol i fyny ac i lawr
rhodfa hir, bron i gan llath o hyd, o stondinau bwydydd poeth.
Stiw pepperpot tanllyd, *chop suey*, porc a chyw iâr jyrc, *ackee* a
saltfish, cyri gafr, talpiau o *escovitched* fish yn nofio mewn saws o
nionod, pupur *scotch bonnet* a finegr, cawliau *cowfoot*, cal tarw,
conc a *seapuss* (octopws), cynffon ych a reis, *fish tea*, *patties* o bob
math . . . Duwcs mi oedd hi'n anodd penderfynu beth i'w gael.
Ond ar ôl cryn fwydro pen a sawl tro fach yn ôl ac ymlaen ar
hyd yr ali fyglyd o fwynderau coginiol, o'r diwedd deuthum i
benderfyniad, a phrynu carton o gawl traed ieir a chobyn o
India corn wedi'i rostio gan eneth ifanc agos-atoch â gwên fel
gwawl goleudy Caergybi.

Yn rhannu'r fainc ble'r oeddwn yn sglaffio fy swper, roedd
tair merch grand o'u coeau yn prysur lowcio *patties*. Dwy
chwaer ddu o Dde Llundain a ffrind Jamaicaidd iddynt o ardal

Barbican. Ysgrifenyddes yn swyddfa'r Comisiynydd Prydeinig ar Trafalgar Road oedd honno'n eistedd nesa ataf, yr hynaf a'r ddelaf o'r ddwy Saesnes. Cyn i ni gael cyfle i fynd fawr pellach na chyfnewid enwau a ballu, daeth bloedd fyddarol o gyfeiriad mynediad Neuadd Undeb y Myfyrwyr i'n hysbysu bod y swyddfa docynnau yng nghefn yr adeilad ar agor. Felly sbonciodd y pâr ohonom ar ein traed ar unwaith a'i chythru hi ffwl sbid rownd talcen y neuadd. Yn ein brys i fod ymysg y cyntaf yn y ciw, aeth y ddau ohonom yn blwmp i mewn i ddau *rottweiler* mawr ffyrnig.

Twmpath o goncrid trwchus ar ffurf caer danddaearol o'r Ail Ryfel Byd, wedi'i warchod gan ddau blismon yn dwyn gynnau peiriant a phâr o warchodwyr â chwn. Â thwll cul, fawr mwy na blwch llythyrau, ynddo. Syllais ar y byncer anrheiddiadwy yn syn. Swyddfa docynnau i mi oedd rhan o awditoriwm sinema, neu theatr. Daeth fy nhro i. Yr unig beth oedd, doedd gen i ddim clem beth oedd pris y tocyn.

'Faint 'di'r glec?' bloeddiais i grombil y daeardy tywyll bitsh. Dim ateb. 'Faint sydd arnai i chi?' bloeddiais drachefn. Dim ateb wedyn.

'*It a eight 'undred Jamaican,*' chwythodd geneth tu ôl i mi yn fyr ei amynedd.

Felly, gwthiais bapur mil drwy'r twll. A derbyn tocyn yn ei le fo. Ond dim blydi dima o newid.

Cyn cael mynediad i'r neuadd, roedd rhaid dioddef rhagor o archwiliadau diogelwch diflas hanfodol. Yn gyntaf, roedd yn rhaid ichi wagio'ch pocedi a cherdded drwy beiriant synhwyro metel, ac yna cael eich ffrisgio tu hwnt i drylwyredd gan blismon.

Oddeutu deg o'r gloch, oedd yr artist *Hip-Hop* Americanaidd, 50 Cent, i fod i ymddangos. Ond ddaeth o ddim ar y llwyfan nes oedd hi bron yn dri, pan oedd saith deg pump y cant o'r dorf enfawr wedi'i throi hi tua thref. Lle'r oedd o felly, y cyn-gangster mawr eofn yn dyllau bwledi a chreithiau brwydro drosto, ar yr amser penodedig? Yn cachu'n ei drowsus yn ei ystafell newid oherwydd i ddau dri o lanciau gorgynhyrfus danio *gun salutes* gwerthfawrogol tua'r awyr uwchben maes polo Parc Caymanas yn dilyn sioe a hanner gan Vybz Cartel. A dyna i chi ble buodd yr Ysbaddaden Bencawr, Rambo-aidd, o wlad y Satan Mawr, am oriau maith. Yn crynu gan ofn â'i ddwsin o gorff-warchodwyr personol cydnerth wrth ei gwt. O mi chwarddais fel dyn gwirion pan glywais hanes y *badman* pot jam. *Gangsta*, o ddiawl!

Gun salutes yw'r lleiaf o bryderon mynychwyr dawnsfeydd Jamaica. Dydi hi ddim yn beth anghyffredin i rai o sioeau *dancehall* mawr y wlad ddiweddu'n gynamserol ymysg anhrefn a thrais difrifol. Yn sgil yr elyniaeth farwol rhwng gwahanol gymunedau a gangiau Kingston a Spanish Town, 'am resymau hunanamddiffynnol' mae cyfran frawychus o uchel o lanciau yn dwyn arfau i sioeau. Trodd pethau'n flêr yn 'Reggae Sumfest 2001', pan aeth rhannau o'r dorf anferthol o'u coeau'n lân wedi i Bounty Killer gymryd y goes chwarter awr i mewn i'w berfformiad, ar ôl i'w archelyn, Beenie Man, ymddangos ar y llwyfan yn ddirybudd yn ysu am ymryson. Pan sylweddolodd y dyrfa nad oedd eu heilun mawr, y 'Warlord', am ailymddangos, daeth y gynnau allan ac fe dannwyd foli ar ôl foli o ergydion i'r entrychion.

I ddiogelu rhag ymosodiadau gan ladron arfog, doedd yr un o'r tri o fariau'r 'Spectrum' yn trin arian. Cyn cael llymaid roedd raid prynu ticed o adeilad wedi'i gynllunio gan bensaer o'r un ysgol â honno'r aeth cynllunydd y swyddfa docynnau rownd y cefn iddi.

'Who yuh a t'ink dis' gues' artis' appearin' tonight?' clywais lais gwrywaidd y tu ôl imi yn gofyn i rywun, pan oeddwn yn ciwio am docyn diod.

'Me t'ink it a Sizzla.' atebodd llais merch.

'Gyaal yuh mad? Dem woulda nevah evah 'ave Sizzla an' Beenie 'pon the same bill. Man, if a the two a dem come face to face backstage it woulda be pure almshouse!", gwawdiodd y boi ei gariad, gyfeilles, neu beth bynnag oedd hi. 'Whaaa? Yuh nevah 'ear 'bout *dem big animosity toward dem one another?'* wfttiodd y llanc, â thinc amlwg o ffieidd-dod yn ei lais, *'Dem like Bounty an' Merciless, big, big, henemies, always cussin' up dem one another 'pon stage.'*

'Cho! Me nah know. Me nah follow dem foolishness at all!' brathodd y ferch yn ôl yn gas, *'Me nah'ave nah time fe dem lickle cuss-cuss business. Me nah inna it. It mek me sick when me a 'ear Jamaica artist preachin' love an' unity so, when all dem do is fight 'gainst one another like puss an' dog."*

* * *

> *'Me nah love'ow dem a flex*
> *Hand me the fire who me a go bunn nex'?*
> *Me nah business who vex*
> *Inna corruption no entertainer mus' a step*
> *Jus' cut out the war between Beenie an' Sizzla*
> *On stage, Merciless an' Bounty Killer*
> *Pure bockle fling a "Sting" inna Jamaica*
> *Same t'ing a New York "Culture-rama"*
> *On stage Beenie Man, Capleton the chanter*
> *Too much mix-up a wheh artist inna*
> *Me nah tek no side*
> *The war inna the industry me try fe avoid . . .'*
> Anthony B – 'How Dem a Flex.'

Does dim *patois* rhwng Junior Reid a Capleton ers tro, na rhwng Capleton ac Elephant Man a Bounty Killer a Buju Banton chwaith. Ffrwgwd gefn llwyfan rhwng Sizzla a Capleton yn ystod cyngerdd Ewropeaidd yn achosi drwgdeimlad mawr rhwng carfanau y Dyn Tân a'r Hisiwr, ac mae hi'n ddrwg rhwng Nitty Kutchie ac Elephant Man ers iddynt ddyrnu'i gilydd o flaen torf enfawr yn Kingston dair blynedd yn ôl. Mad Cobra a Lexxus y 'Jigger Man' yn waldio'i gilydd ar y llwyfan a'u cymdeithion yn cwffio â chyllyll yn yr esgyll yn Brooklyn, Efrog Newydd. Celfyddyd yn adlewyrchu bywyd pob dydd dinas Kingston.

Yn hytrach na chwffio ymysg ei gilydd, mi fasach chi'n meddwl basa artistiaid *dancehall* Jamaica yn ymffurfio'n ffrynt unedig i frwydro'n erbyn y gelyn cyffredin. Ond dydi petha ddim mor syml â hyn'na. Mae pawb eisio bod yn geffyl blaen. Yn *toppa top, y big man of all big man*. Pan laniais yn Kingston am yr eildro, roeddwn i'n gobeithio y byddai'r cerddorion wedi dŵad at eu coed a rhoi'u gwahaniaethau plentynnaidd o'r neilltu. Os rhywbeth, roedd pethau wedi gwaethygu'n arw mewn blwyddyn. Yn enwedig ymhlith y DJs. Ychydig o ddyddiau ynghynt roedd Merciless wedi rhwygo Beenie Man, Bounty Killer a Ninjaman yn ddarnau mewn *clash* hanesyddol (rhywbeth tebyg i 'stomp' farddonol natur ddrwg). Mae Beenie Man a Bounty Killer yn dal i gorddi am hyn, flynyddoedd yn ddiweddarach. Mae'r byd *dancehall* yn dal yn un berw gwyllt o ddirmyg, casineb a dialgarwch a rhai o artistiaid benywaidd y miwsig wedi bod yn difrïo medrusrwydd rhywiol eu cyfatebwyr gwrywaidd.

DJ diwylliannol milwriaethus yw Capleton. Fel aelod defosiynol o'r gred Bobo Dread, ac yn hollol groes i Beenie Man, dydy'r Dyn Tân ddim yn ymhél â gwamalu a ffolineb. Na materoliaeth a gwagedd ac oferedd o unrhyw fath. Pan saethodd sengl *'Who Am I'* bostfawr a haerllug Beenie Man i frig siartiau Jamaica, bedair bum mlynedd yn ôl, gwylltiodd Capleton yn gacwn gyda'r dyn bach a lleisio *'Pure Sadom'*, siant fitriolaidd yn cwestiynu rhywioldeb, a cheryddu hoffter ei wrthwynebydd am geir BMW, siampên *'Cristal'*, tlysau drudfawr a dillad *'Versace'* a *'Moschino'*. Ychydig o wythnosau'n ddiweddarach cyrhaeddodd yr elyniaeth ddychrynllyd yma'i phenllanw. Pan laniodd Beenie Man ym maes awyr Norman Manley ar ôl pythefnos yn teithio Gogledd America'n ddi-baid, ymosodwyd arno gan haid o gyd-grefyddwyr dicllon Sizzla.

Cefnodd Beenie Man ar ei ddull *'singjay'* arferol i leisio'i sengl brudd, 'Reasoning' – sgwrs rhyngddo fo a'i Dduw yn ymwneud â thrallodion a phrofedigaethau bywyd. Benthycodd y dull 'talkin' style' o draethu a boblogeiddiwyd gan Hawkeye, Kiprich, Madd Anju, ac eraill o do ifanc o DdJs yr ynys. Yn ddig am i'r 'Doctor' ladrata'i steil o fynegi, ymatebodd Hawkeye gandryll i feiddgarwch tybiedig ei arglwydd cerddorol gyda 'My Style', araith lem yn cyhuddo Beenie Man o ddwyn y bwyd o geg ei gymar a'i blant bach Pan glywodd Kiprich ei gyfoeswr â'r llygad barcut yn hawlio unig berchnogaeth ar y dull 'talkin' style' o ynganu, myllodd yntau wedyn a rhuthro i ymosod ar Hawkeye! Mi fasach chi'n synnu faint o Jamaicaid dan ddeugain sy'n meddwl mai rhywbeth diweddar, a ddatblygodd yn ystod uwch- arglwyddiaeth Ninjaman, ddegawd a hanner yn ôl, yw'r holl passa-passa diddiwedd yma rhwng artistiaid sy'n digwydd heddiw. Dydyn nhw ddim yn gwybod ei fod o'n hen, hen arferiad yn ymestyn yn ôl i ddyddiau Ska. Er nad oedd gwrthdrawiadau cerddorol y dyddiau hynny ddim hanner mor fygythiol ag ymrysonau'r oes sydd ohoni, roedden nhw'n gystadlaethau 't'row word' reit ffyrnig a thanbaid. Yn enwedig y gyntaf oll ohonynt, honno rhwng Prince Buster a Derrick Morgan.

Ganed Derrick Morgan yn rhannol ddall ym 1940. Mudodd i Kingston yn ei arddegau cynnar. Dridiau wedi iddo ddathlu'i ben blwydd yn un ar hugain oed, torrodd ei sengl gyntaf, 'Loverboy', i Duke Reid. Ond yn fuan ym 1962, pan stopiodd y Dug gynhyrchu recordiau am gyfnod byr o ganlyniad i helynt priodasol, cefnodd Morgan ar Treasure Isle a mynd i weithio i Prince Buster, oedd newydd ddechrau ennill clod mawr ar y pryd fel chwip o gynhyrchydd.

Roedd hi'n briodas gerddorol wedi'i sancteiddio â bendithion o'r trigfannau sydd fry. O fewn dim, daeth llwyddiant ysgubol i ran y ddeuddyn ifanc. Ond cyn pen blwyddyn, surodd y berthynas rhyngddynt ac aeth Morgan i weithio at un o gystadleuwyr agosaf Buster, sef Leslie Kong – cynhyrchydd cyntaf un Bob Marley – oedd ag enw o fod yn ddyn eithriadol o egwyddorol ac yn un o gynhyrchwyr gonesta Kingston (sydd ddim yn dweud llawer, a bod yn gwbl onest).

'*Housewives' Choice*', '*Be Still*', '*She's Gone*', a'r gân a achosodd yr holl helynt rhwng y Tywysog a Morgan, '*Forward March*', sengl yn dathlu annibyniaeth Jamaica, o fewn mis neu ddau i Kong a Morgan ddechrau cydweithredu roeddent yn rowlio mewn enillion tomen o recordiau ysgubol.

Unawd sacsoffon 'Deadly Headley' Bennett ar '*Forward March*' oedd asgwrn y gynnen. Honnai Buster yn gywir ei bod hi'n gopi perffaith o'r unawd a chwythodd Lester Sterling ar ei sengl 'They Got To Go' fo'i hun. Gan nad oedd 'They Got To Go' – ymosodiad digyfaddawd ar Duke Reid a Coxson – wedi ei rhyddhau'n gyhoeddus pan sgubodd 'Forward March' i frig y siartiau, roedd hi'n gwbl amlwg bod rhyw sinach diawl o blith ei ganlynwyr, neu gerddorion, wedi dysgu'r alaw ar gof a'i chario hi i stiwdio Leslie Kong. Gan fod ei gyn-weithiwr, Derrick Morgan, yn gyfarwydd a'r gân ac yn llawiach â Kong, roedd hi'n glir fel crisial ym meddwl Buster candryll mai hwnnw oedd y pechadur. Felly, aeth ati heb oedi i gyfansoddi datganiad cerddorol fyddai'n dwyn dan-dinrwydd y cerdd-leidr uffern i olwg y byd. Bymtheng mlynedd ar hugain yn ddiweddarach, byddai Bounty Killer yn gweinyddu'r un gosb ar Beenie Man am iddo gopïo'i ddull o DdJ-o.

* * *

'*Bless all yout' an' yout'. Yout' from Jungle, Angola, Maxfield, Duhaney Park, Seaview Gardens, Vineyard Town, Waltham. All de crew from Tivoli an' Matches Lane – large! All a de man dem from Southside, Rema, Mountain View, Dunkirk, Backbush – respec!*'

'*Swamp T'ing*' *Stone Love* yn croesawu pawb i'r '*Spectrum*'.

Cyn i'r set *Silverhawk* chwyldroi'r byd sound system â'i dyb-plêts comisynedig, roedd pob system fawr yn 'cario' criw 'byw' o DdJs, a weithiau ddau'n dri canwr hefyd. Erbyn i *Stone Love* ddod i fod yn ben diddadl ar holl gannoedd o systemau Jamaica, roedd yr arferiad yma wedi mynd allan o ffasiwn, mwya'r piti. Oherwydd, roedd system sain â llawnrif o rigymwyr a chanwyr, y naill yn 'reidio'r' un rythm ar ôl y llall yn ei 'ddull a phatrwm' unigryw ei hun, yn olygfa anhygoel o gyffrous ac yn loddest pum seren *Michelin* i'r clustiau.

Roedd criw *Stone Love* wedi dewis codi stondin ar ochr chwith yr arena fawr awyr-agored, heb fod yn bell o'r brif fynedfa. Felly mi osodais innau fy stondin wrth eu hymyl nhw, wrth ochr criw mawr o ferched ifainc stwrllyd, i gyd yn gwisgo wigiau oren, ffrogiau print sebra byrion a bŵts cluniau lledr. 'Geefus', Billy Slaughter, Bill Cosby, Jet Lee, 'Swamp Thing' a Rory, ac eithrio 'Father Pow', ei pherchennog, roedd cast llawn sêr o DdJs a *selectors* y set i gyd yn bresennol. Ei thîm o dechnegwyr sain yn barod i ddelio ag unrhyw beth. A'r tomennydd o ddyb-plêts ar y fwydlen wedi'u pentyrru'n daclus ac yn eu trefn rhwng y ddau drofwrdd. *'Hey, yow! Yallow! Stone Love! I aks dem what is their priority? Dem never seem to give to charity!'* taranodd llais Bounty Killer dros yr arena mwya sydyn. Ac i ffwrdd â ni, ar reid ffigar-êt o rythm. Ar gyflymdra uwchsonig o chwe deg mil o watiau'r nano-eiliad.

Er fy mod bron â marw eisio piso a bod y poteli cwrw wrth fy nhraed yn wag ers meitin, mor gyfareddol oedd perfformiad teirawr *Stone Love* fel na allwn feddwl symud modfedd. Arhosais yn yr unfan tan y diwedd un. Pan ruthrais am y toiledau dynion, cefais sioc fod y lle dan ei sang â merched ifainc. Er bod fy mhledren druan ar fin byrstio, gorfod imi ddychwelyd i'r arena heb biso'r un diferyn. Wedi fy amgylchynu gan ddwsin o *ghetto gals* pifflyd yn syllu ar y teclyn pitw yn fy llaw crynedig ac yn gwneud sylwadau masweddus ynglŷn â maint pathetig atodion dynion gwyn, waeth faint ddiawl o straenio caled a wnawn i, allwn i'n fy myw â gwneud i'm cyhyryn sffincter agor.

Dim gimics babïaidd fel hanner dwsin o geir *Trabant* ynghrog uwchben y llwyfan, neu fochyn chwyddadwy, neu bâr o wefusau plastig anferth yn hofran yn yr awyr wrth ben y dorf. Dim rheseidiau o setiau teledu'n dangos lluniau o anfadwaith Americanaidd yn Fietnam chwaith. Na hanner dwsin o dwpsod ffotogenig, hanner-noeth, yn prancio'n goreograffig fan hyn fan draw. Dim ond chwip o griw o offerynnwyr yn stribedu rhythmau taranllyd. A DJ, neu ganwr, yn bwrw drwy'i bethau â'i holl enaid. Erbyn i mi ddychwelyd i'r arena roedd Bling Dawg yn cau pen y mwdl â'i lafarganu doniol, *'If Yuh Nah Like Bling Dawg'*. Cyn yr egwyl, ymddangosodd cyflwynydd y noson i'n hysbysu bod "na storom gerddorol aruthrol yn mynd i drawo'r *raahtid* lle 'ma!'

Diflannodd heb sôn gair o'i ben am hunaniaeth yr artist gwadd. Nid bod ots gen i. Roeddwn wedi dyfalu pwy oedd o ers oriau maith. A sôn am edrych ymlaen! Doeddwn i erioed wedi gweld Bounty Killer yn 'fyw' o'r blaen. Pawb arall bron, yn amrywio o'r Abyssinians i Tapper Zukie ar yr ochr *roots* o'r geiniog *Reggae*, ag o Assassin i Zumjay ar wyneb *dancehall* ei thu arall. Ond erioed Rodney Price, Prif Weinidog y Dioddefwyr o geto Seaview Gardens. Peidiodd pob smic. Wedi beth a ymddangosai fel oes pys, trawodd y band fariau agoriadol rhythm *'Tixx'* stacato Chris James, y fenga ond un o bedwar o feibion King Jammy. A dyma Sizzla, yng nghwmni gosgordd o Bobo Dreads *'Judgement Yard'* yn hedfan baneri Ethiopiaidd enfawr yn sboncio ar y llwyfan, a'r lle i gyd yn troi'n fedlam. Difethwyd perfformiad Baby Cham braidd gan sgrechian parhaol miloedd o ferched ifainc gwyllt gwallgo. Cyn i'r strimyn main o Duhaney Park, lle mae murluniau mawr o'i wyneb golygus i'w gweld ar dalcen sawl bloc o fflatiau, adael y llwyfan, galwodd ar Frankie Sly a Chico i ymuno ag o. Yna, daeth yn amser i'r Dyn Eliffant, neu'r *'Energy God'* fel y'i gelwir, cymêr mwya'r byd *dancehall*, gymryd drosodd.

Os 'dach chi eisio gweld Elephant Man yn mynd trwy'i gampau digymar, mae gen i ofn y bydd yn rhaid ichi fynd dramor. Dydi o byth am ymweld â Lloegr eto, medda fo – tra bydd fyw. Ddwy flynedd yn ôl, wrth adael clwb nos yn Nwyrain Llundain lle'r oedd o a Kiprich newydd orffen perfformio, fe'i daliwyd yn y maes parcio gan ŵyr arfog a'i hysbeiliodd o bron i ugain mil o bunnau mewn arian parod.

Ond beth oedd ganwaith gwaeth na hynny, roedd ei gyfaill, DJ Village, dirprwy Chris Goldfinger, cyflwynydd sioe *Reggae* symbolaidd Radio 1, hefo fo ar y pryd, a phan geisiodd ymliw â'r saethwyr, saethodd un o'r 'sglyfaethod o'n gorff.

Un munud roedd o'n ynganu geiriau *'Bow City'* ar y llwyfan, a'r munud nesa' roedd o'n adrodd *'Replacement Killer'* yn hongian o dop uchaf un o'r tyrrau goleuo gerfydd un llaw. Ar un pwynt, dringodd yr holl ffordd i fyny'r sgaffaldwaith uchel a threulio deng munud yn ein diddanu wrth sefyll yn ansicr ar un o'r peipiau culion oedd yn dal to'r llwyfan ynghyd. Sôn am ddiawl o ddyn sioe! Yn rhy fuan o'r hanner daeth yn amser iddo ymadael. Ond cyn iddo fynd, gwnaeth amnaid ar rywrai'n disgwyl yn yr esgyll i gyflwyno'u hunain, a dyma Sucku, Lexxus, Alozade, Kiprich, Gabriel a phedwar aelod, ddim cweit llawn llathen, Ward 21 yn llamu ger ein bron i'n tretio i fersiwn anarchaidd, maith, o 'Anything a Anything', *boom tune* ddiweddar yr Eliffant a chriw Ward 21 ar y cyd. Er gwaethaf holl weiddi croch y dorf, ddaeth yr hen Eli, ddim yn ôl i roi encôr – doedd amser ddim yn caniatáu iddo ddychwelyd, dwedodd arweinydd ymddiheurol y sioe, cyn cyflwyno'r Meistr yn y Celfyddydau o DdJ-o, Moses Davis.

Dyn o aml weddau yw Beenie Man. Gyntaf oll mae gennych chi'r 'Doctor', ffisigwr personol torfeydd y neuaddau dawns. Yna 'Ras Moses', y Rastaffariad Orthodocs sy'n gweinidogaethu i gynulleidfaoedd sioeau fel y *'Rebel Salute'* ac *'Eastern Consciousness'*. Wedyn y Beenie Man druan hwnnw sydd wastad ar alwad i hedfan i America mewn eiliad i achub gyrfa rhyw gretin o ystrydeb o hip-hopyr neu brima dona *soul* modern o safn angau. Ac yn olaf mae gennych chi'r gwalch direidus, maleisus braidd, sy'n ymrysonwr brwd ac yn hoff o dynnu blewyn o drwynau'i gystadleuwyr. Yn y diwethaf o'r rhithoedd yma, fy ffefryn, y cychwynnodd Beenie ei berffomiad, ag ymosodiad llafar ar ragrith honedig y *Bobo 'Shantis*.

Y traethu drosodd, bwriodd iddi gyda medlai o 'Better Learn', 'More Prayer', 'Heights of Great Men' a 'Protect Me', pedair o'i senglau baetio-Bobos diweddaraf. A dyna pryd y'm trawyd mwya sydyn gan y ffaith fy mod i – unwaith yn rhagor – wedi anghofio popeth am drefnu tacsi i fynd â mi adref. Felly, ar ôl bwrw un cipolwg olaf ar y llwyfan, dechreuais wthio fy ffordd drwy'r dorf yn dringar. A'r un fath drwy'r haid fawr o bobl ifanc tu allan oedd yn dal i giwio i fynd i mewn – am ugain munud i bump y bore! Roedd hi'n dda fy mod i wedi mynd pan wnes i, a dweud y gwir. Oherwydd, byr amser wedi i mi ei throi hi, cymerodd cannoedd o bobl yn eu pennau i ddringo ar y llwyfan, ac o ganlyniad torrodd brwydr ffyrnig allan rhwng yr heddlu a'r gynulleidfa.

Y Diwrnod Olaf

'I've got to tell you goodbye
I'm leaving you behind
But it's just for a time
It's not my wish that we must part . . .'
    John Holt – *'I Don't Wanna See You Cry.'*

Ers i griw o warcheidwaid lleol ddechrau patrolio strydoedd Whitfield Town liw nos, meddai'r ddynes newyddion, roedd cyfradd llofruddiaeth y dreflan wedi gostwng yn arw. O naw y mis i ddau mewn bron i flwyddyn. Wrth synfyfyrio'n hanner-effro am hyn, cefais fflach o ysbrydoliaeth. Neidiais o fy ngwely, codi'r llyfr ffôn a mynd ati i chwilio am rif y 'Tad' Zeeks. 'Pa . . . Pe . . . dyma ni Ifas, Ph. Phang . . . Phillips . . . a Phipps!'

I gymhlethu pethau, gwelais fod 'na dros ddwsin o Phippsiaid gwahanol o Matches Lane ag enwau bedydd yn dechrau â'r llythyren D. Felly, dewisais rif ar hap a dechrau'i ddeialu. Ond hanner ffordd drwodd cachgïais, a rhoi'r derbynnydd i lawr. Er imi ailgydio ynddo amryw o weithiau yn ystod y munudau nesa, dwn i'm pam, ond allwn i'n fy myw â chymell fy hun i ganlyn y peth i'w derfyn.

Wrth imi wneud fy ffordd i fyny'r allt i New Kingston fe'm cyfarchwyd gan lanc tua deunaw, wedi'i wisgo'n drwsiadus mewn beret glas, crys cynllunydd ffug a jîns *low-rider* bagiog, yn gwibio'r ffordd arall fel cythraul ar gefn hen sgragyn o feic. Hanner munud yn ddiweddarach, wrth imi ddynesu at bencadlys Bwrdd Marchnata Cnau Coco Jamaica, ymddangosodd wrth fy ymyl yn gwenu'n ddymunol. Wedi iddo ddisgyn oddi ar ei feic a chael ei wynt ato, cynigiodd ei ddwrn caeëdig imi a gofyn i ble o'n i'n mynd.

'Am dro fach,' atebais.

'Me a come wid you.' meddai'r llanc yn ôl yn hyf, fel petai'n fy adnabod i erioed.

Er gymaint oeddwn i'n hoffi'r 'Proffwyd Bychan' – egin-DdJ

o Port Royal â dyheadau, a'r gallu medda fo, i greu storm yn y byd *dancehall* – fel y cyflwynodd ei hun imi, dim ffiars o berig oeddwn i eisio fo'n sownd wrth fy nghwt drwy'r bore. Mi fydda i'n cweit leicio fy nghwmni fy hun. A bod yn rhydd i wneud yn union fel y mynnaf.

'Duw, paned o goffi fasa'n dda. 'S gen ti ffansi un?' gofynnais i fy nghydymaith parablus, yn y gobaith y byddai'n ymesgusodi'i hun ac yn mynd ynglŷn â'i bethau, wrth i ni nesáu at Devon House.

'*Yeah, man! Dat would be kinda nice. Me nah 'ave nah breakfast dis mornin','* atebodd â'r fath sirioldeb didwyll, nes imi benderfynu'i sbwylio fo'n lân a phrynu beth bynnag ar y fwydlen a ddymunai'i fwyta.

Er ei fod o'n pasio'r lle ddwywaith bob dydd, ar ei ffordd yn ôl ac ymlaen o hen gynefin Harri Morgan i *downtown* Kingston i werthu sigaréts, un neu ddwy ar y tro, ar gongl y North Parade, doedd y Proffwyd Bychan erioed wedi bod ar gyfyl Devon House o'r blaen. Doedd o erioed wedi cael weitars â dici-bôs yn gweini arno chwaith, chwarddodd yn anghrediniol. Nac omled a tships i frecwast.

'Sbïa ar y gwellt hyfryd 'ma,' meddai gan ryfeddu, wrth ddatglymu'r cortyn, bron digon hir i alw chi arno, oedd yn diogelu i racsyn o feic wrth un o goed bananas mynedfa Waterloo Road yr hen dŷ. 'Edrycha pa mor wyrdd ydi o. Ac mor daclus ydy'r gwelâu blodau 'na'n fan 'cw. A pha mor *bombo* glân ydi pob man.'

Doedd dim troi o gwbl ar fy nghydymaith. Allwn i'n fy myw â rhoi ar ddeall iddo na allwn i 'mo'i helpu i sicrhau clyweliad â chynhyrchwyr blaenllaw Kingston.

'Tyrd 'mlaen rŵan, plîs helpa fi.' erfyniodd am y cant a milfed tro mewn awr.

'Ond dwi'n neb, medda' fi wrthyt ti am yr ugeinfed tro!' chwarddais yn anghrediniol at hurtrwydd y peth, gan ymestyn fy mreichiau a throi cledrau fy nwylo tua'r nef.

'Mi faswn i wrth fy modd 'taswn i'n gallu dy helpu di. Ond

alla' i ddim. Mae'r peth yn gwbwl amhosibl. Dydw i'n ddiawl o neb. Mi fetia'i di fod y deryn *kling-kling* 'na draw fan 'cw yn meddu ar fwy o ddylanwad yn y byd *dancehall* na fi!' llefais mewn llesteiriant.

'Beth am dy *spar* 'ta, y *bingiman* o Bog Walk oeddet ti'n sôn amdano gynna'?' gwrthergydiodd y daroganwr bach pengaled, 'Hwnnw â'r label recordio. Siawns y gallith o wneud rhywbeth i fy helpu?'

'Wrth gwrs!' ebychais, 'Chofiais i un dim am yr hen Zack!'

Zack Griffiths, 106a – dwn i ddim o ble uffern ddaeth yr 'a' ysbrydoledig yna – Mango Tree Avenue, Bog Walk, St Catherine.

'*Listen, me waan you fe write yuh address and phone number inna mi book too.*' meddai'r Proffwyd Bychan, llawn cynnwrf, wedi imi orffen sgwennu cyfeiriad drama fy nghyfaill yn ei lyfr nodiadau clustlipa.

'Pam hynny?' holais.

'*It beca' when me come over a Inglan' after me bus' it big inna Jamaica, me gwaan need sponsor. An' somewhere fe stay.*' daeth yr ateb disgwyliedig; roeddwn i wedi bod drwy sefyllfaoedd tebyg i hyn sawl gwaith yn ystod y pythefnos cynt.

'Wrth gwrs.' dywedais, gan fynd ati i ysgrifennu amrywiad ar fy nghyfeiriad cywir a rhif ffôn dychmygol, honco bost, fyddai mwy na thebyg yn canu mewn caban pren yn Tierra del Fuego, neu babell groen yng Ngwerinlywodraeth Mongolia.

'Mae'n ddrwg gennyf am anghofio rhif fy nghyfaill,' ymddiheurais, wrth i ni ailgychwyn cerdded tuag at fynediad Hope Road yr hen dŷ.

'*It okay, man. Nah worry yuhsel'. Me 'ave 'im address nuh. Me can look up 'im number inna the book when me get back 'ome,*' atebodd fy nghwmnïwr, bodlon o'r diwedd, yn galonnog. Y creadur bach.

Pan gyrhaeddom y fynedfa, dringodd y Proffwyd Bychan reit i dop un o bileri giât uchel Devon House.

'Be' ddiawl wyt ti'n wneud?' gwaeddais arno'n syn.

'So unno know me nah bluff, an' fe show yuh dat me a yout' wha'
'ave prospec's, me a go gi' yuh some example a me lyrics.' galwodd i
lawr o'i glwyd. *'Me 'ave a whole bagga dem. All original! All brand
new!'* broliodd. *'An' the whole a dem a conscious. Me nah inna the
gun t'ing an' the slackness business,'* cyhoeddodd, cyn sythu fel
ceiliog dandi a mynd ati i fwrw iddi.

Er mai dim ond tua phum troedfedd dwy fodfedd o daldra
oedd o, roedd ganddo lais dyn teirgwaith ei faint. Roedd o'n
uwch na ffogorn Enlli, ers talwm. Ac yn fwy na digon croch i
ddeffro holl feirw Kingston. Hyd yn oed y rheini'n gorwedd
ynghwsg ym mynwent fawr May Pen, yn bell i ffwrdd ar gyrion
deheuol Denham Town. Chymerodd hi fawr o amser i mi
sylweddoli nad oedd *lyrics* fy niddanwr yn wreiddiol.
Cymysgedd o eiriau degau o DdJs gwahanol, y mwyafrif
ohonynt yn hollol anadnabyddus i'r dilynwr *Reggae* cyffredin –
bois fel Peter Metro a'i frawd, Squiddly Ranking, Gospel Fish,
Burru Banton, Chicken Chest, Shaka Samba, a llu o grefftwyr
geiriau eraill o dros ddegawd yn ôl – oedd cynnwys geiriol ei
'hunan-gyfansoddiadau' honedig i gyd! Pob un wan sill
ohonynt. Mor uffernol o uchel oedd y rhibidirês o gwpledi
odledig a fyrlymai o enau'r Little Prophet, nes i sylw pob enaid
byw a âi heibio gael ei ddenu. Hyd yn oed gyrwyr bysys a
lorïau swnllyd. Yng nghanol fersiwn angerddol fy nifyrrwr
direidus o 'Too Much Gun Talk' y DJ Gospel Fish o Spanish
Town, pasiodd dau fachgen ifanc heibio, yn dawnsio ar eu
beiciau i guriad ei siantio byddarol. Bloeddiont eiriau o
gymeradwyaeth draw, cyn diflannu'n araf i fyny'r stryd tua
chyfeiriad Liguanea.

Ar ôl fy niddanu am dros chwarter awr, ac achosi anhrefn
llwyr ymysg modurwyr Hope Road yn y broses, neidiodd yr
egin-DdJ i lawr o'i lwyfan â gwên fawr hunan-foddhaus ar ei
wyneb.

'Arglwydd, mae gen ti goblyn o lais!' sylwebais yn frwd.

'Yeah man! All a me frien' dem seh dat.' atebodd y llefnyn, â'i
lygaid bach yn pefrio â balchder.

''Ow 'bout me lyrics? Dem a impress yuh?'

'Penigamp! Heb eu tebyg! Onibai fy mod i'n gwybod i'r gwrthwyneb, mi faswn i'n taeru mai rhai o artistiaid diwylliannol blaenllaw'r wlad oedd wedi'u hysgrifennu.'

'Yuh t'ink yuh breddah deah a Bog Walk a go gi' me a blie?' holodd y 'Proffwyd Bychan' yn awyddus.

'Heb unrhyw amheuaeth!' ebychais â theimlad ffals.

Daeth gŵr ifanc main ac aflêr ataf fel yr oeddwn yn dynesu at groesffordd Hope Road, a gofyn imi roi tâl tocyn bws i Stony Hill iddo. Nid nepell o'r Y.M.C.A. fe'm plagiwyd gan hen wallgofddyn a fynnodd hanner can doler i brynu bwyd. Crackhead, yn ôl ei lygaid gwylltion a'i ymarweddiad bygythiol, oedd y nesaf i ' mhoeni. Pwtyn byr, tua phump ar hugain oed, â 'thoriad teliffon' – slaes cyllell yn rhedeg o'r glust i'r ên – yn harddu'r ochr chwith i'w wyneb brechlyd. Ildiais i geisiadau'i ddau ragflaenydd heb rwgnach, ond mae'n groes i'r graen imi rannu arian i gaethion cyffuriau. Yn gam neu'n gymwys, does gen i ddim 'mynedd o gwbl â'r bastards gwirion, felly aeth yn ornest weiddi rhyngom. A minnau ar fin troi fy nghefn ar yr afradwr diflas, dyma achubiaeth, mewn ffurf clamp o youthman, yn uwd o gïau a chyhyrau, ar gefn beic yn dod i'r fan. Cyn pen eiliad iddo orffen bygwth fy hambygiwr â'r grasfa orau a gafodd erioed, roedd y druggis' atgas yn prysur gyfeirio'i gamre cyflym i lawr Suthermere Road. Ac mi oeddwn innau'n talu can doler i fy achubwr cyhyrog am ei wasanaeth!

'Me hate dis dyamn blasted place,' cwynodd y ddynes yn rhannu'r ynys groesi hefo mi. 'It worser dan hell. Every single day is the same thing. Look at 'ow the driver dem nah pay we no mind. Dem know the both a we waan cross dis road. But dem nah care! Dem nah wait 'pon nuthin!' rhefrodd a rhuo yn ddig.

Yr union eiliad y caeodd ei cheg, dyma dri llanc ar gefn moto beics mawrion yn rhuo i fyny'r allt o gyfeiriad ochrau Eastwood Park, a mynd i drafferth arbennig i stopio'u peiriannau er mwyn i ni gael croesi. 'Talk and taste your tongue, misys bach,' mwmiais wrthyf fi fy hun, wrth i mi ei dilyn ar draws y ffordd.

Roedd 'na ferch syndrom Down carpiog, a drybola o faw, a'i chymar gwan ei feddwl yn hel cardod ar bwys yr *Odeon*. A hanner can llath i fyny'r ffordd, ar y pafin tu allan i ddrws *Photo City*, hen gardotes oedrannus mewn ffrog gotwm dreuliedig, ei phen bach musgrell wedi'i orchuddio gan fag siopa plastig, yn dal cledr llaw esgyrnog allan yn erfyniol. Erbyn i mi gyrraedd y siop lyfrau ail-law gerllaw sgwâr Half Way Tree, roedd yr hynny bach oedd gen i o newid i gyd wedi mynd. Felly cafodd y llefnyn methedig, wedi'i stwffio i mewn i gadair olwyn rhy fach o'r hanner i'w gorff chwyddedig, bapur can doler. Ddwywaith be' fyddai'n arfer ei gael gennyf. A chefais innau homar o wên, ddwywaith siriolach nag arfer, yn ôl. A *'Bless you, sir!'* byddarol ar ben hynny.

Ugain llath i lawr Hagley Park Road, roedd car Siapaneaidd gwyn, llonydd, wedi hen weld ei ddyddiau gorau. Roedd ei yrrwr ifanc a'i ffrind, yr hynny bach allwn i weld ohonyn nhw, yn gorwedd wysg eu cefnau ar ei foned, wedi'u hamgylchynu gan bedwar plismon a dwy blismones. Ac yn ei chael hi'n galed ganddynt. Yn galed iawn, hefyd. Y diawl busneslyd fel ag yr wyf, stopiais i wylio'r halibalŵ. Ac i dynnu ychydig o luniau o'r digwyddiad â'r lens closio'n estynedig. Ar yr union eiliad y gollyngais i'r caead am y drydedd tro, dyma fi'n teimlo rhyw gysgod mawr yn disgyn drosof. Gwyddwn nad cwmwl oedd o, oherwydd, fel arfer, roedd yr wybren fel dalen asur ddi-frechleuyd o bad sgwennu *Basildon Bond*. Gostyngais fy nghamera mewn penbleth a throi fy mhen i gyfeiriad beth bynnag oedd o yn fy nghysgodi. A dod wyneb yn stumog â phlismon, y plismon mwya yn yr holl fyd. Ac un o'r stowtia hefyd, o be' welais i o'i wep o cyn imi ei gwadnu hi ffwl pelt i lawr Hagley Park Road.

Brasgamais, yn cythruddo wrth y funud, heibio pencadlys y *Jamaican Broadcasting Corporation* am y pumed tro. Yn dal heb weld unrhyw olwg, na smic, o siop recordiau *'Aquarius'* yn unman. Dros y ffordd, roedd hen fachgen Rastaffaraidd mewn cadair olwyn yn eistedd yn llygad yr haul poeth. Yn gwylio'r ceir yn mynd a dŵad ar hyd Eastwood Park Road ag astudrwydd a mosiwns dilynwr tenis brwd yn gwylio rali dyngedfennol ar y *Centre Court*. Croesais y ffordd a gofyn iddo a oedd ganddo unrhyw syniad ble roedd *'Aquarius'*. Roeddwn yn gwybod yn bendant fod y lle rywle yn y cyffiniau, oherwydd roedd Zack wedi tynnu fy sylw at y siop sawl gwaith.

'Mi wyt ti newydd basio'r lle, frawd,' dwedodd yr hen fachgen, gan bwyso ymlaen a dechrau chwerthin yn braf,

'Am y cant a milfed tro! Dyna fo fan 'cw, 'ngwas i, union dros y ffordd. Y lle yna â'r gwarchodwr arfog mewn swyddwisg lwyd yn sefyll fel soldiwr ar bwys y drws.'

Roedd Freddie Jackson, y Mynydd Carnguwch o hen ganwr soul Americanaidd, newydd gyrraedd y pwynt ar y fersiwn 12" o'i gân serch ingol, *'Rock Me Tonight'*, ble mae'i deimladau yn dechrau mynd yn drech ag ef. Y man lle mae'r holl hel atgofion melys am ei gyn-gariad yn mynd yn ormod i'r creadur bach, ac mae o'n mynd ati i 'dystio' ei dorcalon yn y modd mwya melltigedig o argyhoeddiadol. Pwysais yn erbyn y cownter i wrando ar weddill y gân, yn benysgafn dan rym y fath dymestl o ganu enaid. 'Ffiiiiwww!' gollyngais, wedi i lais y pêr ganiedydd anferth bylu'n riddfan bach, bach, bron anghlywadwy.

'So yuh like that one, huh?' meddai'r gŵr brown tal tu ôl i'r trofwrdd wrthyf â gwên fach ddeallgar brawd yn y ffydd.

'Hmm,' mwmiais yn wynfydedig.

'Mek me play it again fe you, den.' dwedodd perchennog *Aquarius* yn fawrfrydig, gan beri i mi ddiodde saith munud a hanner arall o straen calon ac enaid.

Dechreuais â'r staciau o focsys cardbord mawr, llawn o senglau *dancehall* diweddar ar werth am bum doler ar hugain (15c.) yr un, oedd wedi'u pentyrru ar bwys y ffenestr. Newydd ddechrau tyrchu am aur du oeddwn i, pan swagrodd llefnyn â stamp dihiryn yn amlwg arno trwy ddrws y siop a dechrau dawnsio a chadw reiat yng nghanol y llawr. Oedais am eiliad i fwrw golwg ddirmygus ar y torsythwr bach gwirion, ac i fwmian 'Coc oen bach jarfflyd' gwenwynig dan fy ngwynt.

Gosododd ei hun tua dwy lath i ffwrdd. Ac am funud neu ddau, cogio ymgolli yn yr amrywiaeth eang o deleffonau canser yn y cabinet gwydr yr oedd o'n pwyso arno. Toc, wedi iddo edrych y tu ôl iddo'n slei bach, ac yna i gyfeiriad y trofwrdd ym mhen pella'r ystafell, lle'r oedd hanner dwsin o lanciau yn sefyll yn glwstwr o gwmpas dyn y siop, ymlithrodd ei ffordd i lawr y cownter wysg ei ochr yn araf deg. Nes oedd o'n sefyll yn dynn wrth fy ymyl. Yn sownd i mi, bron. Wedyn, tynnodd *ratchet* – math o gyllell glec – o boced ei jîns, ac ar ôl gwneud gorchest fawr, anweledig i bawb ond y fi, ohoni, plannu blaen ei llafn yn ysgafn yn fy 'sennau.

Penelin fach sydyn a hegar yn ei wep. Dyna'r oll oedd angen ei wneud i godi'r gwarchae.

Oherwydd, dim ond tua phum troedfedd dwy fodfedd o daldra oedd o. Ond ymhen sbel daeth yn gwbl amlwg i mi nad oedd y boi yn llawn llathen. Roedd o'n gwenu'n od arnaf trwy'r amser, yn siarad ag o'i hun yn barhaus, ac yn mynnu arian trwy fygythion gan gwsmer siop oedd â gwarchodwr a chanddo dwelf bôr *pump-action* wrth y drws. Roedd y peth yn honco bost! Fel cerdded i mewn i lond caets o lewod a rhoi cynnig ar drio dwyn eu cinio. Doedd dim gobaith mul ganddo i ddianc, siŵr Dduw! Na, 'tasa hi'n dŵad i hynny, i fy mygwth i i ildio'r un ddoler goch. Stori arall fasa hi, wrth gwrs, 'tasa ganddo wn yn ei law. Ymhen hir a hwyr, aeth syrffed neu lesteiriant yn drech â'r llanc ffôl. Ac ar ôl nodio'i ben arnaf fel arwydd ffarwel, cerddodd allan, gan oedi am eiliad ar y palmant i dynnu 'stumiau arna'i drwy'r ffenestr.

Ar ôl ysbeilio tri ohonynt yn drylwyr, rhoddais y gorau i balfalu am fargeinion yn y bocsys sêl a mynd draw at y trofwrdd a gofyn i berchennog gwengar a thangnefeddus y siop 'gyffwrdd' y senglau diweddaraf i mi; dylai'r hynny bach o synnwyr cyffredin sydd gen i fod wedi dweud wrthyf na ffeindiwn i ddim ond gwrthodedigion iselradd ynddynt. Cyn pen dim roedd yr oddeutu hanner cant o ddisgiau newydd yn bentwr taclus o fy mlaen.

'A dyna hi?' gofynnodd y *brownman* tal.

Nage. Ddim cweit. 'Taswn i ond yn cael mynd yr ochr arall i'r cownter ganddo, i anrheithio'r silffoedd tu cefn iddo wrth fy mhwysau.

'Â chroeso,' meddai dyn y siop, gan godi'r fflap a gwneud amnaid imi gamu drwodd. Tarais ar gyfoeth ymhen dim, ar ffurf celc mawr o hen senglau *roots* o wneuthuriad stiwdio *'Startrail'* Richard 'Bobo' Bell.

Gyda'r disgowns, chwe mil tri chant o ddoleri. Oddeutu can punt. Y nesa peth i ddim. 'Taswn i wedi cael y cant a throsodd 'na o senglau o *Dub Vendor*, byddwn wedi gorfod talu oddeutu tri chant o bunnau amdanynt (mae hen senglau, *'revives'* fel y'u gelwir, yn dair punt, sef hanner can ceiniog yn ddrytach na senglau cyfoes, yn siopau Lloegr).

''Dach chi'n gwybod y poster *'Rebel Salute'* mawr 'na uwchben y rheseli *soul*, ydi o'n da i rywbeth i chi?'

Cyn i mi orffen gofyn roedd o'n estyn yr ysgol risiau.

'A beth am yr un *'Sting'* 'na?'

Ceisiais a mi a gefais hwnnw hefyd. Ac nid yn unig wnaeth o dynnu'r pinnau bawd yn hynod o ofalus, rowlio'r posteri'n bibellau bach tynion a'u clymu nhw'n dynn â dolenni 'lastig, ond aeth drwodd i'r cefn i nôl tiwbiau cardbord i'w rhoi nhw ynddynt.

''Dach chi'n gwybod be?' dywedais wrth y *brownman* clên fel oedd o'n estyn fy magiau plastig dros y cownter, 'Dach chi wedi fy sbwylio fi'n lân. Dwi'm yn cael gwasanaeth fel 'dwi 'di gael yma heddiw hyd yn oed yn *Dub Vendor!'*

Wrth i mi'i gwneud hi i lawr Eastwood Park Road cyfarfyddais â'r cynhyrchydd rhadlon, llond ei groen, Mikey Jon. Ac ar bwys cyffordd Hagley Park Road gyrrodd Jimmy Riley heibio mewn cerbyd gyriant pedair olwyn mawr glas, gan ganu'i gorn a chodi'i law arna'i wrth fynd. Dros y ffordd i'r clocdwr yn Sgwâr Half Way Tree des wyneb yn wyneb â Dudley

Sibley, oedd ar ei ffordd i *Aquarius* i hwrjio'i ddisg ddiweddaraf. Wedi i'r canwr boneddigaidd fy nghyflwyno â chopi o'r sengl, stopiodd *dread* mawr main â bag cynfas ar ei gefn a gofynnais iddo fasa fo'n defnyddio fy nghamera i dynnu llun ohonom ni'n dau. Wnes i ddim sylwi, nes dynnodd Ann fy sylw at y ffaith, 'mod i wedi estyn fy nwy law allan gan ffurfio symbol o fap o Affrica. Yn union fel fydd y Bobo Dreads wastad yn ei wneud. Ac fel y gwnâi eu Duw, Haile Selassie, ers talwm.

Pump cryno ddisg *mega-mix* anghyfreithlon, tri *sound tape* a phac dal-popeth anferth a chryf – i gywain fy nghynhaeaf o recordiau gartref i Gymru – yn ddiweddarach, penderfynais ei throi hi am adref. Neu'n hytrach, am Devon House. Gan dorri ar draws South Avenue am newid fach. Trawais ar hen *juice-man* Stopiais am funud i gael cip ar y cannoedd ar gannoedd o boteli o bob maint, lliw a llun – yn cynnwys atgyfnerthion libido nerthol ac enwau difyr arnynt fel *Front-End-Lifter*, *Tear-Up-Mattress*, *Cyaan Come*, *Strong Back*, *Brek-Down-Bed*, ac ati – yn gorchuddio pum medr cyfan o'r palmant o flaen ei gerbyd. Ac i brynu potelaid fechan o win enwog Baba Roots – y cyfeirir ato drosodd a throsodd yn *lyrics* Anthony B, yr Heliwr Bownti a Vybz Cartel, ymhlith eraill – i'w hyfed wrth gyfeirio fy nghamre'n hamddenol tua thre.

'Dat a sixty dollar, boss,' meddai'r *juiceman*, gan fynd ati i lapio'r botel, llawn o neithdar rhuddem, mewn dalen fawr o bapur sidan gwyn.

'*Tell me, yuh 'ave a gyaal in town?*' holodd yr hen foi, fel o'n i wrthi'n palfalu'n slei bach am fy nghhwdyn arian plastig yn nyfnderoedd chwyslyd fy nhrôns.

'Nac oes wir!' chwarddais yn uchel. '*Well nuh, me a tell you seh, after drinkin' dat bottle a roots deh yuh a go need one!*' llefodd yr hen gono'n llon.

'Na, dwi'n ŵr priod hapus wyddoch chi, mae gen i wraig yn disgwyl amdanaf draw yng Nghymru!' bloeddiais yn ôl.

'*What eye don't see, heart don't leap!*' crawciodd yr hen *juiceman* fel un o frain mytholegol Llannor.

Doeddwn i ddim angen toriad gwallt, roedd y pladurwr Twrcaidd gwallgo fûm i ato yn Brixton bum wythnos ynghynt wedi gwneud yn siŵr o hynny. Dim ond stopio i gael cip ar y poster mawr yn y ffenestr, wedi'i blastro â hanner cant o ffotograffau yn hysbysu'r holl steiliau o doriadau gwahanol ar gael oddi mewn, wnes i.

''Tasat ti'n foi du, Ifas – hynny yw, *rude boy* ifanc – pa un o'r rhei'na fasat ti'n ei ddewis i harddu dy ben hyfryd?' gofynnais i mi fy hun am sbort.

'Rhif 26, hwn'na â'r pen wedi'i eillio reit rownd a bwnsiad o locs byr yn sefyll i fyny, fel dail riwbob pythefnos oed, reit ar y top. Neu rif 37, yr amrywiad difyr 'na ar y steil *cane-row* clasurol, neu rif 2 efallai . . .' Tarfwyd ar fy chwarae gwirion gan adlewyrchiad mawr gwyn droedfeddi tu ôl imi. Trois rownd, wedi 'nychryn braidd, a dŵad yn wyneb yn wyneb â'r barbwr. Fersiwn tua deg ar hugain oed o'r diweddar Joshua Nkomo – bol anfesuradwy, pen bychan bach, llygaid pefriol, gwallt wedi britho hyd yn oed.

'Mi welais i chdi neithiwr,' meddai'r torrwr gwallt ifanc, gan wenu'n ddymunol a rhoi'i ddwylo ym mhocedi'i gôt neilon wen oedd yn ymladd am ei bywyd i beidio â byrstio.

'Duwcs annwyl, yn lle oedd hynny?' holais yn llawn diddordeb.

'Yn y *Spectrum*. Wnest ti fwynhau'r sioe?'

'Do wir. Yn ofnadwy.'

''Dwi 'di dy weld ti'n cerdded strydoedd Half Way Tree sawl gwaith hefyd. A phan o'n i'n mynd adref o fy ngwaith y diwrnod o'r blaen, bnawn Mawrth dwi'n meddwl oedd hi, mi sbotiais di'n sefyll ar y palmant yn Crossroads. Â phibell yn dy geg a llond gwlad o fagiau plastig wrth dy draed.'

'Yn llawn o recordiau. Ew, ti'n ddyn llygatgraff ar y naw!' chwerddais.

'A siarad yn blwmp ac yn blaen, dim ond dyn dall fasa'n dy fethu di!' chwarddodd yntau wedyn, gan siglo'n afreolus fel petai'n dalp anferth o flwmonj.

''Dwi mor amlwg â hynny, ydw?'

'Wyt. Rwyt yn tynnu sylw rhywun o bell.'

'Taw â sôn!'

'O ddifrif calon. Waeth iti glymu golau fflachiol ar dop y pen moelaidd 'na s'gen ti ddim! 'Dwyt ti ddim yn teimlo'n glwyfadwy, dŵad? Yn darged hawdd i ddynion drwg?'

'Mi fyddai'n ceisio peidio â meddwl am betha fel 'na.' atebais.

'Gwylia di na ei di ddim i ddiawl o drybini wrth . . .'

'Sori! 'Dwi newydd sylweddoli faint o'r gloch ydi hi,' torrais ar ei draws, 'Mae'n rhaid i mi fynd y munud yma. Mae rhywun yn galw i fy ngweld i yn y gwesty mewn chwarter awr.' dwedais gelwydd, gan gydio yn fy magia a chychwyn rhuthro i lawr y ffordd.

'Cofia di . . .'

'Mi wna' i. Paid â phoeni.' gwaeddais ar ei draws dros fy ysgwydd. Mi fasa'n dda ar y diawl gen i 'tasa pobl ddim yn rhoi'u bysedd yn fy nghawl i bob munud. Dwi'n gwybod mai meddwl am fy lles i oedden nhw. Ond roedd fy lles i mewn dwylo sicr a da. Roedd yr hen Yabby You annwyl wedi gweddïo ar ei Dduw i edrych ar ei ôl o. Ac roedd hynny'n hen ddigon da gen i.

Ar ôl prynu corned hufen iâ blas *sour-sop*, tynnais fy sgidiau ac eistedd ar un o'r meinciau yn y cwrt a gwylio nythfa o *doctor birds*, neu *streamertails*, rhodresgar Devon House yn pig-gusanu a thwtio'u plu emrald, du a phiws yng nghanghennau'r goeden *kapok* fawr uwch fy mhen. Allan o'r holl wahanol fathau o adar dwi 'di weld draw yn Jamaica, y si-ednod bach mân 'ma yw fy ffefrynnau, â *shine eyes* – adar du bitsh annwyl â chynffonnau hirion a llygaid gloywon – yn dod yn ail dda. Dal i ddisgwyl gweld y *mango hummingbird*, rif y gwlith yng nghyffiniau Kingston yn ôl yr honiad, ydw i. A'r *tody*, neu'r robin goch – deryn gwyrdd a melyn, maint dryw bach, â bib ysgarlad dan ei ên a hoffter o nythu dan ddaear. Y frân Jamaicaidd, y *sugarbird* a'r *cowbird*, y dywedir eu bod yn gyffredin iawn o gwmpas y brifddinas, hefyd. Drannoeth Spectrum y llynedd treuliais ddiwrnod cyfan yn crwydro St Catherine's Peak yn y Blue Mountains ar fy mhen fy hun. Yn ceisio cael cip ar rai o'r amrywiaeth mawr o adar prin sy'n byw yno; yn cynnwys cnocellod lliwgar, y *solitaire*, y *vireo*, parotiaid pig-felen, gwyrdd a gylfin-ddu, a'r *mountain witch*, ymhlith eraill. Saith awr fûm i'n tramwyo llethrau serth y mynydd diawl 'na. Saith blydi awr heb fwyd a diod a dim hyd yn oed cip ar yr un enaid â phlu! Wel mi o'n i'n siomedig. Yn enwedig o ystyried mor ysgubol o lwyddiannus fu saffaris Jamaicaidd Ann a minnau'n y gorffennol.

> '*Go away and stay away*
> *You ain't got no culture*
> *Go away and stay away*
> *You actin' like vulture . . .*'
> Dennis Brown – '*Death Before Dishonour*'

Mae torthau cig gogoneddus y *Brick Oven* yn anferthol. A'u patis godidog deirgwaith mwy na'r cyffredin. Sglaffiodd yr horwth mawr o Ianc plorog oedd yn eistedd gyferbyn â mi ddwy o'r cyntaf a thair o'r olaf mewn llai na chwarter awr. A chladdu homar o hufen iâ o siop *I-Scream* hefyd. Ac yfed llond bwcedaid gardbord o *Coca-Cola* ar ben hynny. Os oedd y twrist cyffredin yn cynhyrchu deirgwaith cymaint o wastraff soled â Jamaicad, meddyliais yn ddifrifol, faint oedd yr Ianc mawr yma'n ei gynhyrchu! Synnwn i ddim fod o angen gwaith trin carthion cyfan iddo fo'i hun. Doedd y ddwy eneth loaidd oedd hefo fo fawr gwell chwaith. Mi fwytodd y rheini dorth gig a phastai yr un ac yfed llond cafn o *Coca-Cola*. Iesu Mawr mi o'n i'n gwaredu at eu glythineb nhw. Ac yn rhyfeddu at eu diffyg hunan-barch . . .

Craffais ar y bolgi mawr ar draws y ffordd. Os feiddiai o anelu lens ei gamera fideo ata i roedd o'n mynd i'w ffycin cael hi! Pam bod Prydeinwyr ifanc i gyd eisio bod fel hwn a'i fath, pendronais yn ddifrifol, gwisgo'r un fath ag o, siarad yr un fath, bwyta'r un cawdel ac yfed yr un piso uffern o gwrw. Gwylio'r un ffilmiau cachlyd a fformiwläig ag o, a gwrando ar yr un rwtsh ystrydebol o gerddoriaeth. A pham, bob un tro ddown innau ar draws Americanwyr, oeddwn i'n cael y teimlad rhyfedd yma 'mod i wedi fy hepgor o gyfrinach. Fod pawb yn y byd ond y fi wedi cael hysbysiad oddi fry yn dweud bod yr Unol Daleithiau wedi etifeddu'r ddaear. Roedd Ralston yn methu'n glir â deall pam, a minnau'n ddyn *Soul* mawr ers yr holl flynyddoedd, nad oeddwn wedi bod yn yr *U.S.* bellach. Am yr un rheswm nad oedd Capleton erioed wedi bod draw yn Rhufain, dywedais wrtho. Roedd o'n deall yn iawn wedyn.

Bum munud wedi i'r sioe wythnosol, *Entertainment Report*, gychwyn ar sianel CVM, daeth cnoc ar ddrws y llofft. 'Diplo', un o hogia' ifanc Grant's Pen, oedd yno. Roedd ei fêts wedi'i yrru draw i ofyn imi a oedd gen i ffansi ymuno â nhw wrth ymyl y pwll nofio, meddai wrthyf yn swil. Sut allwn i wrthod? Casglais fy mharaffenalia smocio ynghyd ar unwaith, ond erbyn i mi'i chychwyn hi am y pwll roedd hi'n stido bwrw glaw. Ac roedd hen hogia Grant's Pen i gyd wedi'i throi hi am adref. Felly, trois ar fy sawdl a mynd yn ôl i fy ystafell a disgyn i drwmgwsg breuddwydiol. Ymhen chwinciad cefais fy hun gartref, yn agor ffenestri'r lolfa er mwyn siwio llond gwlad o gywion deryn du dryslyd i'r ardd. Ond bob tro y llwyddwn i hel tri neu bedwar ohonynt allan, syrthiai brain anferthol arnynt a llyncu'r creaduriaid bach yn gyfan. Dro ar ôl tro es allan i'r ffrynt dan floeddio rhegi a mynd ati i bledu'r brain mawr anfad â cherrig. Ond cymerodd y ffernols diawl ddim mymryn o sylw ohonof fi na'r teflynnau. Mwya sydyn dyma'r olygfa'n newid i glwb nos myglyd rywle'n Llundain, lle'r oeddwn yn gwneud fy ngorau glas i godi twrw â'r dirmygedig Mick Jagger a Keith Richards, drwy wefuso geiriau anweddus a chodi dau fys arnynt. Chwinciad wedyn roeddwn yn ôl Kingston, yn cuddio tu ôl i lwyn *bouganvillea* mawr pinc yn gwylio'r hen Domi, fy nhad, yn eistedd ar ben y wal tu allan i fy ystafell; *Embassy* fyglyd yn ei law, y wên fawr hyfryd honno'n goleuo'i hen wyneb crychlyd a'r awel yn gwneud i'w dyffiau o wallt claerwyn – wastad wedi'u golchi â *Phersil* neu *Daz!* – godi a disgyn fel trapddor yn clepian.

Cyn mynd i'r bar, piciais draw at y pwll nofio i edrych ar Kingston liw nos am y tro olaf tan yr Ionawr dilynol. Wrth i fy llygaid trist ysgubo goleuadau'r ddinas o Barbican Heights yn y dwyrain draw tua Plantation Heights yn y gorllewin, cefais fy hun yn meddwl yn ddifrifol a oedd bwrw gwyliau yno, ymhlith yr holl drais, tlodi a dioddefaint diawledig, yn beth moesol gywir i'w wneud. Hyd heddiw, dwi'n dal i fod yn ansicr ynglŷn â'r peth.

Wrthi'n gorffen fy mhotelaid cyntaf o *Heineken* oeddwn i, pan gerddodd dyn gwyn bach canol oed, tlodaidd a gwladaidd yr olwg, drwy'r drws ac eistedd i lawr wrth fy ymyl. Cefais sioc ar fy hyd pan ddwedodd, mewn llediaith Albanaidd drom, mai perchennog cwmni cyhoeddi llyfrau oedd o. Roedd o'n debycach o lawer i ddyn difa tyrchod daear i'm golwg i.

'Sut fath o lyfrau?' holais.

'Llyfrau addysgol i blant bach,' atebodd, gan estyn tun baco a phaced o *Rizlas* o boced ei hen grys *Viella* wedi colli'i liw.

'Yma ar dy wyliau wyt ti?' gofynnais wedyn.

'Nage, ar fusnes,' ebe'r Sgotyn, 'Tua'r amser yma bob blwyddyn mi fydda i'n cychwyn ar daith i werthu llyfrau newydd fy nghwmni o amgylch y Caribî. Kingston yw'r lle cyntaf dwi'n aros ynddo bob tro – er mwyn cael y gwaetha drosodd yn gyntaf, fel petai. Ar ôl gorffen yma mi fyddai'n hedfan i Haiti a threulio noswaith yn Port au Prince, cyn dechrau'i hopian hi i lawr yr ynysoedd dwyreiniol, yr holl ffordd o Basseterre yn St Kitts i Port of Spain yn Trinidad. Cyn dechrau ar dir mawr De America – gyda Characas. O'r fan'no byddaf yn hedfan i San José, Costa Rica, cyn gweithio fy ffordd i fyny i Managua, Tegucigalpa, San Salvador, Guatemala, ac yn olaf, dinas Belmopan yn Belize.'

'Wel am hen sglyfaeth lwcus!' sylwebais, yn las gan genfigen.

'Dyna wyt ti'n ei feddwl,' meddai'r Albanwr yn sych, 'Mae o'n waith caled ar y naw, 'sti.'

'Gymeri di gwrw arall?' holais Ronnie, gynt o Gaeredin bellach o gefn gwlad Sterlingshire, wedi i ni gyfenwid enwau, a ballu.

'Dim diolch. Mae 'na dacsi'n galw amdanaf unrhyw funud rŵan. I fynd â mi i'r *Jade Palace* am bryd o fwyd,' esgusododd ei hun.

'Iawn, Duw. Digon teg.' dwedais.

'Beth am iti ddŵad hefo mi?' cynigiodd, 'Mi fasa'n neis cael cwmpeini.'

'Duw, ocê ta. Pam ddim. 'Does gen i ddiawl o ddim yn galw, felly mi ddof.' atebais, bron yr union eiliad y brathodd pen y boi tacsi ifanc trwy'r hatsh gweini.

'O ba ran o'r ddinas wyt ti'n dŵad?' gofynnais i'r gyrrwr tacsi â'r wên fawr gyfeillgar a mop trwchus o locs byrion. Dyna fydda i'n ofyn gyntaf bob tro. Unwaith fydda i wedi cael gwybod hynny, 'dwi awê. Mae 'na wastad rywun neu rywbeth o'i filltir sgwâr alla i ddefnyddio fel sylfaen i sgwrs ddiddorol.

'Southside', meddai'r llanc, gan dynu'i sbectols haul, neu'n hytrach sbectols lleuad o gysidro faint o'r gloch oedd hi. 'Ond nid o fan'no dwi'n wreiddiol chwaith, cofia', aeth ymlaen, 'Yn Pembroke Hall, plwyf St Mary, gefais i fy ngeni a fy magu.'

'Tir y Proffwyd Capleton,' dywedais yn ddidaro.

'Ia, dyna chdi! *Bombooooo!* Sut ddiawl oeddet ti'n gwybod hynny?'

'DEM SHOULDA KNOW ST MARY'S ME COME FROM. DEM SHOULDA KNOW IT NEX' DOOR TO PORTLAND . . .' rhuais dros y car, gan achosi'n gyrrwr hysteraidd i roi'i fraich drwy'r ffenestr a waldio'r drws cyn galetad ag y gallai hefo cledr ei law. Dyna hi wedyn. Mwydro am fiwsig *dancehall* fuom ni'll dau, yr holl ffordd i ben y daith. Bron iawn.

Yn hytrach na mynd yn ei flaen ar hyd Hope Road, draw am y *Sovereign Centre*, ar bwys yr arwydd i'r *Tropical Inn* trodd i'r chwith. O fewn chwinciad i ni blymio i lawr ffordd gefn fach dywyll bitsh a thyllog, dyma'r Sgotyn bychan yn agor ei hen hopran.

'*Hey! Hey! Hey! What the fuck do you think you're doing driver?*' bloeddiodd nerth esgyrn ei ben o'r sedd gefn, '*The fuckin' Jade Palace is thataway, my friend, in the Sovereign Centre up on Hope Road.*'

'*Me know, me know,*' meddai'r dreifar hoffus yn ffrwcslyd, '*Y'see nuh, Hope Road it closed 'cause a dis big fire. Highway blocked wid fire brigade an' police cyaar, so we 'ave fe tek dis lickle detour roun' the back road dem.*'

'*You'd better be telling us the truth, my friend,*' 'sgyrnygodd Joc yn ôl yn fygythiol, '*Or there's gonna be hell to pay.*'

'O ia? A chdi a phwy arall sy'n mynd i gasglu'r ddyled, 'ngwas bach cegog, i!' bytheiriais innau dan fy ngwynt.

Mi wnaeth o groesi fy meddwl i adael y bastard i giniawa ar ei ben ei hun. Yn enwedig ar ôl i mi weld bod yr awyr o amgylch croesffordd gyfagos Matilda's Corner yn fflamau a gwreichion a goleuadau glas fflachiol i gyd. Ffwcio y fo a'i *Jade Palace*, os mai fel 'na oedd o'n ymddwyn, â diffyg parch, drwgdybiaeth anesgusodol a chawod o regfeydd hyll. Ffwcio'r bastard bach ffiaidd yr holl ffordd o Kingston i Magotty, chwedl Capleton. A'r holl ffordd yn ôl wedyn. Ond erbyn i mi setlo â'r gyrrwr ac ymddiheuro'n llaes iddo am ymddygiad gwarthus y *wussy* Albanaidd oedd hefo mi, roeddwn i wedi oeri'n sylweddol. Ac unwaith mae rhywun wedi oeri mae hi'n rhy hwyr. Dydi o ddim yn gallu llosgi *badmind* 'r un fath.

Cerddom tuag at y *Sovereign Plaza* mewn distawrwydd. Dwi'n amau'n gryf bod fy nghydymaith wedi sylweddoli erbyn hyn, bod ei ffrwydrad dianghenraid yn y tacsi wedi gyrru hollt fawr rhyngom. Neu efallai ei fod o wedi fy nghlywed i'n rhedeg arno wrth y gyrrwr. 'Ta waeth, uffern o ots am hynny. Wrth i ni ddechrau camu i fyny'r hyd hir o risiau'n arwain at lawr cyntaf y canolfan siopa, rhuthrodd dyn mewn carpiau tuag atom dan sgrechian.

Roedd ei wyneb wedi chwyddo ac yn doriadau i gyd. Ac yn

un drybola o waed gwlyb.

'*Come on, ignore him! He's only after our fuckin' money,*' sgyrnygodd y Sgotyn. Anwybyddais y *pussy* a gofyn i'r creadur anafedig pwy ddiawl oedd wedi gwneud y fath lanast o'i wyneb. '*For God's sake, Elwyn man! The table's booked for eight. And we're late already.*' brathodd ar draws y boi. Anwybyddais o eto. Roedd o'n mynd ar fy nerfau'n lân erbyn hyn.

'Pwy wnaeth y llanast diawledig yna o dy wyneb?' triais drachefn.

'Pedwar o lanciau yn cuddio rownd y gornel 'na, draw fan 'cw,' atebodd y creadur ffwdanus mewn acen Americanaidd, gan bwyntio bys crynedig i'r chwith.

'Pam hynny?'

'Am eu bod nhw ddim yn gallu dygymod â chystadleuaeth. Os feiddia i ddŵad i olchi ceir i'r *plaza* yma eto, maen nhw'n mynd i fy lladd i, meddan nhw.'

Faswn i'n mynd draw i nôl ei fwced, a'i glytiau a'i sgwiji? Dim ffiars o berig, rhag ofn i mi gael yr un driniaeth ag oedd o newydd gael. Ond doedd ganddyn nhw ddim hawl o gwbl ei hel o oddi yno fel 'na. Nac oedd. Ond 'taswn i'n fo mi faswn i'n gadael ar fy union. 'Tasan nhw wedi dweud hyn'na wrtha' i, prin fasan nhw wedi gweld croen fy nhin i'n mynd trwy'r mynediad. Ond roedd Jamaica'n wlad rydd, i fod. Digon gwir. Ar ôl treulio dros chwarter awr yn trio siarad yn gall â'r Americanwr du, o'r diwedd gwelodd beth oedd gen i.

'Wnei di un peth bach i mi cyn i ti adael?' crefodd yr Ianc druan, gan sychu fflemsen waedlyd yn hongian o'i drwyn â chefn ei law. 'Fasat ti'n fy nanfon i drwy'r brif fynedfa cyn i ti fynd?' gofynnodd yn druenus.

Cyn mynd i fyny'r grisiau, stopiais am funud i fwrw golwg ar lond ffenestr o ddillad dynion godidog ar y llawr cyntaf. Ac i bwyso a mesur ychydig yr un pryd. Beth fyddai'r peth gorau, sad-gysidrais, gan lygadu crys du gogoneddus wedi'i addurno â fflagiau Jamaicaidd bychain, ffoi 'ta aros? Ffoi i'r *Mayfair* fyddai'r opsiwn calla, yn sicr. Cyn i'r Sgotyn bach cythreulig 'na gael cyfle arall i fy nhynnu i i'w ben, ac i minnau golli arni'n lân a gwneud ffŵl ohonof fy hun o flaen llond bwyty o bobol. A'r dewis hawsa hefyd. Damia uffern! Be' ddiawl oedd ar fy mhen i, yn derbyn gwahoddiad i fwyta allan gan rhyw blydi fampir bach anghynnes oedd yn meddwl bod yr holl fyd yn cylchdroi rownd y fo a'i lond siwtces o lyfrau plant bach pathetig? Roedd eisiau rhywun i edrych ar fy mhen i. Troi fy nghefn ar y sinach fyddai'r peth calla. Dychwelyd i'r gwesty ar fy union. Ond eto, pam ddylsiwn i roi i mewn ac ildio i rhyw *fassy* bach atgas fel 'na? A chefnu ar bryd o fwyd gogoneddus a minnau'n llwgu gymaint? Na y fo a'i feddylfryd gwladychol anghynnes ddechreuodd hyn i gyd. Felly y fo ddylai fod yr un i ddioddef. Wrth i mi edmygu pâr o sgidiau brown, tebyg iawn i'r *earthman shoes* a wisgai DJs y 70au dros bâr o sanau patrwm deimwnt, dyma fi'n troi ar fy sawdl a mynd i chwilio am dacsi.